U0472342

格隆 / 著

投研札记
格隆廿年

关于家国
关于投资

下 / 家国篇

上海财经大学出版社

献给生我养我的江汉平原

献给 Lucia、Leo、Ivan——你们是我的全部

# 目录 | Contents

序一　穿越历史的河流——格隆走马美国随笔 / 001
序二　日月悠长，山河无恙，行者无疆 / 001

## 上篇　投资篇

格隆对话虞锋：关于创业、投资的那点事 / 003
乱世带刀 / 021
阿里巴巴暴跌的幕后：互联网公司的 GAAP 与 Non GAAP / 028
滴滴、快的闪婚：与爱情无关　必须阻止他们 / 034
投资之外——关于牛市、财富、泡沫与江南文化 / 042
A 股的 4 000 点：一场已经闻到焦煳味的牛市"剩"宴 / 047
宏观经济学：伪科学还是工程师？/ 056
取势，明道，优术：财富因何而来，又因何而去？/ 071
这次也不会有什么不一样：泡沫化投资的纠结与选择 / 076
为什么一定要争夺港股定价权——兼论港股的调性与世纪机会 / 080
牛市杀人与斯德哥尔摩综合征 / 088
股灾与机会：火灾时逃离火场后，一定要再返回火场 / 092
牛市忏悔录：一场本该狂欢的牛市盛宴，为何成了一场屠杀？/ 095
十倍股与围棋俗手 / 101
投资中最重要的事：只有买得便宜，才能卖得便宜 / 107

你自己是自己最好的奖励——致所有参选新财富的研究员 / 113

为什么自己总是赚不到钱？/ 118

安纳塔汉岛上的女人，以及A股的自我救赎 / 125

对海外投资几个焦点问题的看法 / 131

那些改变人类历史的重大战役折射出的投资哲学系列之一：图尔战役 / 141

那些改变人类历史的重大战役折射出的投资哲学系列之二：布匿战争 / 147

那些改变人类历史的重大战役折射出的投资哲学系列之三：中途岛海战 / 156

"APPLE PAY＋银联"：中国移动支付行业的征与伐 / 165

一家伟大的企业是怎样炼成的 / 174

博弈的精髓：结硬寨，打呆仗 / 179

比P2P危害更大的又一款精美骗局：一级市场散户化 / 186

离开了牛市，你什么也不是 / 193

人民币的过去、现在与未来 / 199

特朗普与徐翔：两个顶级趋势投资者的狂欢 / 208

过去三年中国最牛的商业创新模式：摩拜单车，还能走多远？/ 214

不能安家　何以安邦 / 223

近乎疯狂的做空季：收割内地"韭菜"的崭新方式 / 229

究竟什么样的远方，才配得上这一路的颠沛流离？/ 237

长安不见使人愁——历史下的语境：斜阳与转机 / 246

资本市场的道德底线 / 257

币圈黑洞：再不抓人，江山没了 / 264

中美贸易争端："战争"与"和平" / 276

## 下篇　家国篇

如果必须背井离乡，你会去往何方？——中国省市的盛衰沉浮 / 287

那些乱世的枭雄们 / 299

成长中的中国 / 306

那年高考：致我逝去的青春，以及依然鲜活的梦想 / 315

大家小凯 / 321

减税：中国经济和股市的逃生之门 / 324

大国崛起与中国路径 / 331

印度：会否抄了我们的退路？ / 337

中国列车：到底是在上坡,还是在下坡？ / 348

历史的风陵渡口 / 357

谈股论金之"习马会"：待他年,整顿乾坤事了,为中国先生寿 / 365

曲终人不见　江上数峰青
　　——一个城市的坚守,一个家族的坚守,一个民族的坚守 / 370

原罪：有些罪是用来惩罚的,有些罪是用来原谅的 / 376

我们该恐惧的,不是阿法狗,而是阿法狗身后的谷歌与美国 / 384

你的善良必须有点锋芒：真话与诤言,投资与爱国 / 391

香港没有墙,但香港人有一堵心墙 / 399

我该如何在这个骗子横行的金融盛世存活下去？ / 405

你少交智商税,就是真的爱国 / 411

平庸之恶 / 419

千古一帝公孙鞅 / 428

科举、高考、启蒙运动与一个民族的救赎 / 436

"楢山节考"：国人为何越来越没有底线？ / 446

儿子,我为何要求你一定要用功读书？ / 453

不为大汉耻：爱国者耿恭与叛国者李陵（上）/ 458

不为大汉耻：爱国者耿恭与叛国者李陵（下）/ 467

关于投资,关于江南：投资是一生,苏曼殊,也是一生 / 481

人口雪崩：中国世纪的终结？ / 485

仇恨"流行"：愚蠢的底层相残,还是精明的集体错误？ / 496

勇气和荣誉(Strength and Honor)：端午祭乌里·斯特克
　　——那个和时间比赛的人 / 501

儒教的表里与文明的盛衰 / 510

借江山一用,转回身百年——在时代窗口与经济周期的轮回里 / 518
若我会见到你,事隔经年——祭父亲 / 526
日暮炊烟　乡关何处 / 531
新年寄语:我们在坚守些什么,又在放弃些什么? / 541
戊戌 120 年祭 / 551

关于投资

关于家国

# 下篇　家国篇

# 如果必须背井离乡,你会去往何方?
## ——中国省市的盛衰沉浮

**题记**:"安土重迁,黎民之性;骨肉相对,人情所愿也。"——(汉)班固

▷ 一

安土重迁的中国人,但有生路,谁愿背井离乡?

但过去七十年颠覆式的变迁,会以决绝的坚硬与冰冷,挤压甚至抹消所有人的根基与家乡,只剩下模糊陌生的远方,以及诸多原子化的民众,和一路的颠沛流离。

中国二字,从来都不是一个大一统、琴瑟和谐的完整概念。中国之大,天壤之别,960万平方千米的土地上,人群的割裂与分野,大得令人触目惊心。现实是,很多时候,人和人之间的差距,比人和狗之间的差距还大。

而这种差距产生的原因,除了自身的努力与幸运,绝大多数时候,只是取决于你在哪里——如果你生长在川西凉山州的大山里,极大的概率是,终你一生的奋斗与积累,你也只能堪堪触摸到京都或者长三角一个普通居民出生时的水平。

于中国普通大众,迁徙是宿命,千年未变,一如近代史上祖先们惨痛凄婉、带血带泪的走西口、闯关东、下南洋。

如果必须背井离乡,你会去往何方?

这并不是一道复杂的选择题:如果没有中世纪捆绑佃农式的户籍限制,当然应该去往资源多的地方,去往能赚钱的地方,去人去的地方,去钱去的地方,去有希望、有未来的地方。

其实,就算有户籍限制,你也应该义无反顾去往这些地方,哪怕在那里,你只

是一个"黑户"——起码,为你的后代争得一个未来。

所以,剩下的事情是:**谁是那个"远方"?**

▷ 二

中国＋首都＋直辖市＋省会城市＋二线城市,这是多数国人对"远方"最简单粗暴的认知。

如果本文局限于此,也就失去了意义。我们会绕开统计局那些"数据坑",琢磨一些更有意思的观察点,把一些伪"厉害了,我的省(市)"清出去,也把真正的"远方"找出来。

(拟)上市公司是企业中的佼佼者,衡量一个地方经济实力、活力与潜力的一个最好的"非统计局"另类指标,非 IPO 数量莫属。

先说整体层面。2018 年 A 股首发过会 184 家,通过率为 59.78%,而 2017 年 A 股全年首发 438 家,通过率为 79.33%。对比 2017 年的数据,2018 年我国 A 股 IPO 数全线下滑,暴跌 58%,内地资本市场可谓是寒风刺骨(见下图左)。

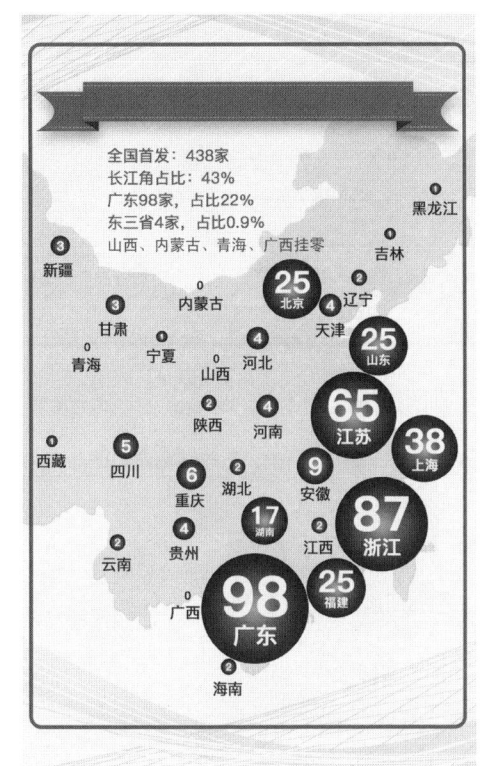

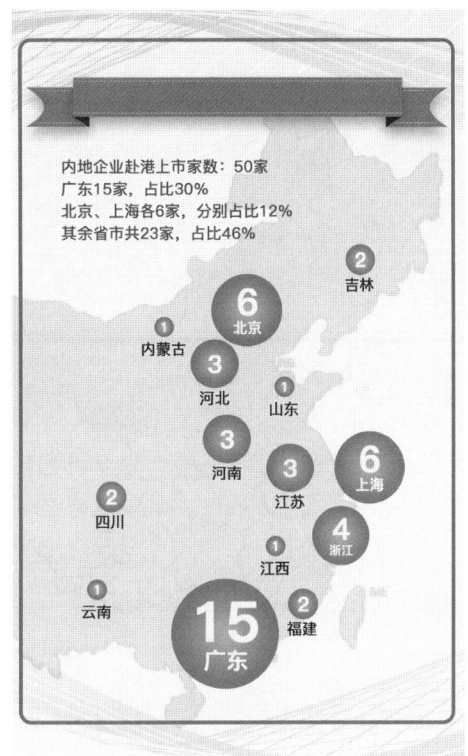

数据来源：勾股大数据

**2017年A股IPO家数区域分布**

数据来源：勾股大数据

**2017年内地企业赴港上市家数区域分布**

与此对应的是内地赴港上市的数据。2017年内地赴港上市企业仅50家，而在2018年这一数字上升到90家，同比暴增80%（见上图右）。

钱在离开哪里，钱在去往哪里，显而易见——英格兰有句谚语：Money Talking(钱说话)！

所以，如果内地PK香港，单单从这个指标看，香港是远方。

▷ 三

IPO总数，类似GDP总额，那是帝王的荣耀，对个体几乎没有意义。所有人都心知肚明，厉害了我的国，完全不意味着厉害了我的家。能体现个人生活水平或者实力的，是人均GDP。

289

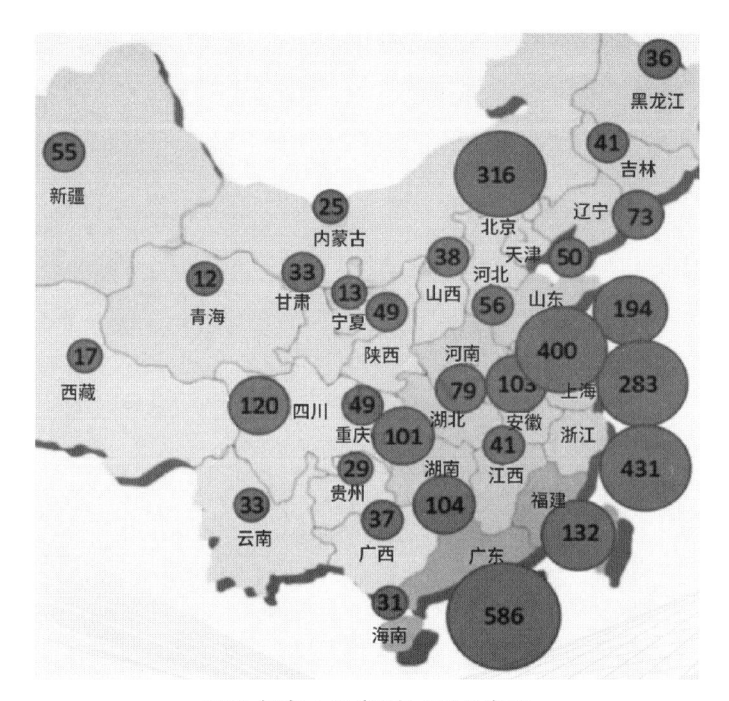

**2018 年末 A 股省(市、区)分布图**

所以,我们也要对 IPO 总数做分解。先看存量。

截至 2018 年年末,沪深交易所 A 股上市公司总数共 3 567 家,东北、西北明显"寒碜",而东南明显富裕,广东、浙江和江苏堪称豪门,广东以 586 家的总数排名第一,浙江 431 家、江苏 400 家分居第二和第三,北京、上海和山东分别为 316 家、283 家和 194 家跟随其后,这些上市公司正是地区经济实力的核心所在,也是它们各自多年积攒下来的家底。

这个数据能对"远方"描述个大概,但并不精确,因为没有体现出变化与未来。所以,我们必须看最新的增量数据——"经济寒冬年"2018 年的港股、A 股 IPO 数据(见下图)。

结论很清晰:

1. 珠三角与长三角的 IPO 数量占绝大部分比重,京津冀地区 IPO 数量显著下滑,极大可能很快失去与前两大经济圈平起平坐的资格。三大经济圈中,谁是远方或许不能给结论,但三者 PK,京津冀不是远方,大概率成立。

**2018 年 A 股 IPO 家数区域分布**

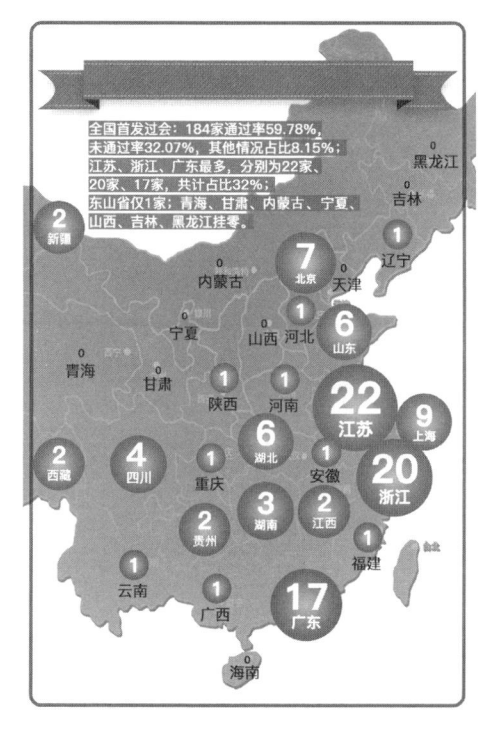

数据来源：勾股大数据。

**2018 年内地企业赴港上市家数区域分布**

2. 广东，江苏，浙江三省，基本就代表了中国经济实力的核心与大头。没有这三个省，中国经济会有多难看，可想而知。

3. 这三个省，恰好就是中国市场经济最发达的地方。所以，别再争论计划与市场了。哈耶克是对的，任何形式的计划，都会导向混乱和匮乏。

4. 以山东为代表的整个华北都空有其表。尤其山东，其 IPO 数据几乎是断崖式下滑，与其中国 GDP 总额第三大省、人口第二大省的数据完全不兼容。

5. 上海余威犹存，但无论横比还是纵比，均已显颓势，GDP 总额也从改革开放时期全国绝对第一，被甩到了现在的 10 名以外。这次科创版，大概率就是几地交易所争夺资源，中央对上海的一个特殊照顾。但上海总不能一直靠上面？总得检讨问题在哪里？

6. 北京帝都，实在、实在愧对全国这么多资源的人为集中与投入。如果没

| 排名 | 地区 | 1978年GDP总额（亿元） | 地区 | 2017年GDP总额（亿元） |
|---|---|---|---|---|
| 1 | 上海 | 272.81 | 广东 | 89,705.23 |
| 2 | 江苏 | 249.24 | 江苏 | 85,869.76 |
| 3 | 辽宁 | 229.2 | 山东 | 72,634.15 |
| 4 | 山东 | 225.45 | 浙江 | 51,768.26 |
| 5 | 广东 | 185.85 | 河南 | 44,552.83 |
| 6 | 四川 | 184.61 | 四川 | 36,980.22 |
| 7 | 河北 | 183.06 | 湖北 | 35,478.09 |
| 8 | 黑龙江 | 174.81 | 河北 | 34,016.32 |
| 9 | 河南 | 162.92 | 湖南 | 33,902.96 |
| 10 | 湖北 | 151 | 福建 | 32,182.09 |
| 11 | 湖南 | 146.99 | 上海 | 30,632.99 |
| 12 | 浙江 | 123.72 | 北京 | 28,014.94 |
| 13 | 安徽 | 113.96 | 安徽 | 27018 |
| 14 | 北京 | 108.84 | 辽宁 | 23,409.24 |
| 15 | 山西 | 87.99 | 陕西 | 21,898.81 |
| 16 | 江西 | 87 | 江西 | 20006.31 |
| 17 | 天津 | 82.65 | 重庆 | 19,424.73 |
| 18 | 吉林 | 81.98 | 天津 | 18549.19 |
| 19 | 陕西 | 81.07 | 广西 | 18,523.26 |
| 20 | 广西 | 75.85 | 云南 | 16,376.34 |
| 21 | 重庆 | 71.7 | 内蒙古 | 16,096.21 |
| 22 | 云南 | 69.05 | 黑龙江 | 15,902.68 |
| 23 | 福建 | 66.37 | 山西 | 15,528.42 |
| 24 | 甘肃 | 64.73 | 吉林 | 14,944.53 |
| 25 | 内蒙古 | 58.04 | 贵州 | 13,540.83 |
| 26 | 贵州 | 46.62 | 新疆 | 10,881.96 |
| 27 | 新疆 | 39.07 | 甘肃 | 7459.9 |
| 28 | 海南 | 16.4 | 海南 | 4,462.54 |
| 29 | 青海 | 15.54 | 宁夏 | 3,443.56 |
| 30 | 宁夏 | 13 | 青海 | 2,624.83 |
| 31 | 西藏 | 6.65 | 西藏 | 1,310.92 |

注：排名变动 下跌>=5 下跌3-4 下跌1-2 上升>=5 上升3-4 上升1-2 未变

数据支持：Wind，勾股大数据。

**1978年和2017年我国不同省市GDP总额排名**

有政治资源在该地的集中，人和钱往那里流，都会是一个匪夷所思的现象。

7. 天津作为老牌直辖市，2017年IPO数量仅有4家，在2018年直接挂零，以致在中国经济版图上几乎找不到存在感。但统计局第六次人口普查显示的数据是，2010～2017年，在常住人口增量指标上，天津竟排名第一。这很难理解，要么是人口数据在造假，要么是优势传销产业的吸引力太大。

8. 西部大开发战略退去后,西部地区的表现也是乏善可陈,大多数省份数据挂零,哪怕是领头羊重庆,17年IPO有6家,在18年也只剩1家。经济有其自身规律,不合理调配资源,"画圈""造城""大开发",最后多会遭受经济规律的嘲讽。

9. 东北地区几乎全线挂零,"直播与烧烤成为核心产业",投资不过山海关竟一语成谶。西北本就先天不足,后天亦未补,衰微情有可原。但以东北早期投入之大、资源之厚,竟沦落到今日之寒,冷彻骨髓,令人唏嘘。

10. 一个疑惑:2018年,江苏省A股上市竟然力压广东、浙江,排名全国第一。这个数据太诡异,我找不到太多逻辑来合理解释这种本不应该发生的突变。

## ▷ 四

另一个判断远方的另类指标,是人:人作为一个群体,多数时候是盲从甚至愚蠢的。但作为每一个个体,他们都不笨,他们天然知道该往哪里去。

先看去年各省常住人口增量变化(见右图)。

常住人口净增加,有外来人口迁徙流入的功劳,也会有本地人生育的原因。结合各省出生率数据,我们不难做一个八九不离十的归因分析(见下图)。

结合上面两图,可以很清晰得出结论:

1. 广东的生育率排名仅是居中,但人口增量却一枝独秀、遥遥领先,凸显人心向背,珠三角对"人"的强大吸引力。相比中国任何的其他省份(剔除我国香港、台湾地区),"不唯书,不

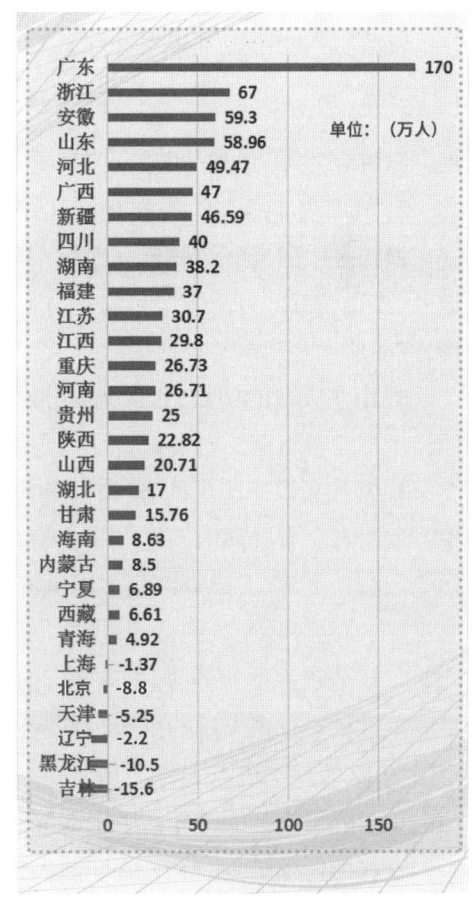

| 省份 | 增量(万人) |
|---|---|
| 广东 | 170 |
| 浙江 | 67 |
| 安徽 | 59.3 |
| 山东 | 58.96 |
| 河北 | 49.47 |
| 广西 | 47 |
| 新疆 | 46.59 |
| 四川 | 40 |
| 湖南 | 38.2 |
| 福建 | 37 |
| 江苏 | 30.7 |
| 江西 | 29.8 |
| 重庆 | 26.73 |
| 河南 | 26.71 |
| 贵州 | 25 |
| 陕西 | 22.82 |
| 山西 | 20.71 |
| 湖北 | 17 |
| 甘肃 | 15.76 |
| 海南 | 8.63 |
| 内蒙古 | 8.5 |
| 宁夏 | 6.89 |
| 西藏 | 6.61 |
| 青海 | 4.92 |
| 上海 | -1.37 |
| 北京 | -8.8 |
| 天津 | -5.25 |
| 辽宁 | -2.2 |
| 黑龙江 | -10.5 |
| 吉林 | -15.6 |

**2017年各省份常住人口增量**

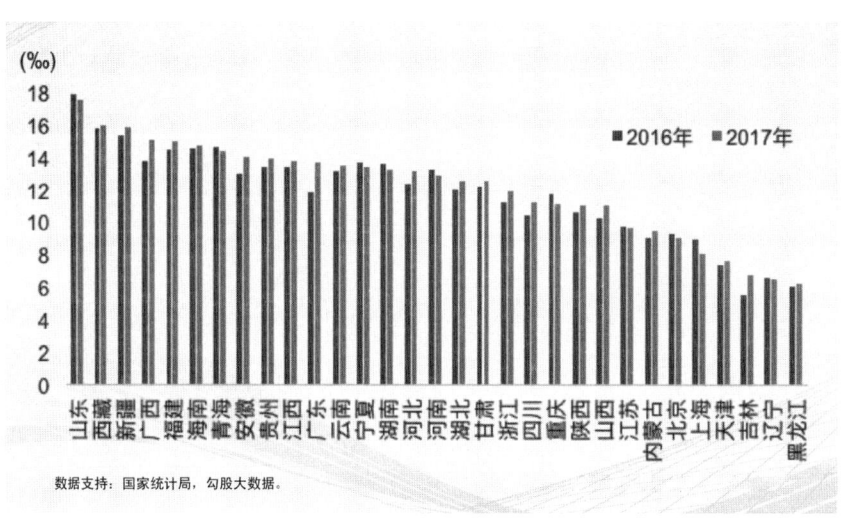

近两年各省人口出生率

唯上",讲究实际,平和朴实的广东,或更符合"远方"的要求。

2. 与广东非常类似的省是浙江,在常住人口增量上也不出意外地排名第二。浙江是中国"江南"的核心地域,那里自古就是中国私营商品经济最发达的地方,人文荟萃,"可采莲",可赚钱,谁不向往？自明代以来,中国首富皆出自江南,绝非偶然。

3. 山东人口的增长,几乎就靠"敢生"。生育率上,山东高出其他省份太多,但经济却乏善可陈。有类似特征的省份,还包括安徽。

4. 常住人口净流出的省(市),一共六个：北京、上海、天津,以及黑吉辽东三省。这六者一个共同的问题在于生育率低,六家生育率全部垫底。差别之处则在于,北京、上海、天津更多是主动选择,户籍收紧,控制甚至拒绝外来人口。而黑吉辽,则是一种无奈的被动流出。

5. 黑吉辽纵然悲催,但事实上,北京、上海,尤其天津,经济动能其实也捉襟见肘。这种对外来人口的排斥与本地较低的出生率联姻会发生什么,不言而喻。中国2012年就已进入人口刘易斯拐点,相信不远的将来,北京、上海、天津就会为当年对外来人口的排斥而心生悔意。

省这种行政级别,终究是一个太大的"远方"。我们进一步把视野缩小到"市"这个级别(见下图)。

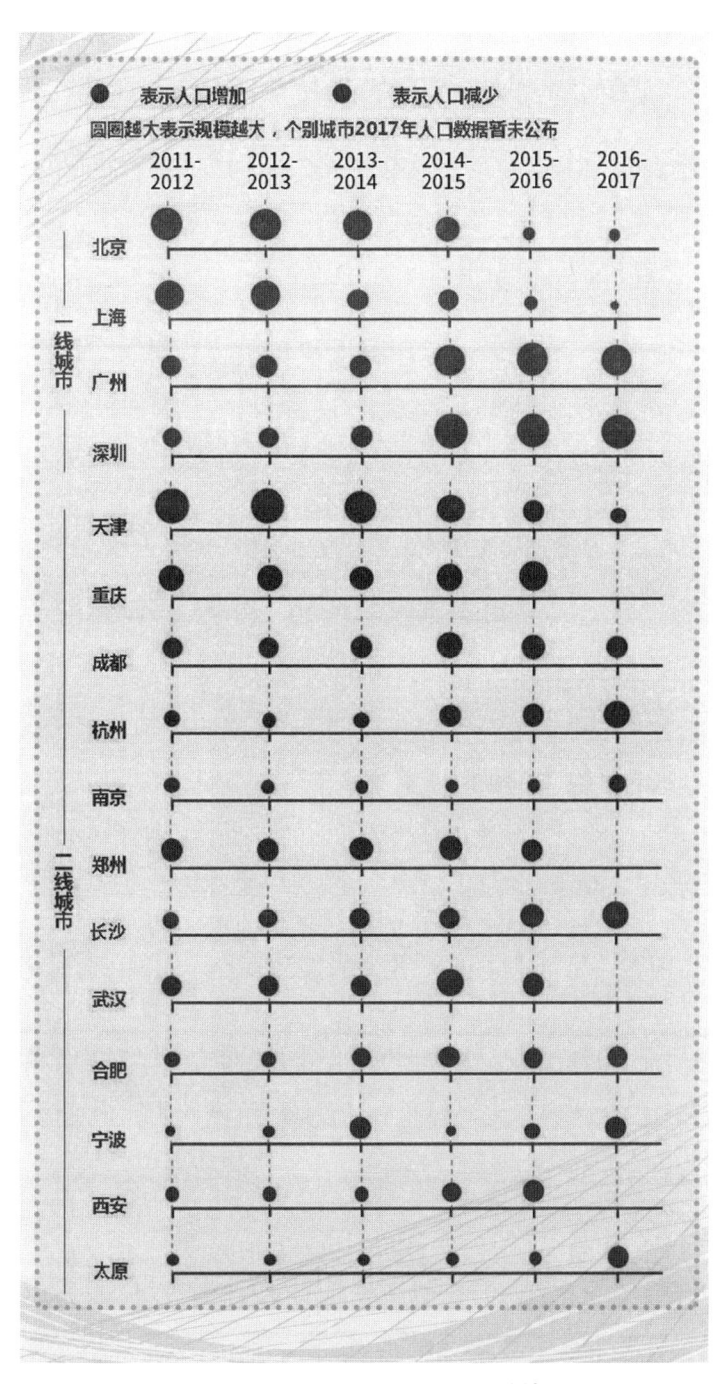

2011～2017年各主要城市人口流动情况

简单概括上图：

1. 北京、上海、天津等城市的球越变越小，坐实它们对人的吸引力在加速下降。没有人，就不会有需求，也就不会有财富创造与未来，而他们的现存人口年龄结构，并不优于绝大多数城市，尤其是天津，人口年龄结构在明显恶化。北上天三个城市，开始出台政策，抢人求人的转变，不会晚于 5 年发生。

2. 一线城市里，深圳、广州双星联袂，人口优势与产业发展的良性互动，会让珠三角这片区域成为中国当仁不让的"经济核"。

3. 一批二线城市在崛起。一线城市的户籍壁垒、过高的房价和生活成本所造成的生存压力对一大批有经验，也有才学的中年人（年轻人其实并不惧怕这些）有巨大的杀伤力，这为二线城市的阶段性崛起留出了空间，杭州、成都、长沙、武汉都是其中的受益者，其中杭州因为制度、商业文化等土壤，在这批二线城市里更具长远生命力。

## ▷ 尾声

中国政经、人口的核心地带，一直都是中原。

历史上第一次人口大迁徙是晋末永嘉之乱后，中原士族衣冠南渡，原本荒芜的江南之地才得以开发，才有了后来的"江南可采莲"，才有了"悠长悠长的雨巷"，才有了胡雪岩的富可敌国与令人唏嘘的跌宕起伏。

至于"衡阳雁去无留意"的珠三角，则长期都是人口稀疏、充军发配的"南蛮之地"。

如果你生活在西晋，哪怕是生活在已经南迁的东晋，你都不会相信，一千多年后，你的后代竟然不是在中原讨生活，而是聚集、奔波于原本荒蛮之地的长三角、珠三角。

按当下全国总和生育率推算，大约五十年、两代人后，中国人口将降至 6 亿~7 亿，不出意外，这 6 亿人，应该 2 亿生活在珠三角，2 亿生活在长三角，1 亿左右生活在京津冀，其他少量人口，则散居在广袤的中国其他土地上。

即使站在今人的角度，我们也很难知道这些是怎样发生的，更不知道这种演变路径有多大的偶然性。

我曾经问过一个一辈子研修经济史的大师级学者：中国缘何会是今天这样一个经济地图？江浙、广东有何必然？到底哪里才是我们的远方？

他给了我两张图：

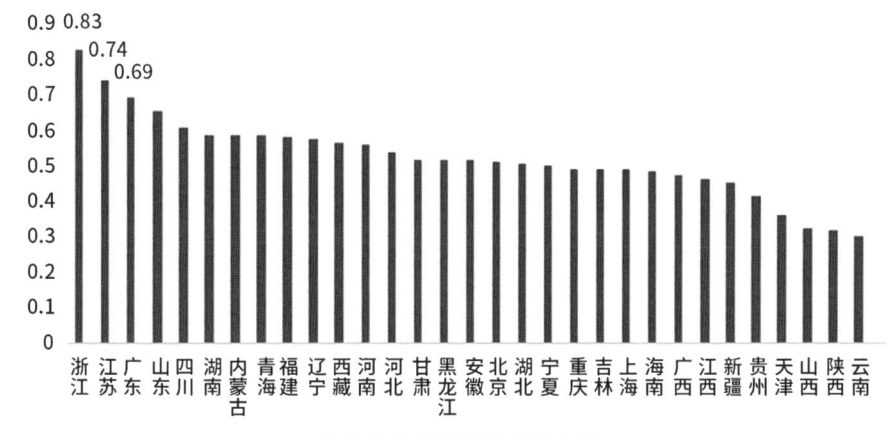

各省上市公司民营企业占比

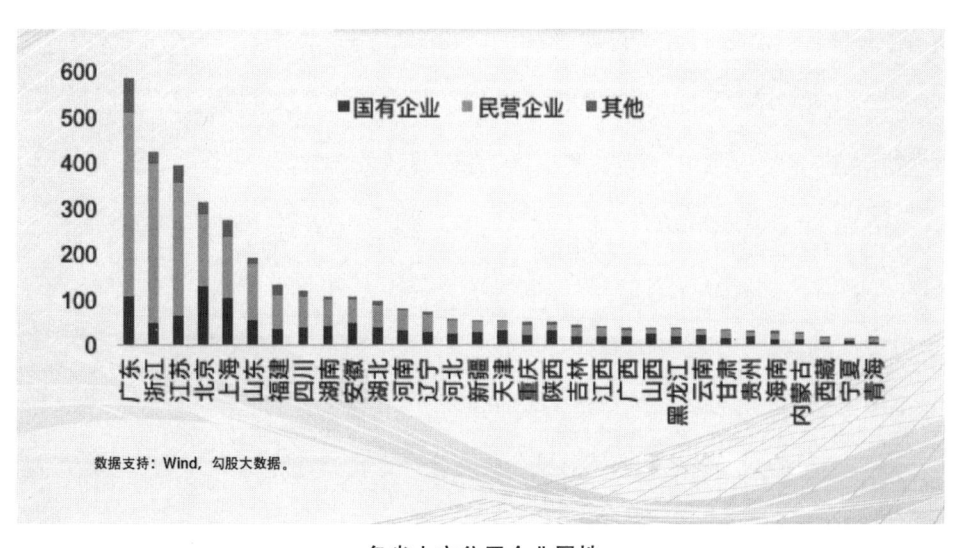

各省上市公司企业属性

数据支持：Wind，勾股大数据。

随图附带了一段文字：

"我一直都坚信，中国千年最大的生产力，就是民众发自肺腑的，对财富的渴望,以及对美好生活的向往与追求。

  所以,真正的远方,可能真不只是你目力所及的地方。任何不折腾民众,不禁锢民众追求财富、追求幸福的地方,就是你应该去的远方!"

2019 年 1 月 18 日

# 那些乱世的枭雄们

题记：一切历史，都是当代史！——克罗奇

一般乱世有两个特征：
1. 人命如草芥；
2. 乱世出英雄。

两者相辅相成，也即所谓的"一将功成万骨枯"。

格隆今天想和大伙儿聊的，就是近期那些乱世里或长袖善舞、纵横捭阖，或慷慨悲歌、横刀河朔的枭雄。

格隆之所以用"枭雄"这两个不带任何政治色彩偏向的字，是因为意大利历史学家克罗奇那句被人引用烂了的名句：一切历史，都是当代史！

简而言之，历史是胜利者的历史，是服务于统治阶层的文化工具。受制于当权者的需要与导向，甚至地域、宗教、种族、文化等的差异，多数时候那些"枭雄"能否称为英雄，需要过很长时间：比如，至少过了当代？

## ▷ 后藤健二

最先要讲的是一个貌似与我们没有一丁点关系的日本人。

他叫后藤健二，他于本月1日在中东被那个奇葩"伊斯兰国"（IS）斩首。后藤是一名备受尊重的战地记者。在过去超过20年的时间里，他一直作为自由电视摄像师在全球各地区冲突区域报道新闻和苦难。按照他自己的解释："采访现场不需要眼泪。我的使命是实事求是、一丝不苟地记录，传达人类的愚昧、丑陋、无理、悲哀和生命的危机。"

这似乎与我们还是没有什么关系，而且似乎只是一种理想主义热情：深入战争险地，报道战争的丑陋，报道弱者的苦难，尤其是难民当中的儿童。世界总是需要这种"高大上"理想情操者的，不关我事，我就是一个在中国小城市打酱油的普通布衣。

但如果你知道他这次去叙利亚的原因，就会觉得多少与我们有关了：他这次去叙利亚，不是为了报道战争，只是为了救一个自己在中东偶然结识，之后成为好朋友的另一个日本人汤川遥菜。

后藤得知汤川被"伊斯兰国"（IS）绑架后，在明知 IS 这种极端组织的凶残与无理的情况下，后藤还是选择了抛开孕妻，只身赴 IS，试图去用说道理的方式挽救自己的朋友："我必须去。他是我的朋友。"

结果你大概知道了：上个月 24 日，汤川遥菜被斩首。本月 1 日，只身赴中东救赎的后藤健二也被斩首。

是的，不是什么高大上的国家大事与民族大义，只是为了救自己的朋友。明知不可，明知有去无回，仍慷慨赴死。这真的与我们有关：我们都是普通平凡之辈。在我们庸庸碌碌、狗苟蝇营的日常生活中，我们何尝不希望身边有一个类似后藤的朋友？我们又有多大把握，自己在关键时刻会为了一个朋友挺身而出，慷慨赴死？

## ▷ 廖建宗

后藤健二被斩首三天后，又一出悲剧发生：中国台湾复兴航空小型飞机在台北基隆河坠毁。事故造成 40 人遇难，3 人失联。

在如今飞机失事已频繁到如街头车祸一样的时候，很多人可能已麻木到"哦"一声就过去了。能怎么样呢？日子还得一天一天地过！

格隆自己也谈不上有多大悲天悯人的情怀。但这次事故中还是有一个人令格隆侧目：机长廖建宗。

事后的飞机轨迹显示，在飞机刚飞离台北机场引擎就出问题后，机长令飞机几乎 90 度大拐，避开台北昆阳站、东湖、南岗软体园区三大人口稠密的住宅区和高楼，最后坠毁在基隆河中。飞机残骸打捞上来后，发现机长廖建宗是因为脸部遭硬物重击而死，其双手仍呈现紧握操纵杆的姿势。专业人员解读是：机长直到坠机最后一刻，都是身体前倾，用尽全身力气想控制飞机，但俯冲进入水底后，头脸直接遭到重击，瞬间死亡。

脑海中想到一句很柔软的歌词：好人好梦。

## ▷ Emerson

估计有人开始抱怨了：这些与投资无关啊。

其实，有没有关，完全在于你的理解。如果你只是把投资简单理解成margin、ROE、PE之类的，你的投资视野可能略显狭窄了些。

如果你持有港股桑德国际（00967.HK），或者A股桑德环境（000826.SZ），这个Emerson Analytics就与投资直接挂钩。Emerson质疑桑德国际账目混乱，虚设大量收入与利润，最后给予公司每股2.4元的估值——比紧急停牌时的7.58元直接打掉了70％。

遗憾的是，国内的桑德环境没有停牌，三天跌掉12.5％。桑德停牌而不回应，也顺带拖累其他一批"遵纪守法"的环保股遭受了池鱼之殃。

做港股的投资者应该都熟悉这哥们：美国专职做空机构，与浑水、香橼在香港基本有同样的知名度，狙击对象也都集中在民企（很明显，他们深谙中国国情，柿子捡软的捏）。Emerson去年9月指控神冠控股（00829.HK）隐藏原料成本，质疑公司自上市开始就做假账。去年4月则质疑旭光（00067.HK）夸大生产量（有意思的是，旭光配股圈了不少国内央企投资机构的钱）。后来的情况你看到了：旭光被银行申请清盘。

在中国这种基本只能单边做多盈利的市场，做空从来都不会被视为英雄，这就像王海打假，打着打着把自己给打消失了一样。

但在成熟资本市场上，做空机制是市场自洁机制的一个核心组成部分。做空机构如同食腐的秃鹫，日日在天空盘旋，盯着地上那些老弱病残或者已经死亡的个体，并在最短时间内清理掉腐尸，避免细菌的蔓延与环境的污染。

某种程度上，做空难度远大过做多：毕竟这是揭人疮疤、损人利己的事。做空者面对的不单是上市公司，还有做多的持股者，甚至官方（即使是几乎从不会对做空行为加以干涉的中国香港证监会，近期也对香橼开刀，令格隆百思不得其解）。因此没有足够把握，做空者基本都是老老实实待在家里洗了睡的。

至于你问为何港股那么多做假账的公司？格隆想说的是，A股只多不少（如果A股可以做空，格隆拍拍脑袋，相信超过1/3的公司可以无理由做空），只是

A股没有秃鹫而已,因为秃鹫在A股皇帝新衣、掩耳盗铃的生态环境里,是没有活路的,所以才会有扇贝集体出走又集体游回来的闹剧。

秃鹫存在的意义是:没错,你可以做假,但记住——始终有人在盯着你。一旦被人揭穿:

1. 你会付出很大代价,法律上的,以及财务上的。

2. 对于中国香港这么一个"记仇"的资本市场而言,你从此就在江湖再无立足之地。你会进入"千古"(千股)行列,永垂不朽,彻底沦为再也没人和你正经玩的边缘股。

有了秃鹫,你还想一堆扇贝集体出走,然后没事人一样继续在资本市场觥筹交错,门都没有!

## ▷ ××光伏(×××401)

这个枭雄是一家A股上市公司。不知是因为觉得自己太聪明呢,还是觉得世道太乱了,可以浑水摸鱼了,总之公司上演了一幕让人目瞪口呆的剧目。A股有时候真的很好玩,一些剧情设计无比狗血,比演艺界最牛的编剧还有水平。

先看看下面的股价图:

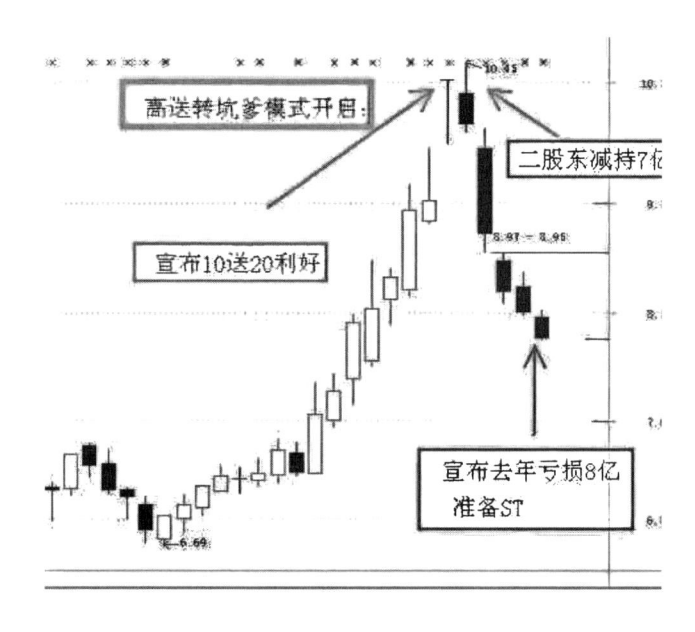

不用解释,很容易看懂吧?一般市场的惯例理解都是好业绩才高送吧?高送后,二股东马上大额减持。如果你认为这很没节操很奇葩,你错了。高潮在后面。五天后公司宣布巨亏,准备 ST。

你的善良,是不是严重影响了你的想象力?

事后看,这怎么看,怎么都像一个局。关键这个局一点不精巧,一点没技术含量,甚至很粗糙、很原始、很赤裸裸,甚至是对市场智商的侮辱,也就是脸皮够厚、心够黑而已。所有人都知道他们在玩游戏。这很类似一句网络流行语:我知道我在说谎,你也知道我在说谎,我也知道你知道我在说谎,你也知道我知道你知道我在说谎。

那又怎么样?

现在我们看看这种奇葩故事是怎么有恃无恐、肆无忌惮地光天化日下上演的,问题在哪儿

1. 公司 10 送 20,错了吗?没有,完全符合相关规则。

2. 二股东在高送后减持错了吗?这个在香港貌似有问题,在内地似乎符合相关规则。

3. 明知自己业绩很差,要 ST,还高送,有问题吗?似乎也没有,没有哪条规则不允许。

都没错,都没问题,那错在哪里?

错在事后追责体系:商业社会,利润的刺激会促使所有个体去钻任何漏洞。防患于未然和堵是办法,但没有大用。根本的办法是事后的追责:违法违例的行为,直接法例惩治。打擦边球,由市场力量将其边缘化来惩治:在港股这个"好人举手,辩方举证"的市场,这么骗市场一次,基本上你将彻底边缘化——甚至面临着多年的停牌乃至清盘,没有投资人不害怕这个。

怕了,痛了,就放下了。否则,这类肆无忌惮的乱世枭雄会一而再、再而三地上演同样的游戏。

顺带说一家另外的,也可堪称枭雄的公司。看看下面的图。

这是一家 A 股市场做三网合一的传媒公司(格隆不点名)。这家公司与上面设"毒饵"的公司不同,格隆关注它,是因为公司据传牵涉中央反腐对有关高层的查处,老板一度滞留国外。

按常理,但凡民企牵涉类似事件,不死也会被扒层皮。但令格隆很吃惊的

是，公司老板回国了。不仅回国了，而且公司股价自老板回国后短期内强势翻倍。

但作为投资人，你是不是离它越远，越好？

## ▷ 齐普拉斯

齐普拉斯是个聪明人。这个1974年才出生的帅哥当上希腊新总理后任命的财长是一个从无政治经验的经济学教授瓦鲁法克斯，其上一份工作是在美国德州大学任教，并以强烈抨击和反对希腊紧缩而闻名。

但瓦鲁法克斯上任后做的第一次公开发言就是承诺希腊并不准备与欧洲"三驾马车"减记债务。

这事说明了三点：

1. 政治真的是不需要经验的。

2. 齐普拉斯非常聪明：他知道竞选前该说什么，当选后该做什么。

3. 有选票制约的政治更能给市场带来明确预期和底线判断：齐普拉斯是极左派。但是靠选票上台的极左派与靠武力上台的极左派的区别是：奇普拉斯会考虑选票会不会在下一次让他下台。

无论如何，齐普拉斯算得上是乱世枭雄：他让一个在欧洲无足轻重的弹丸小国，获得了在欧洲几乎与德国一样的发言权与影响力，虽然这个发言权的获得多少有耍赖甚至讹诈的嫌疑,但,我们都知道,他是有底线的。

就像格隆前期说的一样:希腊像个任性而调皮的孩子。他知道撒娇的前提,是在欧盟大树的庇荫下,而不是地中海的海水与太阳。

## ▷ 一行三会

你有没有觉得最近做投资完全没有头绪和思路?

没有就对了,因为某种程度上,你在和政策博弈。

问题在于:这种博弈,还远没完。后面还有更多。你必须适应。

所以你必须考虑格隆前期的建议:你的投资,是继续按照正统的长期投资,守正出奇?还是利用事件,做事件冲击型投资?

看完格隆的这些乱侃,有没有一点冲动?

还是以格隆最喜欢的明朝三大才子之一杨慎的那首《临江仙》做结:

滚滚长江东逝水,浪花淘尽英雄。

是非成败转头空。

青山依旧在,几度夕阳红。

白发渔樵江渚上,惯看秋月春风。

一壶浊酒喜相逢。

古今多少事,都付笑谈中。

2015 年 2 月 28 日

# 成长中的中国

**题记**：我们的自信如何不演化成盲目自大？我们的自尊又如何远离那些狭隘的民族主义？

## ▷ 一、国家

当我们从此必须告别双位数的GDP增长，当过往高速增长掩盖下的矛盾开始暴露，当我们发现我们一手造成的雾霾和河流污染已经不再能换来财富，当我们整个社会"未富先老"，当显示我们社会财富分配不公的基尼系数已经达到一个触目惊心的水平，当我们拥有吓人的13亿人口却竟然一直在讨论一个经济学理论中根本不应存在的课题"内需不足"……

我相信，再乐观的研究者也能发现：或多或少，总有一些阻碍我们创造财富的绳索仍然在我们身上。

唱赞歌总是容易的。但一片喧嚣繁华之下，有点更独立冷静的思考和声音，总不是坏事？

中国过往30年的经济高速增长让我们误以为很多事是理所当然，甚至让不少中国人产生了一种病态的自信与自尊。当世界都在谈论这个古老的东方大国正在重新崛起的时候，中国人应该以怎样的目光看待自己并且审视身边的世界，才能与我们生活的这个世界和谐相处，并获得足够的尊重？我们的自信如何不演化成盲目自大？不演化成闭目塞听？我们的自尊又如何远离那些狭隘的民族主义？我们是否具备足够的反省精神，可以更加客观地认识自己，并把握整个世界经济社会的潮流？

这些决定了未来中国的演进节奏与方向。

勤劳朴实的中国人从来不缺创造财富的激情与思路，只要把捆在财富创造上的绳索放松！

问题是：有哪些绳索？

## ▷ 二、家乡

今年春节期间，格隆回了一趟位于长江汉水之滨江汉平原的家乡。这里古属楚国核心腹地，民风淳朴，家乡人都有极强的家乡归属感与家族荣誉感，有千年历史的古城墙和护城河则在悄无声息地陈述着这块土地曾演绎过的兵戈与辉煌。

但这次回家乡，明显感受到了父老一种挥之不去的迷茫。所有的土地（农地、菜园、池塘）都已被廉价征用，村民则被集中迁移到专门的"还建村"。每家每户按照一个壮劳力每月发放 300 元的补贴（实际只发放 150 元）。大哥告诉我，这是全家唯一的货币收入，但这些钱去买农村原本根本不用花钱的粮食和蔬菜都不够，就更不谈其他那些什么一辈子都没听过的"物业管理费"之类的了（大哥怎么也想不通，住自己的屋子，还要交钱给别人）。过去土地家庭承包制的时候，心里总还有些想法和盼头，会想方设法多生产，以图下一年能承包更多的地，或者扩大其他农副业规模。现在，想都不要想了。

父亲告诉我，江汉平原角角落落现在都是这样。

大哥忧心忡忡问我这个见过世面的"文化人"：这叫怎么个事？以后你侄子他们吃什么？

我本来想给他解释一下按马克思的理论，这叫"既无法进行简单再生产，更无法进行扩大再生产"，但想了想还是放弃了这个迂腐的尝试，只是苦笑着告诉他：让侄子去沿海打工吧。勤快一点，至少能填饱肚子。大哥对这种背井离乡的建议反应很激烈：村里那么多年轻人，不是你侄子一个，文化又不高，都去打工？就为了填个肚子？孙子辈谁管？那日子还有个什么盼头？

顿了顿，神情又黯淡下来：嗯，也只能这样了。你见过世面，帮他们寻点工作吧。

抽空去拜会了原来家乡的中学校长。格隆当初算是学校的骄傲之一，因此满头白发的校长对我的到来显出了由衷的高兴。杂七杂八拉了很多家常话,记得最清楚的一段话是校长的慨叹:哎,这么大一块土地啊,这么多伢,这些年真正走出去的就你一个,就你一个啊!你读书那阵还有大城市的知青当老师,那素质没得说。现在根本留不住人了,稍微有点水平的老师都去城里了。这个样子,你让这些伢们怎么考得上大学?怎么考得上嘛?!

格隆无言以对。村里那些给自己带来无数快乐的儿时玩伴全在务农,这是悲哀的事实。这次回来也遇到好几个,但也仅限于点点头寒暄几句,然后就躲我一样的走开。我能看得出艰难岁月在他们额头和身上刻下的深刻痕迹。我自己也曾经一遍遍想过关于自己的假设:我是怎么考上大学的?有多少是天分和勤奋?又有多少是幸运?一旦丧失了求学这条路,农村孩子还有多少所谓的希望?农村的家庭又有多少所谓的希望?

收入分配的不平等对淳朴的中国农民不算什么,但机会的不平等则会侵蚀农村家庭单元的根基。

离开老校长家,格隆在家乡这块熟悉又陌生的土地上独自晃荡了一圈。街道比过往农村的泥土路干净整洁了很多,但儿时洋溢在家乡父老脸上的那种愉悦和奔头明显没有了,更多的是匆匆步履和掩饰不住的惶惑。这是"楚虽三户,亡秦必楚"的楚地?我的家乡?

记得格隆大学毕业那年离开家乡,父老乡亲送行。读过初小(这在我们当地算高学历了,所以父亲有机会担当公社书记一职)的老父送了我四个字:俯仰无愧。我知道这是对他儿子的莫大期许,但更令我难忘的是临上车前老父把我独自拉到一边的另外一句嘱托:幺儿,出门万般难。扛不下去了你就回来。没人会瞧不起你。家里有地,饿不死人的!

这句话让我在颠簸的长途汽车上一路泪眼模糊。

想到路遥小说《人生》中主人公高加林跪在家乡黄土地上热泪盈眶的那声呐喊:我的亲人!

但现在我已无土地可跪。举目望去全是土地被征后还建的粗糙楼房和不平整的水泥路面,那条过去承载了我儿时无数美好记忆的河流散发着难闻的臭气。历史车轮滚滚向前,社会在飞速发展,我不知道这种变化对我的家乡父老是好还是坏,微如草芥的他们只能接受和顺从。

但我看得出,他们不开心。那种"家里有地,饿不死人"的底气没有了,取而代之的是一种任人摆布的迷惑和对未来无从把握的担忧和恐惧。他们在丧失创造财富的能力,哪怕那种财富仅够温饱。

我深爱这片土地,深爱这片土地上的父老。中国几千年以来一直都是一个农耕社会,农民几乎承载了这块土地发展所需要的所有苦难与成本——即使是中华人民共和国成立后依然如此:8亿农民的财富创造与财富分配始终是从属与依附于工业的。

今年年初家族族长号召族人捐资修祖坟,格隆立即响应。这样做,是希望无论未来自己走到哪里,无论自己有朝一日老去是否叶落归根,我都能在内心知道自己来自哪块土地,自己的根在哪里。家族血脉才是这个星球上所有角落、所有生物真正的纽带,在我简单的思维里,爹娘永远是我这个世上最亲的人。

没有了家乡,没有了根系,财富与梦想追逐的意义何在?

微斯人,吾谁与归?

微斯乡,魂归何处?

## 三、财富

上周市场讨论得最多的一个话题是地方融资平台的债务置换:很多朋友认为这是中国 QE 的开始,未来中国经济、中国股市从此将走上红红火火的康庄大道。不少朋友也纷纷就这个问题与格隆探讨:QE 了,印钱了,这么大事情,格隆你怎么也不点评一下?!

不是格隆摆谱不谈,只是觉得全市场为这么一个战术性的小修补动作而吸食毒品一样的 high 起来,实在没有必要(也可以看出市场是多么渴望上涨,多么渴望财富啊)。所谓地方融资平台的债务置换,包含两个内容:一是主体置换。以前债务主体是地方融资平台(比如城投公司),现在改为地方政府,儿子的债老子还,貌似提高了债信,实则既未换汤,也未换药。二是期限置换,把迫在眉睫的还款展期,短期债务长期化。

有用吗?当然,地方政府还款压力减轻了,融资成本降低了,可以继续融资上项目了,银行贷款坏账压力也减轻了。但,本质上仍然是个朝三暮四、寅吃卯粮的金融时间游戏,朝三暮四或者朝四暮三都是七颗枣,一个战术修补动作而已，没有解决经济生产力的本质问题，更没有解决中国向哪去的问题。

从经济学角度看，一个国家，一个社会，一个体制的优劣，其实就取决于两点：(1) 它如何创造财富；(2) 它如何分配财富——打砸抢也是分配的一种。

以上两者相互制约，互为因果循环。从来没有完美的机制与社会，但如果一个社会的相关机制能够保证增量财富源源不断被创造出来，并用相对合理的分配方式保证这种增量财富创造过程不被中断和扭曲，这个社会就基本是一个符合"帕累托最优"的社会。

在经济学者来看，撇开财富创造和分配机制去谈其他，是很扯的事情。

拉美是最生动的案例。

中国人多，所以对几乎哪个国家或地区都会有截然不同的意见，唯独拉美除外。拉美几乎是中国主流以及非主流视野里都不屑一顾的地区。在中国人的概念里，拉美这个名词不比非洲高多少。那里滋生着几乎一切资本主义的毒瘤，贫富分化、社会动荡、政治独裁，经济畸形发展……拉美人在独立以后，瞎折腾了 200 多年，还是处于第三世界，多数人的生活堪称贫困。

格隆提醒一下诸位，拉美多数国家独立的时间与美国差不多，但最后的发展差距是云泥之间。历史书会告诉你拉美的落后是因为帝国主义的掠夺——这个用脚趾头都能想明白是瞎掰。

很明显，这个产生了玻利瓦尔、切格瓦拉、马拉多纳等诸多堪称伟人的地区，一直没有找到财富创造的阿里巴巴之门。原因何在？

从经济学角度看，其实远没有那么复杂：拉美与美国的差距在于，它没有形成良好的财富再生体制。

换句时髦的话：它缺乏一种财富创造和积累上的可持续发展能力。

另一个生动的案例是我们的近邻缅甸。你能想象，第二次世界大战后亚洲人均 GDP 最高的国家是缅甸吗？但今天，军政府统治下的缅甸人均 GDP 还不到第二次世界大战结束时的一半。

财富创造本质上不是个问题。"天下熙熙皆为利来，天下攘攘皆为利往。"其实创造财富是人类天性，根本无须通过颁发"先进生产工作者""标兵"之类的证书去督促和引导,你只需确定一件事就好了:谁创造的财富归谁所有,或者大部分归其所有。1978年以前,中国农村生产力接近崩溃,萧条与饥饿遍布整个农村,安徽凤阳小岗村18户农民在一个冬夜集聚在破败的农家茅屋,通过按血手印分田到户的方式轻松解决了当时从中央到地方无人能解决的、中国农民没有粮食吃的"天大的问题"。

小岗村农民的做法其实与大名鼎鼎的新制度经济学鼻祖,1991年诺贝尔经济学奖获得者科斯的理论没有太大区别:如果交易费用为零,而且产权界定是清晰的,则企业乃至国家的存在都没有太大意义,财富会遵循自己的路径生产出来。

简而言之,财富的核心逻辑其实就是尊重产权。如果任何人创造的财富随时会被拿走,没有人会努力去创造增量财富,而是处心积虑怎么瓜分存量财富。这种财富创造和分配逻辑会导致历史陷入一种无休止的打土豪分田地的循环。我们的历史就是这样一遍一遍轮回的。

所以格隆从来不认为历史书上那些农民起义值得肯定。恰恰相反,他们是生产力与社会财富实实在在的破坏者。当然,为生活所迫,官逼民反,他们自身并无对错。但如果跳出这种所谓的阶级斗争窠臼,站在历史的全局高度,我们可以轻松发现:类似项羽一把火烧掉600里阿房宫的痛快,是一种赤裸裸的财富毁灭与恶性轮回。

其实有很多一看,用常识都知道有问题的认识误区,但我们习以为常。我们是否已经失去了反省和质疑的能力?

## ▷ 四、内需

现在回到财富分配的另一个环节:中国内需不足。

这是个中国人耳熟能详的词,但很少有人想过,这个词听起来有没有一点不对劲?

中国有全球第二的GDP,有13.7亿人口,竟然内需不足?

这个在经济学理论看来是一个完全不可能存在的悖论。

我们转向另一个经济学名词:基尼系数(Gini coefficient)(见下图),就基本能明白内需不足的根源。

**基尼系数**

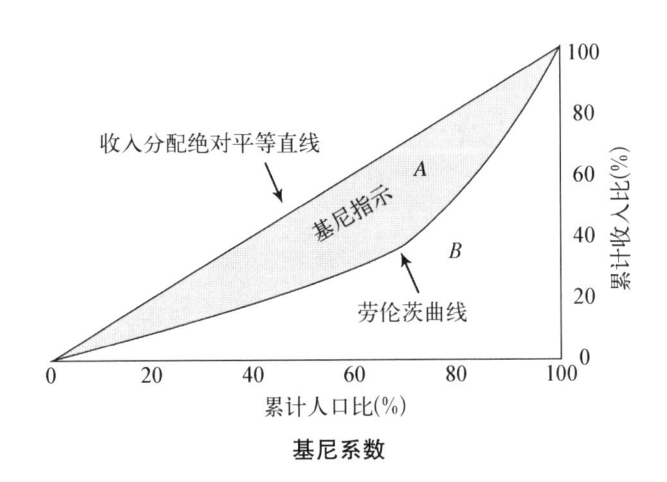

基尼系数，是20世纪初意大利经济学家基尼，根据劳伦茨曲线所定义的判断收入分配公平程度的指标，是国际上用来考察一国居民收入公平与否的分析指标。其具体含义是指，在全部居民收入中，用于进行不平均分配的那部分收入（图中$A$）所占的比例（$A/A+B$）。基尼系数最大为"1"，表示居民之间的收入分配绝对不平均，即100%的收入被一个单位的人全部占有了；最小等于"0"，表示居民之间的收入分配绝对平均，即人与人之间收入完全平等，没有任何差异。基尼系数的实际数值只能介于0~1，基尼系数越小，收入分配越平均；基尼系数越大，显示社会收入分配越不平均。国际上通常把0.4作为贫富差距的警戒线，大于这一数值就说明收入分配进入危险不平均区，社会容易出现动荡。

中国基尼系数从1984年开始一路攀升，2007年上升为0.498（北京师范大学课题组的数据），而联合国数据曾估测2011年中国基尼系数或突破0.5（中国国家统计局公布的中国基尼系数2013年为0.473，2014年为0.469，但被普遍质疑偏低）。

一般基尼系数在0.2之下叫"高度平等"，0.2~0.4叫"低度的不平等"，0.4被视为基尼系数的"警戒线"，0.4以上叫"高度不平等"：少部分人占有了社会多数财富。

在经济学上，这种情况会导致典型的拉美哑铃社会结构：中产阶级无法产生，庞大群体陷于解决基本温饱需求，内需始终是一场梦中花、水中月。

## ▷ 五、中国梦与中国结

回到中国梦。

杨小凯的理论逻辑体系其实是非常靠近"制度经济学派"的。在他的理论中透露着大量的制度思考与智慧,也渗透着他对中国命运的深切关注——实际是小凯个人的中国梦。小凯的研究从不歌功颂德,而是自始至终以完全独立得近乎不受人待见的角度真正思考着中国之命运。他始终关注着中国的政治经济变迁,并早早提出了诸多现在看来仍很前卫但必然要发生的改革建议,如开放户籍制度、破除行业垄断、允许土地自由流转等。

小凯将经济学家沃森的"Curse to the Late Comer",即"对后来者的诅咒",置放在中国百年经济史里研究并提出"后发劣势"理论。简而言之,就是落后国家由于模仿的空间很大,因此可以在没有好的宪政制度的条件下,通过对发达国家技术和管理模式的模仿,取得发达国家必须在一定制度下才能取得的成就。

当年在林毅夫与杨小凯之间曾经爆发震动学界的"后发优势"与"后发劣势"的争论。俱往矣,对林毅夫与杨小凯而言,赞美也罢,质疑也罢,都是期望自己的祖国有一个美好的未来。这很像中国过年传统悬挂的美丽吉祥中国结。中国结是中国特有的民间手工编结装饰品,中国结的特点是:那么多造型独特、绚丽多彩、内涵丰富的图案,其实每一个结从头到尾都是用一根线编结而成:找准绳头,按照可循的逻辑与路径,我们可以编织出我们梦想的美丽图案——腰间双绮带,梦为同心结。

否则,就是一团盘根错节的乱麻。

## ▷ 六、那年三月,那年藏区

闲拉杂侃这么多,不是我想说什么,就能说什么的。您看懂当看懂,没懂就当一无逻辑的杂文好了。但春天确定是可以随意去放肆的好季节。继去年邀请未果后,好友贡去乎嘉措活佛又发来信息,他目前已升任拉扑楞寺堪布,并再次邀请我3月去看藏地桃花,格隆惭愧答应。恰好格隆汇会员苏琨兄发来他2月在甘南藏区的行行摄摄,深切打动了我,格隆特意挑选他照片中一张拉卜楞寺全景图分享于此。

这是格隆第一次发现藏地寺庙也能够拍摄得如此有人间烟火气息！
是的，除了家国，除了故乡，除了股市，还有春天。放下股票，去看桃花吧！

2015年3月15日

# 那年高考：致我逝去的青春，以及依然鲜活的梦想

**题记**：在我们至短至暂的生命里，希望永远不是聊胜于无的东西！它是冬日温暖的手套、夏日冰冷的啤酒，带着阳光味道的衬衫，它支撑着我们日复一日的梦想，让如此平凡甚至平庸的我们也能拥有一段感动自己的人生。

今天是6月7日，高考日。全国将有942万莘莘学子踏入高考考场。十年寒窗，这将是一场极可能决定大部分孩子，尤其农村孩子未来命运的考试。加油！

但无论考试结果如何，我都想说：追梦的过程其实刚刚开始。如果你能在5年、10年、20年后，在受尽各种挫折和磨难后，仍能如上路初时一样，让你的梦想如生如夏花般灿烂，你就一定会拥有属于你的美丽人生！

格隆当年是在学校旁边的池塘边掏完了小龙虾之后，一脸轻松地进入考场的。但其实，我的内心无比紧张，以至于过了很多年后，我还经常被噩梦惊醒：自己坐在某个考场上，眼看交卷时间要到了，但却还有很多题没有做完！

格隆三年的高中记忆，是一部与路遥《平凡的世界》里孙少平几乎一模一样的苦难和意志的修炼史。这也是为什么路遥在1992年去世时，我会号啕大哭的原因：他最真实地记录了一个苦难条件下农村孩子饱受捶打，但依然不屈不挠追逐梦想的真实过程。

20世纪80年代的江汉平原依然穷困，村里所有乡亲基本都处在辛苦劳作也堪堪够解决温饱的状态，一如《平凡的世界》里的黄土高原。格隆家里因为兄弟姊妹较多，尤显艰难。最后三哥自愿辍学，原因很简单，家里实在供不起那么多孩子一起读书，所以把这个读书的机会留给了成绩最好的我。直到很多年以后，我都一直为此深深自责：三哥肯定不是心甘情愿辍学的！如果他有读书机会，外形俊朗，心地善良的他，人生是否会远较当前精彩？！

但，只是如果。这就是很多农村孩子面临的现实：你可能被迫得向卑微、残

酷而坚硬的现实屈服！

但人生的苦难是一所学校，如果你不屈服，它就能让你更加坚强、更加出色！

在我以全农场第一名的成绩考上我们地区最好的重点高中不到半年，母亲为了一家人的一口吃食和基本的生存而耗尽了生命。彼时尚年幼，懵懵懂懂的我对这个世上最爱我的人离我而去意味着什么，并无太多认识，只是在后来某个风雨交加的半夜因莫名的恐惧和无助而泪流满面时，我才突然明白，有些熟悉的生活再也不会复返了，未来的风雨，我需要自己去面对了。除了迅速成熟，我别无选择。

为了养家谋生，父亲在母亲去世后开始了常年离家、驾船四野湖汊的捕鱼生涯，而我则成了无家可归、也无人管的野孩子，这也是我每次听王杰的歌曲《回家》都会忍不住潸然泪下的原因，因为记忆中很多个大年三十，万家灯火、鞭炮齐鸣的夜晚，我都是独自一个人在街头溜达度过的。好在，我已不需要人管，我深知自己该做些什么。高中三年，我没有任何一次考试考过全年级的哪怕第二名。美中不足的是，没有人能和我分享这种看似无足轻重、却对我弥足珍贵的简单快乐。每次我拿着第一名的成绩通知单，都只是拿到母亲的坟头，有说有笑地烧掉，告诉她，儿子过得很好，又考了第一，您放心。

但转身离开时，我仍旧会忍不住热泪盈眶。

哥哥姐姐早早独立分家，自己的小家过得都无比拮据，根本无暇他顾，父亲又常年不能回家，这样的结果是我的高中三年始终都处在一种恍惚的半饥饿状态，最严重的一次是直接饿晕在了学校路边的小树林，直到夜晚的冷风把我冻醒。要命的自尊让我不愿暴露自己的任何穷困痕迹，也不敢在别人吃饭的时候去食堂打饭，因为我根本没有钱买菜，我怕别人笑话。最苦的时候，曾经在两个月时间里，我只是打饭，然后靠一瓶腐乳顶了一个半月，最后那瓶腐乳瓶里的咸汤水，又支撑了半个月。这样的营养，当然支撑不住每天熬夜的学习。在高一下学期连续多天高烧42度不退后，我被确诊为严重营养不良引致的肝脓肿，并被送进了医院。父亲这次抛下了所有事务第一时间赶了回来，并放下他当公社书记时养下的那种绝不求人的自傲，用一个农村汉子能想到的最朴实的方法，平生第一次去贿赂了医生：他给医生送了30多条从长江里捕捞的鲜活鳊鱼——只有在湖北鄂州长江段才有，是城里人追逐的佳肴，吃起来的味道比湖泊里养的要鲜美很多。

在父亲厚着脸皮借了亲戚朋友一堆人的钱以后，手术很成功，我活了下来。醒来后看着父亲苍老的面容和欲言又止的嗫嚅，我迅速读懂了他的意思。我说了一句话：爸，您以后不用给我一分钱，但书，您一定要让我读。

我家庭的拮据终于曝光！语文老师含着泪替我申请了助学金，英语老师则在多年没有摸过针线后，亲手为我织了一件厚重的毛衣——伴我度过了江汉平原最寒冷的几个冬天！

高考说来就来，虽然发挥不算好，但我依然维护了自己第一的荣誉。然后，在父老乡亲的护送下，我生平第一次离开了那片生我养我的家乡土地，带着父亲"俯仰无愧"的嘱托，带着好友"仰天大笑出门去"的期待，开始动身去持续追逐一个不间断的梦想！

这就是我为什么一直记得路遥小说《人生》中主人公高加林跪在家乡土地上的那声呐喊：我的亲人！也是为什么一直对父亲、对亲朋、对师长、对家乡那片土地无言感激的原因：没有那片土地的磨炼与包容，没有亲朋师长的善良与呵护，我不可能面对未来这么多的风风雨雨，我可能什么也坚持不下来！

没有人是衔玉而生的，相比苦难，坚持，才是你梦想路途上唯一需要做的！这就是格隆曾经说过的：再不靠谱的梦想，傻瓜式的坚持到底最终也能给实现！高考，只是追逐梦想的开始而已！

高考已经过去很多年了，青春亦已不再！但，我的梦想依然鲜活，历久弥新！

这个周末的两天，格隆又老老实实坐在书桌前，解剖着一个个上市公司数据，一遍遍敲击着键盘。算下来，我周末两天工作时间超过了18个小时，周末两天比平时的正常时间更紧张、更辛劳。

到今天为止，这个动作——每个周末，雷打不动，风雨无阻地守在书桌前——格隆坚持了有整整20个月零25天。未来，我会继续坚持下去。

一个长期全球游玩的实力派朋友非常不理解格隆干嘛这么辛苦和执着地做格隆汇这件事：以你的实力与积累，发个基金，有机会时做做投资，没机会时游山玩水，既简单又轻松，把自己折腾那么累干吗？还惹得一身骚！格隆的回答是：内心有点梦想，想做点事，不单为自己，也为大家——让最普通的个人都能享受到最专业的研究服务，让每个个人的投资之路不再那么孤单和艰难！

格隆从小接受的教育就是穷则独善其身，达则兼济天下。格隆不属闻达之辈，但如在大家帮衬下，以自己单薄瘦弱身躯，竟也能为人、为己做点什么，为什么不做？就算道路可能曲折，就算只是一个微小的希望，那又如何？在我们至短至暂的生命里，希望永远不是聊胜于无的东西！它是冬日里温暖的手套、夏日里冰冷的啤酒，带着阳光味道的衬衫，它支撑着我们日复一日的梦想，让如此平凡甚至平庸的我们也能拥有一段感动自己的人生。

你可以一辈子不登山，但你心中一定要有座山。它使你总有个奋斗的方向，它使你任何一刻抬起头，都能看到自己的希望。

经常有朋友询问格隆：你怎么能做到始终如此情绪高昂地坚持不懈做一件事的？有没有沮丧想放弃的时候？还只是刻意展示出来的一种坚强？

其实格隆多数时候面对的是挫折和沮丧，经常也会心烦意乱，也很多次想过放弃。原因很简单：你一定会有失误。而且，哪怕你做得再好，你也一定会听到冷嘲热讽甚至是恶意攻击。这正如马云在清华大学经管学院毕业典礼上说的：有一点不用担心，你们一定会遇到眼泪、冤枉、误区、各种倒霉事件，一定会碰上！

每当这个时候，我只是翻看或者回想自己过往曾经做得很漂亮的成功案例并陶醉其中，然后撸起袖子接着干！这正如全球最成功的商人之一、美国强生CEO詹姆斯·伯克所说的："你知道吗，在我的生活中，我不得不学会从最多10%的成功经历中吸取足够的内心力量，去应对其余90%的垃圾经历！"

之所以这样"麻醉"自己，是因为格隆知道，抱怨和牢骚于事无补，与梦想更没有关系。当年江汉平原以自己虽贫瘠但毫不吝啬的滋养把我这个傻小子送出来，不是让我沉迷一己之私耽于一家之乐的，而是来追梦的。我需要做的，必须让自己的内心更多照进一点阳光，以防止放纵自己，跨越了做与不做的底线。我知道，只要让自己一直保持在跑道上，就一定能无限接近我想去的地方，哪怕只是踽踽独行，哪怕速度很慢很慢。

人都有两面性。当有阴影遮盖的时候，把自己努力往有光的地方扯，让自己尽量离负能量远一点，尽量离猥琐远一点。这样做不是为了冠冕堂皇的高尚，只是让自己活得不那么阴暗，不那么矛盾和纠结，不那么心灵憋屈。你往有光的地方走，有光，内心才会安宁、会平静，这是自己给自己谋福利，与他人无关。

格隆身边也会经常有这样的两类人：都是在追梦，但一类是抱怨者，一类是埋头苦干者。遇到前者，格隆都会退避三舍。因为格隆深知近朱者赤、近墨者黑。人都有惰性与弱点，远离那些充满抱怨牢骚、意志消沉、对优秀者只会羡慕嫉妒恨的人，才不会让他们偷走你的梦想和激情。任何事物都是两面性。事实上，你抱怨的不公的地方，可能恰好是你的机会！看到社会上的拼爹与腐败，你可以老气横秋呼天抢地："这个国家坏掉了……"然后放弃较劲和努力。你也可以看看硬币的另一面有什么机会,看到这片广袤的土地上其实忧患与安逸、悲剧与欢乐永远并存,然后以独特的韧性,寻找看似孤独又狭窄的夹缝倔强生长。当你努力生长到一定高度,就会突然发现过去那些你抱怨和嫉妒的对象其实多么脆弱、不堪一击,其实给你留下了多大的攻击漏洞——就像目前在互联网金融面前瑟瑟发抖的传统金融业。

在芸芸众生中,我们都是最普通的人,但却完全可以用尽全力活出最好的自己。只要有梦,我就从不相信自己会无路可走:总会有一条路能带我们无限接近最想去的地方!

至于如何实现梦想,其实就是老生常谈:唯有努力。

很多朋友与格隆沟通:我没有你那样的综合分析能力,也没有天赋与资本,也没有过硬家庭背景,怎么努力?谈什么梦想?格隆的回答是:在你做到足够努力之前,永远不要找借口放弃任何梦想的可能!你尝试过像格隆一样,20个月的时间里,基本所有周末的两天时间都关禁闭似的哪儿都不去,雷打不动坐在电脑前敲击键盘写差不多十七八个小时的文字吗?

事实上,如果你足够努力,你或多或少都会成功,因为全天下的人都会帮你。因为努力代表着一种正能量,一种人类进化过程中骨子里认可的向上精神!格隆最有感触的一句话:如果你足够努力,全天下的人都会帮你。但如果要让人帮你,至少要让人看到你的手在哪里!

格隆自幼酷爱读书,小学几乎是痴迷到无论残破,见书就读,结果是小学毕业时,从大城市支边到我们这里的一个语文老师(他并不教我们班)直接把自己的文学藏书都送给了格隆,我记得有三大木箱。这在我们那种偏僻的农村是很罕见的一笔财富,而格隆的扎实国文功底基本就靠那三箱子书所赐。高中离家在校住读,出身贫寒的我长期处于一种恍惚的半饥饿状态,但格隆依然活着读完了高中并考出学校最好成绩:很长一段时间,我同宿舍的同学每周回去从家里背米到学校换饭票时,同时也会为我背一袋。实际上,他家与富裕也不沾边,家境只是比我稍好一点而已。到后来我干脆受邀直接住到了两个学校周边同学的家里,像他们家自己的孩子一样——白吃、白住,他们之所以愿意这样,原因大概只有一个:我学习非常刻苦努力。他们看中的是这个孩子身上这样一种努力的精神,才不计回报,乐于伸出援手给予力所能及的帮助。

最让格隆记忆犹新的是我的第二次高考——考研。那个时候大学没有扩招,考好专业的研究生,难度不亚于另一次高考。大四上学期结束,系里确定保送本系研究生,我放弃了,一个一个找到所有任课老师,告诉他们我要跨专业考我喜欢的,也是最难考的某专业研究生(该专业每年全国也就招3~5个人),您下学期的课我没时间上了,考试请您给我一个及格分。基本所有老师开始都是沉默,但最后都会很艰难地点头,满头白发的系主任(整整教了格隆三年《资本论》)特意叮嘱了一句:那你搬去系学生会活动室住吧,方便备考——但你小子一定要考上!

从此我开始了离群索居,一个人长达半年孤独而艰难的备考生活,很少洗澡,基本不理发,学习与睡觉都在那张冰冷坚硬的系学生会活动室乒乓球桌上,那是一段比高考还艰苦、生命中没有任何色彩与感动的灰暗日子,寝室老大节衣缩食给我买的两条红金龙香烟是我唯一可以倾诉的朋友,以至于经常后半夜一个人走出活动室在空无一人的校园放风时,我都抑制不住内心的苦涩,无数次都准备放弃。咬着牙终于考完并幸运拿到录取通知书后,我去一一感谢了系里每个老师对我的大度、理解与隐性支持,然后一个人躲在系活动室里号啕大哭:所以格隆很能理解新东方俞敏洪的那句话——如果我们的生命不为自己留下一些让自己热泪盈眶的日子,我们的生命就是白过的。

过往这些经历对我的人生有着深刻而潜移默化的影响。回首来路,在自己每一个阶段、每一个困难时期,都会有人无私在帮助我。我知道他们其实什么也不图,仅仅只是因为认可和赞赏这个傻小子身上的那份刻苦与努力。这也正是我在后来的岁月中愿意力所能及帮助一些我能帮的人的原动力——就算素昧平生,如果他(她)在追逐梦想且足够努力,你为什么要吝于表达一下自己的赞赏,为什么不举手之劳伸一下援手?

天助自助者。没有人能随随便便成功。我们看到了京东的上市与刘强东70亿美元的身家,但我们没看到一个人大毕业的高才生在中关村摆地摊的尴尬与汗水,以及他坚持每天花1/3时间与粉丝互动的执着。事实上,以绝大多数人的努力程度之低,远远没有达到要去拼天赋的地步。

很多人一开始为了梦想而忙,而后来,却忙得忘了梦想。

再次祝福今天所有的高考考生,你们的追梦之旅刚刚开始,请一直坚持!

青春终将逝去,唯梦想不可辜负!

2015年6月7日

# 大家小凯

**题记**：那些毫无私利，真正为国家、为民族奔走呼喊努力过的人一定会被铭记，且如醇酒，历久弥香！

自 2005 年始，每到 7 月，格隆就总有些冲动想写点什么，为一个叫杨小凯的大家！

我知道自己人微言轻，但就算是写点自言自语的东西，至少也能反映一个朴素的道理：那些毫无私利，真正为国家、为民族奔走呼喊努力过的人一定会被铭记，且如醇酒，历久弥香！

绝大多数中国人都知道76年前的7月7日在一个叫卢沟桥的地方发生了些什么，那天对整个中华民族来说都可能是长期隐隐作痛挥之不去的历史伤痕。但极少有人知道11年前的7月7日一个叫杨小凯的华人在澳大利亚墨尔本家中的溘然长逝意味着什么。

这两件事也许根本不可同日而语，因为极少中国人知道杨小凯是谁。

但对于格隆这个在大学学了十年经济学的人而言，华人经济学家也许很多，但能历经岁月风沙，反而愈加清晰高大的经济学大家只有一个，他就是杨小凯。格隆相信未来的中国在摸索过诸多弯路后最终真正走上正道的时候，全社会都会意识到过早失去小凯意味着什么。

很早就知道杨小凯这个名字，陆陆续续也读过很多他的论文，但由于国内基本没有出版他的书籍，因此真正第一次认真通读他的书籍是在我刚开始读博士的时候。在这之前格隆已经花了7年时间研读经济学，有一天读到了杨小凯的《经济学原理》。

说该书能与马歇尔、萨谬尔森的经济学教科书相媲美毫不为过，该书的匿名审稿人这样评论："这一研究激动人心，令人屏息以视。杨是世上少有的几个可以思考这类问题的人之一，他更是世界少有的能解决这类问题的人之一。这一工作具有原创性和新颖性。他正在迅速建立起他作为主要理论经济学家之一的国际名声。"在经济学史上，杨小凯发展了亚当·斯密的劳动分工理论，建立了挑战新古典经济学的崭新学派"新兴古典经济学"，创立了超边际经济分析方法，从而能够对经济组织演变、制度变革和经济发展等一系列问题提出理论解释。因此，诺贝尔经济学奖得主、公共选择理论的代表人布坎南毫不含糊地说杨小凯可能是当今最好的经济学家之一，并连续两年提名小凯为诺贝尔经济学奖候选人。

杨小凯被仰视绝不单是他在理论经济学上的卓越建树，而更多是因为他无任何私利、近乎天生的家国忧患意识与使命意识。

虽命运多舛，饱受排挤打压，但他从具备独立思考能力到生命逝去都从未停止关注中国的命运。他具有范仲淹似的悲情：处江湖之远仍忧其君——中国大众之福祉。中国近现代史上有诸多的社会精英对国家民族命运做过多方思考与实践，但或是学问所限，或是阅历不够，或是所处环境没有话语权，终使多数智慧虽如繁星璀璨但大多零落凋零，但杨小凯是一个意外。其以卓尔不群、学贯中西的远见卓识,坎坷曲折的人生历练,虽九死而犹未悔的拳拳之心,高屋建瓴地将大国国是分析得系统、深入、条理清晰,而且其理论越来越准确而清晰地得到中国现实的持续验证。

在艰苦繁重的劳动之余,囹圄之中的小凯拜当时关在其中的二十几位教授、工程师为师———他们成为小凯黑暗岁月中一团团温暖的光。狱中十年,小凯精研英语、数学,熟读《资本论》,做了五六十本读书笔记,并全面思考中国的现实。出狱后在当时的中国社会科学院副院长于光远的帮助下,小凯冲破层层排挤考入中国人民大学,毕业后在武汉大学从教,受来华讲学的美籍华人经济学家邹至庄教授的欣赏,邹教授亲自上书当时的国务院总理,由是负笈美利坚读书,由此开创个人的黄金时代,在经济学超边际理论方面做出了原创性的重大贡献。

杨小凯并非一个纯粹的经济学者,在他的理论中透露着大量的政治思考与智慧,也渗透着他对中国命运的深切关注。小凯的研究从不为政府背书或者歌功颂德,而是自始至终以完全独立得近乎不受人待见的角度真正思考着中国之命运。他始终关注着中国的政治经济变迁,并早早提出了诸多现在看来仍很前卫但必然要发生的改革建议,如开放户籍制度、破除行业垄断、允许土地自由流转等。

小凯将经济学家沃森的"Curse to the Late Comer",即"对后来者的诅咒",置放在中国百年经济史里研究并提出"后发劣势"理论。

2002年,在林毅夫与杨小凯之间爆发了关于"后发优势"与"后发劣势"的争论,并成为当年最著名的经济学事件——今日中国除经济"一枝独秀"并面临新的重重问题,其他诸多方面都百废待兴,以及越来越明显的社会矛盾与冲突已基本表明了谁对谁错。

格隆今天又翻阅了杨小凯的《经济学原理》,封面上的小凯一袭白衣,清癯但有神,微笑地注视着你:亲切、宽厚、温暖。

2015 年 7 月 7 日

# 减税：中国经济和股市的逃生之门

**题记**：拉弗曲线的理论逻辑丝毫没有超越2500年前鲁国有若的智慧。拉弗的幸运在于，政府采纳了他的建议。而从后来楚国灭鲁的史实看，鲁哀公多半没有这么做。

## ▷ 每次经济出问题，央行就开始说英文

先上一个朋友发给格隆的笑话段子：A股真让人着急。宣布2万亿元养老金入市，不涨。宣布降息降准，还是不涨。带走几个证券公司高管协助调查，一刻不耽误，果断开涨！看来在救市这件事上，警察远比央行有用！

智慧在民间。这不单只是个笑话，它其实深刻揭示了当前央行江郎才尽、进退维谷的尴尬困境：很多事情早已超出了央行的能力范围，但他仍像一个救火队员一样扑向了火场，义无反顾也罢，被逼无奈也罢，当前时刻的央行，更像一个悲情英雄，而不是我们想当然认为的超人（Superman）。

从经济学理论角度，所有衰退、通缩，以及由此衍生的资产价格缩水、股市下跌等经济现象，都可以用两个字做出最完美的解释：需求！这就是为什么在美国2008年次贷危机，经济需求一夜消失的时候，美联储主席伯南克第一时间给国会提交的建议：开上直升机，直接撒钱！

这就是美国QE的由来，也是凯恩斯式宏观调控的标准动作。

Does it work? 是的，这招很管用。美国人几乎是当今地球村里唯一家里有余粮的地主。

在中国经济深陷需求萎缩之苦，股市也惊弓之鸟的今天，中国同行显然在认真学习美联储的各种做法：中国式QE、逆回购（RR）、短期流动性调节（SLO）、常备借贷便利（SLF）、抵押补充贷款（PSL）、中期借贷便利（MLF）、抵押支持证

券（MBS）、降息降准……

一个朋友向格隆诉苦：你有没有发现，每次经济或者A股一出问题，央行就开始说英文？什么SLO、PSL、MLF之类的咒语。根本不知道它在说什么。它一说英文，我就知道有问题了，就只能风中凌乱。

我哑然失笑，告诉他：

1. 你的理解是对的，央行说英文，确实表示经济不妙。

2. 所有这些英文翻译成中文，就简单两个字——印钱！

Does it work？不尽然。

因为开动印钞机只是一个开始，从印钱到形成最终有效需求，需要两个基本前提条件：

1. 有顺畅的货币政策传导机制，不存在流动性陷阱。通俗的说法就是，你要保证你的钱能撒得出去。

2. 让钱流向消费边际倾向最大的地方。通俗的说法就是，你要让你撒的钱到达真正需要用钱的人手里。

这两个条件在美国人那里都不是个事，但却都超出了我国央行的能力范围。

央行的尴尬：一个作茧自缚的死胡同

凯恩斯经济学里有一个经典词汇：流动性陷阱。

所谓流动性陷阱，是指整个宏观经济陷入萧条之时，即使在极低的利率水平下，居民仍旧对经济前景预期不佳，风险偏好很低，宁愿持有流动性最好的货币，也不愿投资和消费。此时央行无论增加多少货币，都会被储蓄起来，致使扩张性货币政策无法刺激银行放贷、企业投资和居民消费，货币政策失效。

中国当前银行间隔夜回购利率已降至1%，与0.72%的超额准备金利率仅差28个基点，考虑到银行间市场与央行之间的信用利差和隔夜回购利率波动的风险补偿，隔夜回购利率已降至最低水平附近。而长端利率和贷款利率仍居高不下，10年期国债利率近半个月不降反升到3.6%水平，央行统计的一季度贷款平均利率高达6.8%，而一季度名义GDP增速才5.8%：一方面经济不断下滑；另一方面，短端利率已降至最低水平附近。

短端利率的下降无法传导到长端利率和贷款利率，降准、降息的边际效应不断递减——中国已出现事实性的流动性陷阱。

换句话说，当前中国的问题根本不是缺钱或者缺流动性。印再多钱，也都会被惊弓之鸟一样的居民窖藏起来，或者被银行体系用存差等方式滞留下来，后者对流动性的淤积阻滞作用在中国尤其令人头疼。中国的流动性几乎都是通过国有银行渠道释放的，无论是从乌纱帽角度还是逆周期行为角度，银行在当下都会严重惜贷，整个社会融资成本居高不下：根据央行《2015 年一季度中国货币政策执行报告》，截至一季度末，一年期贷款基础利率（LPR）在 3 次降息后已累计下降 0.71 个百分点，而一般贷款加权平均利率仅比上年 12 月下降 0.15 个百分点。

钱是印了，也撒了，但实体经济融资成本根本降不下来。实体经济没好日子，股市能有好日子？最关键的，哪怕这么高的融资成本，银行也只会贷给那些产能已经严重过剩，行业根本没有前景，但却有"国字号"兜底的垂死恐龙企业。

如果不辅以其他手段，周小川的货币宽松大概率会进入一个作茧自缚的死胡同。

想扶持的没起来，想淘汰的继续野蛮生长。撒钱原为救赎，最终却成为自戕。

难道没戏了？有其他逃生的路子吗？

当然有：很多人忘了凯恩斯需求武器的另一条腿——用财政税收政策，把钱撒到真正需要的人手里。

## ▷ 有若的智慧：中国经济的逃生之门

在此格隆先说一个历史故事。《论语》里记载了鲁哀公与孔子的弟子有若之间的一段对话。

> 哀公问于有若曰："年饥，用不足，如之何？"有若对曰："盍彻乎？"曰："二，吾犹不足，如之何其彻也？"对曰："百姓足，君孰与不足？百姓不足，君孰与足？"

翻译过来就是，鲁哀公问有若："遭了饥荒，国家用度困难，怎么办？"有若回答说："为什么不实行彻法，只抽 1/10 的田税呢？"哀公说："现在抽 2/10，我还不够，怎么能实行彻法呢？"有若说："如果百姓的用度够，您怎么会不够呢？如果百姓的用度不够，您怎么又会够呢？"鲁哀公最后有没有采纳有若的建议我们不得而知。从后来楚国灭鲁的史实看,格隆倾向于认为鲁哀公多半没有这么做。

与此对应的另外一个故事发生在2500年后的美国。1974年的一天,供给学派的代表阿瑟·B.拉弗(Arthur B. Laffer)在华盛顿一家餐馆的一张餐巾纸上画了一幅类似倾斜的抛物线图,向同座的客人说明税率与税收收入的关系:政府税收随着税率的增长而增长。但税率高到一定程度将达到拐点,总税收收入不仅不增长,反而开始下降。

这便是著名的拉弗曲线(Laffer Curve)。它提出的一个基本命题是:总是存在产生同样收益的两种税率。

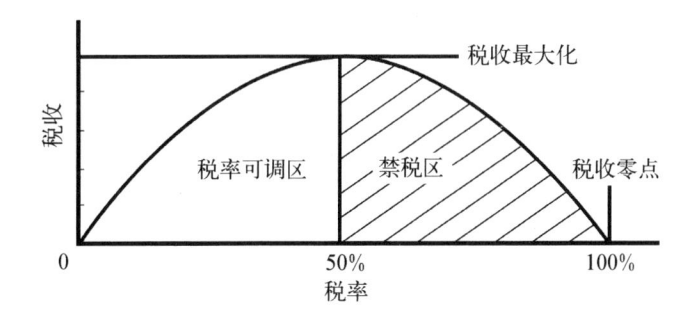

拉弗曲线的理论逻辑丝毫没有超越2500年前鲁国有若的智慧。拉弗的幸运在于,政府采纳了他的建议。1980年1月里根当选美国总统后对税率进行了果断改革,采取了大幅度的减税措施。至1989年里根离任时,联邦政府征收个人所得税的水平已由70%下降到28%,公司所得税由48%下降到24%。这些减税措施使美国拥有现今主要的大型经济体中最有效率的经济体系,并使在20世纪60~70年代表现并不抢眼的美国经济此后开始了快速的增长。而此后拖垮苏联的星球大战计划、90年代后美国经济向高科技的转型无不与里根时期打下的坚实基础有关。

格隆之所以说以上两个故事,是因为目前中国正处在这样一个大拐点上:中国财税收入在过去20年里增长了30多倍,年均增长率19.5%,远高于GDP的增速。21世纪前10年里,除了2009年税收同比增长9.8%外,其余年份税收总收入同比增长基本都2倍于同年GDP增速,而中国政府财政总收入占GDP比重也已经稳稳超过世界头号经济大国的美国(见下表)。

| 年份 | 税收（亿元） | 税收增幅 | GDP（亿元） | GDP增幅 | 税收占GDP比率 | 税收增速/GDP增速（倍） |
| --- | --- | --- | --- | --- | --- | --- |
| 2001 | 15 301 | 21.70% | 109 655 | 8.30% | 14% | 2.61 |
| 2002 | 17 636 | 15.30% | 120 332 | 9.10% | 14.70% | 1.68 |
| 2003 | 20 017 | 13.50% | 135 822 | 10.00% | 14.70% | 1.35 |
| 2004 | 24 165 | 20.70% | 159 878 | 10.10% | 15.10% | 2.05 |
| 2005 | 28 778 | 19.10% | 184 937 | 11.30% | 15.60% | 1.69 |
| 2006 | 34 804 | 20.90% | 216 314 | 12.70% | 16.10% | 1.65 |
| 2007 | 45 621 | 31.10% | 265 810 | 14.20% | 17.20% | 2.19 |
| 2008 | 54 223 | 18.90% | 314 045 | 9.60% | 17.30% | 1.97 |
| 2009 | 59 521 | 9.80% | 340 506 | 9.10% | 17.50% | 1.07 |
| 2010 | 73 202 | 23.00% | 397 983 | 10.30% | 18.40% | 1.97 |
| 2011 | 89 720 | 22.60% | 484 124 | 9.30% | 18.53% | 2.43 |
| 2012 | 100 600 | 12.10% | 534 123 | 7.70% | 18.83% | 1.57 |
| 2013 | 110 497 | 9.80% | 588 019 | 7.70% | 18.80% | 1.27 |

注：数据来自中国统计年鉴等，税收占GDP比率按小口径税负计算。

按大口径指标，中国社科院财经战略研究院的报告显示2012年中国宏观税负比重为35.33%。中央党校国际战略研究所的数据则显示，2014年上半年中国宏观税负率达44%［宏观税负是指一个国家的税负总水平，通常以一定时期（一般为一年）的税收总量占国民生产总值（GNP）的比例来表示。在中国有大中小三种统计口径，通常政府部门公布的数据采用小口径，计算方式是单纯的税收收入除以GDP；如果按照大口径统计，还包括各种费在内的所有政府收入］。按照世界银行标准，低收入国家的宏观税负较宜为13%左右，中上收入国家应该是23%左右，高收入国家是30%左右。目前美国是30%，北欧瑞典、挪威等高福利国家达到40%左右。

从经济学理论角度说，"税"的本质是一种转移支付的再分配手段，很大程度上意味着用一部分人的钱养活另一部分人，因此无论于经济效率，还是于社会福利而言，税永远不是优先选项，而是最后选项，是人们确实认为某些服务市场无法提供的情况下，才可以采取税这种方式由政府提供。高税率往往意味着极大增强政府干预市场的动力与能力,意味着政府开支的膨胀,特权利益的固化;创业成本的增加,创新动力的消退;就业机会的减少,民间消费不振等一系列问题。

实证研究显示,中国政府税收每上升1%,会导致中国GDP下降0.045%。中国税收对私人部门资源配置扭曲所带来的经济效率损失,已超过了政府维护社会经济秩序和为经济发展提供基本保障所带来的经济效率提高。

目前紧张的世界地缘政治,其实是各国经济都在泥潭挣扎的矛盾延伸而已,此时能够救中国经济、救中国股市的,将只有中国自己的内需。过往每次中国经济放缓最终都必须靠祭出政府投资这个法宝的路径将越来越难以为继,而通过全面减税藏富于民,把钱撒到消费边际倾向最高的人群,将以往政府大量的无效低效投资转化为民间有效需求,是中国经济在此次转型危机中最有希望的逃生之门。相应的,如果我们哪天看到政府开始大规模全面减税,股市也就必将迎来真正的大牛市、长牛市!

## ▷ 精兵简政:一个丝毫不过时的路径

办法有了,如何执行?

事实上,中央已多次提议减税,但总体上每年财政收入都会高于GDP的增长,从来没有做到真正减税。减税减不下去,最主要的原因在于减税和收税的同属一个集体。没有几个政府有魄力动自己的奶酪,除非它有高度的战略眼光与历史责任感。

但中国共产党人从来都不缺乏这种智慧。

格隆再说一段不算久远的历史。1938年10月侵华日军占领武汉后,逐步将主要军事力量转向中国共产党领导下的抗日根据地。抗日根据地日渐缩小,党、政、军、民机构庞大,脱产人员过多,物资供应极端困难。

1941年11月,党外人士李鼎铭建议"政府应实行精兵简政主义,避免入不敷出、经济紊乱之现象",中共中央果断采纳并把精兵简政确定为1942年全党全军的中心工作之一,并先后进行三次精简,使脱产人员与根据地的供养能力相适应,从根本上解决了"鱼大水小"、资源捉襟见肘、行动顾此失彼的矛盾。在帮助根据地渡过难关的同时,也为1945年后打败国民党奠定了坚实的基础。

精兵简政,少收点税,把钱留在真正需要用、会用、能高效用的民间,或许比中央撒四万亿更有效?

如果一个更小规模一点的政府,能维持和打造出一个更具生命力与竞争力的大社会,何乐而不为?

2015 年 8 月 29 日

# 大国崛起与中国路径

**题记**：中国长期处在静止状态，其财富在多年前就已达到该国法律制度允许的最高限度。——亚当·斯密《国富论》

## ▷ 一、大国崛起：城头如何变化大王旗

格隆先说几个很有意思的史实，请密切注意史实中的时间长度。

15世纪的地理大发现让西欧两个毫不起眼的小国西班牙、葡萄牙一跃成为欧洲乃至全球最富有和最强大的国家：当时的西班牙国王卡洛斯一世有这样一段名言，"在朕的领土上，太阳永不落下。"但这种辉煌只延续了不到100年。1570年西班牙在殖民墨西哥、菲律宾之后，想打开中国大门，"当时西班牙人认为中国人也和印第安人差不多，征服他们不会费什么力气"。彼时中国正是无为而治的明隆庆年间，明帝国处于垂暮的夕阳余晖中（70年后明朝最后一个皇帝吊死在北京煤山）。但一场看似偶然的事件同时改变了西班牙这个"海上霸主"与中国的轨迹：1588年8月在英吉利海峡进行了一场举世瞩目的大海战。这次海战，西班牙实力强大、武器先进，且兵力达3万余人的"无敌舰队"被英国小得多的舰队击垮，"无敌舰队"几乎全军覆没，从此以后西班牙急剧衰落。

替代西班牙的是英国。自1588年击败西班牙无敌舰队后，这个偏居于欧洲最西北岛屿上的国家通过英荷战争、七年战争、工业革命，在短短100年内成为第二个"日不落帝国"。鼎盛时期，当时全球人口的约1/4、世界陆地总面积的1/4都是英帝国的版图。这段辉煌一直延续了400多年，第二次世界大战的巨大损失与冲击令英国走下巅峰，世界头号强国被美国所取代。但，即使今天，英帝国余威犹存。

最令人纠结的例子是当今全球无疑义的最强大国家：美国。这是一个

239年前还不存在的国家。在人类历史上，1776年是一个极为重要的年份。这一年，詹姆斯·瓦特发明的蒸汽机正式进入量产，预示着人类工业革命真正的开始；经济学家亚当·斯密则在这一年的3月9日正式出版了他那本深刻改变人类经济生活的《国民财富的性质和原因的研究》（即《国富论》）；同时，美国的清教徒们在这一年发表了《独立宣言》，一个几乎一无所有的叫美利坚的新国家诞生。这个国家年轻得令自己国家已接近破产的希腊人都不以为然：我们的祖先在思考哲学的时候，你们的祖先还在树上荡秋千。

彼时在中国正是大名鼎鼎的乾隆四十一年，康乾盛世时代，尽管此时中国经济几乎已经停滞了500年，但大清帝国看上去仍财大气粗、歌舞升平。虽然人类工业化浪潮已经在遥远的英格兰兴起，市场经济理论在这一年已经形成强大的范式，而国际贸易正在以一种粗糙的方式向全球蔓延，但是尾大不掉的大清帝国对此完全不感兴趣。这一年的11月16日，乾隆降下谕旨，在全国范围内"删销书籍，以正人心"，焚毁书籍计77万卷。饶是如此，到了他儿子嘉庆年间（1820年）时，中国GDP仍达到了全球约1/3的峰值（彼时美国GDP占全球比重只有1.8%）。但自此之后太平洋两岸的两个国家从此走上了截然不同的发展之路：中国江河日下，GDP全球占比的"K线图"一路无反弹跳水，一直下降到20世纪50年代的4%，而美国则从1.8%的占比在短短200年内增长到约全球的1/3（见下图）。

看完下表，有没有一种历史恍惚感：一直到15世纪（文艺复兴前），欧洲仍处在中世纪的蒙昧黑暗时期。几乎在过去2 000年的时间里，中国都是世界各国难以望其项背的头号强国。但过去200年，我们做了一次自由落体式的高台跳水。

## ▷ 二、为什么有的国家会衰落？

近期，刚刚从金融危机泥潭里爬出来的欧洲正疲于应对第二次世界大战以来最大规模的难民危机，扩张性的安倍经济学并未给日本低迷的经济带来任何好消息，美国则忙于2016年总统大选并纠结下周要不要加息，中国这个对全球经济增长贡献率高达40%的国家（世界银行前行长、美国前贸易代表佐立克）股市两个月的下跌在全球范围掀起了世界金融危机将到来的恐慌——虽然这其中

## 20个国家和地区的GDP占世界GDP的份额,0～1998
（世界合计=100）

| 年份 | 0 | 1000 | 1500 | 1600 | 1700 | 1820 | 1870 | 1913 | 1950 | 1973 | 1998 |
|---|---|---|---|---|---|---|---|---|---|---|---|
| 奥地利 | | | 0.6 | 0.6 | 0.7 | 0.6 | 0.8 | 0.9 | 0.5 | 0.5 | 0.5 |
| 比利时 | | | 0.5 | 0.5 | 0.6 | 0.7 | 1.2 | 1.2 | 0.9 | 0.7 | 0.6 |
| 丹麦 | | | 0.2 | 0.2 | 0.2 | 0.2 | 0.3 | 0.4 | 0.6 | 0.4 | 0.3 |
| 芬兰 | | | 0.1 | 0.1 | 0.1 | 0.1 | 0.2 | 0.2 | 0.3 | 0.3 | 0.3 |
| 法国 | | | 4.4 | 4.7 | 5.7 | 5.5 | 6.5 | 5.3 | 4.1 | 4.3 | 3.4 |
| 德国 | | | 3.3 | 3.8 | 3.6 | 3.8 | 6.5 | 8.8 | 5.0 | 5.9 | 4.3 |
| 意大利 | | | 4.7 | 4.4 | 3.9 | 3.2 | 3.8 | 3.5 | 3.1 | 3.6 | 3.0 |
| 荷兰 | | | 0.3 | 0.6 | 1.1 | 0.6 | 0.9 | 0.9 | 1.1 | 1.1 | 0.9 |
| 挪威 | | | 0.1 | 0.1 | 0.1 | 0.2 | 0.2 | 0.2 | 0.3 | 0.3 | 0.3 |
| 瑞典 | | | 0.2 | 0.2 | 0.3 | 0.4 | 0.6 | 0.6 | 0.7 | 0.7 | 0.5 |
| 瑞士 | | | 0.2 | 0.3 | 0.3 | 0.3 | 0.5 | 0.7 | 0.8 | 0.7 | 0.5 |
| 英国 | | | 1.1 | 1.8 | 2.9 | 5.2 | 9.1 | 8.3 | 6.5 | 4.2 | 3.3 |
| 12国合计 | | | 15.5 | 17.2 | 19.5 | 20.9 | 30.7 | 31.1 | 24.1 | 22.8 | 17.9 |
| 葡萄牙 | | | 0.3 | 0.3 | 0.5 | 0.5 | 0.4 | 0.4 | 0.3 | 0.4 | 0.4 |
| 西班牙 | | | 1.9 | 2.1 | 2.2 | 1.9 | 2.0 | 1.7 | 1.3 | 1.9 | 1.7 |
| 其他 | | | 0.2 | 0.3 | 0.3 | 0.3 | 0.4 | 0.5 | 0.6 | 0.7 | 0.7 |
| 西欧合计 | 10.8 | 8.7 | 17.9 | 19.9 | 22.5 | 23.6 | 33.6 | 33.5 | 26.3 | 25.7 | 20.6 |
| 东欧 | 1.9 | 2.2 | 2.5 | 2.7 | 2.9 | 3.3 | 4.1 | 4.5 | 3.5 | 3.4 | 2.0 |
| 前苏联 | 1.5 | 2.4 | 3.4 | 3.5 | 4.4 | 5.4 | 7.6 | 8.6 | 9.6 | 9.4 | 3.4 |
| 美国 | | | 0.3 | 0.2 | 0.1 | 1.8 | 8.9 | 19.1 | 27.3 | 22.0 | 21.9 |
| 其他西方衍生国 | | | | | 0.1 | 0.1 | 0.1 | 1.3 | 2.5 | 3.4 | 3.2 | 3.1 |
| 西方衍生国合计 | 0.5 | 0.7 | 0.5 | 0.3 | 0.2 | 1.9 | 10.2 | 21.7 | 30.6 | 25.3 | 25.1 |
| 墨西哥 | | | 1.3 | 0.3 | 0.7 | 0.7 | 0.6 | 1.0 | 1.3 | 1.7 | 1.9 |
| 其他拉丁美洲国家 | | | 1.7 | 0.8 | 1.0 | 1.3 | 2.0 | 3.5 | 6.7 | 7.0 | 6.8 |
| 拉丁美洲合计 | 2.2 | 3.9 | 2.9 | 1.1 | 1.7 | 2.0 | 2.5 | 4.5 | 7.9 | 8.7 | 8.7 |
| 日本 | 1.2 | 2.7 | 3.1 | 2.9 | 4.1 | 3.0 | 2.3 | 2.6 | 3.0 | 7.7 | 7.7 |
| 中国 | 26.2 | 22.7 | 25.0 | 29.2 | 22.3 | 32.9 | 17.2 | 8.9 | 4.5 | 4.6 | 11.5 |
| 印度 | 32.9 | 28.9 | 24.5 | 22.6 | 24.4 | 16.0 | 12.2 | 7.6 | 4.2 | 3.1 | 5.0 |
| 其他亚洲国家(地区) | 16.1 | 16.0 | 12.7 | 11.2 | 10.9 | 7.3 | 6.6 | 5.4 | 6.8 | 8.7 | 13.0 |
| 亚洲合计(不包括日本) | 75.1 | 67.6 | 62.1 | 62.9 | 57.6 | 56.2 | 36.0 | 21.9 | 15.5 | 16.4 | 29.5 |
| 非洲 | 6.8 | 11.8 | 7.4 | 6.7 | 6.6 | 4.5 | 3.6 | 2.7 | 3.6 | 3.3 | 3.1 |
| 世界 | 100.0 | 100.0 | 100.0 | 100.0 | 100.0 | 100.0 | 100.0 | 100.0 | 100.0 | 100.0 | 100.0 |

数据来源：安格斯·麦迪森《世界经济千年史》

不乏过度的反应甚至恶意的兴奋(法国前总理拉法兰)。

一切貌似都糟透了。

但如果你把观察的时间周期放大到100年,或者200年、甚至500年呢?

前几年,中国拍过一部很有趣的纪录片,叫《大国崛起》。2012年美国两位教授出版了一本风靡全球的书:《国家为什么会失败》(Why Nations Fail)——可见中国和西方都在审视和研究国家崛起的道路。《国家为什么会失败》这本书刚出版就赢得了强烈好评,其所受赞誉甚至直追亚当·斯密的《国富论》。这本书最大的特点就是分析周期:它在人类历史数百上千年的坐标轴上分析西班牙、荷兰、英国、中国、美国……他们因何而起,又因何而落?

相较于短期的经济繁荣或者衰退,相较于听起来很可怕的"硬着陆",一个国家有远比这些坏得多的选项:比如战争,比如独裁,比如少量利益阶层的固化与社会的故步自封。这些长期因素会导致一个社会必然走向衰落。你能想象第二次世界大战结束后,亚洲人均GDP最高的国家是缅甸吗?

但第二次世界大战结束70年后,这个军政府统治下的国家几乎沦为亚洲最穷的国家。好在,他们现在有昂山素季(一个令格隆心悦诚服,堪称伟大的女性):她正在做一件事,试图以自己的不自由,换取祖国的自由。这或许会让这个国家发生一些变化?

《国家为什么会失败》的作者在搜罗了数百年的历史资料后认为:"英美等国之所以变得富有,是因为它们的公民推翻了掌权的精英,创建了一个权利得到广泛分配的社会。"

评论员兼经济学家伊恩·莫里斯(Ian Morris)对此总结道,他们其实就是在说:"自由让世界变得富有。"这和反凯恩斯"政府干涉主义",而崇尚亚当·斯密自由经济,私有化国企,裁汰工会,减少政府干预,减少政府支出,大力减税刺激企业自主投资的美国前总统里根的那句名言是一致的:"Freedom Works。"(自由是管用的。)

简而言之,在政府政治领域、经济领域以及其他社会生活等诸多领域推行自由主义,限制和约束权力的寻租行为与利益固化:按照经济学家奥尔森的理论,一个社会承平越久,利益集团的密度与势力越大,利益集团高度组织化的寻租逐利行为将轻松战胜一盘散沙的大众,即使后者的公共利益要远大于前者。

我们再回到1776年发生的三件大事之一:亚当·斯密正式出版《国富论》。

在书中，斯密非常严肃甚至是刻薄地批评了表面红火、实则权利高度集中、小撮利益集团已高度固化的"康乾盛世"："中国长期处在静止状态，其财富在多年前就已达到该国法律制度允许的最高限度。如果改变和提高他们的法治水平，那么该国的土壤、气候和位置所允许的限度，可能比上述限度大出很多。""富人和大资本家很大程度上享有安全，而穷人和小资本家不但不能安全，而且随时都可能被低级别的官僚借口执法而被强加掠夺。"这种对平民财产的肆意剥夺，有的时候是一种个别行为，但更多的时候竟然是一种国家层面的政府行为。这是对市场经济制度中最重要的合约制度的破坏。由于私人财产得不到有效保障，中国成了世界上财产继承与创造都极为低效的国家。

这或许就是中国从康乾盛世迅速跌落任人欺凌深渊的原因。

## ▷ 三、最近的案例："英国病人"的康复与撒切尔革命

还记得那部获奥斯卡奖的电影《英国病人》（*English Patient*）吗？

第二次世界大战结束后，以"国家积极干预主义"为特征的凯恩斯主义到20世纪70年代就已难以为继，并在欧美制造了一大批要死不活的"滞涨"病人——英国这个曾经的"日不落帝国"便是其中之一。战后数十年间，英国病日益严重，甚至有人断言它将是第一个从发达国家退回到发展中的国家。

好在，英国当时有撒切尔夫人。撒切尔夫人几乎是再造了英国，但是对于遥远的中国而言，除了津津乐道她在人民大会堂前戏剧性的摔跤之外，似乎很少有人去点检她的政治遗产尤其是经济措施——尤其在当今中国经济已经是最经典"滞涨"特征的情况下。

撒切尔的做法并不复杂，更多的是需要勇气与决心：限制和打击既得利益集团对经济的阻碍，重新界定政府与市场的边界，并让市场在更大的领域与程度上主导英国经济转型，具体包括：私有化国企、去监管化、减税、取消汇率管制、打击工会力量，以及颂扬财富创造、而非财富再分配。她不仅重整英国经济，使之重新回归世界舞台中心，更与对岸的里根总统一起向世人证明：自由市场制度的确仍旧是最不坏的制度。

"政府不能解决问题，它本身就是问题"，这是里根的名言，撒切尔夫人的解决方案与之异曲同工：砸碎利益集团与官僚机构加诸市场的锁链，让市场为经

济寻找前进道路。由此可见,面对严重的英国病,撒切尔夫人给出的答案是从更为朴实的生活常识去理解经济,对于改革阻力则是更为果断的态度。这对于面临多重转型的中国改革,没有参考价值吗?

## ▷ 四、我们会是一个例外吗?

改革开放以来,中国在近30年的时间里保持了两位数的经济增速,让数亿人摆脱贫穷,并且使得中国成为全球第二大经济体。

但这里需要注意的是两个时间维度:

1. 30年,在人类历史长河中很短;

2. 在200年前的差不多2000年里,中国一直都是世界第一大经济体,我们只是在恢复。

政府行为边界是经济学界曾经热烈探讨的课题,尤其是在独立于古典经济学的制度经济学兴起之后。格隆之所以用曾经这个词,是因为即使是最极端的凯恩斯主义者或者制度学派学者,也都认同小政府、大市场这个古典经济学的基本结论,争议只是在于某些特定条件下,诸如市场失灵时,政府如何短期参与到市场,帮助市场再平衡,并如何快速干净地退出。因为所有学派都认识到,政府本身就是一个利益团体,也是由具有自身利益诉求的经济人组成,在对任何一个经济问题的判断上,政府并不比某个企业或个人更理性、聪明或者具有前瞻性。

对经济发展这艘大船而言,政府的职责不是对航行方向做出对与错的判断,而只是在危急的时候帮助恢复一下船体的平衡,让大船不至倾覆。换句话说,政府恪守行为边界是定论,根本无须讨论,经济学界讨论的只是在什么情况下可以偶尔越界,越界的方式、力度,以及如何尽快干净退出。

回顾过往中国的经济发展过程,我们会发现一个悖论:我们习惯于把过去30年的经济成就归结于政府对经济的深度参与、人为管控与调整;很少有人反向考虑,我们过去30年的成就,是否恰恰是因为政府不断放开管制,不断减少对市场干预的结果?

30年真的太短了,短得根本不足以让我们成为一个例外。

2015年9月12日

# 印度：会否抄了我们的退路？

**题记**：世上已无摩西。路怎么走，能帮我们的，唯有自己。

▷ **我们的退路在哪里？**

中国当前最大的问题是什么？

需求不足？资产泡沫？老经济在凋零，新经济看不到踪影？环球经济不振，世界各国以邻为壑，中国新经济阻力重重……

相信每个人都会有自己的一个答案，也都有道理，但你有没有发现，所有这些担忧都有一个共同特征：都是向前看得出的答案，而且一定都不会得出生死存亡的严峻形势判断。

但事实上，如果你肯扭头向后看看，你会倒吸一口凉气：中国面临的形势或许远比我们想象的严峻得多，因为我们已无路可退！

安永最新报告：印度首度成为全球最具吸引力投资地。周三，安永会计师事务所最新发布的报告显示：目前32%的商界领导人认为印度是世界上最具吸引力的投资目的地，得票遥遥领先其他国家。中国以15%的得票率排在第二位，东南亚、巴西和北美则分别排在第三、第四和第五的位置。

这项调查是在今年3月和4月进行的，其中包括了全球500多位来自工业、汽车业、消费品、生命科学、基础设施与技术业等行业的跨国企业决策者的见解。与2014年的调查相比，此次调查中受访者对宏观经济稳定、政治与社会稳定、外国直接投资政策放宽以及政府改善营商环境的努力等关键问题的认知均呈现明显改善。不过，印度最吸引投资者的地方在于其庞大的国内市场及较低的劳动力成本。

30年前，中印两国的经济水平还大致处于同一水平。然而，到了2014年，中国 GDP 已经超过 10 万亿美元，印度则勉强超过 2 万亿美元。到目前为止，龙象之争，中国完胜。

当我们已经习惯中国各项指标都远超印度，把其抛在脑后时，却不知很多情况在悄无声息地发生变化：印度正在很多方面超越中国，包括对一个发展中国家最为关键的指标：外商直接投资（FDI）。

英国《金融时报》旗下数据服务机构 fDi Markets 的研究显示，今年上半年，印度共吸引外商直接投资约 310 亿美元，领先于中国的 280 亿和美国的 270 亿，为全球第一。

这样的结果令人侧目，因为中国已经连续 23 年引进外商投资居发展中国家首位——风向在变！

## ▷ 更关键的指标 GDP：2015 年将是印度几十年来经济增速首次超过中国的一年

当然，我们最自豪也最关注的一直是 GDP 增速：过去 30 年，我们保持了近 10％的双位数增长。但这个情况也在加速发生变化：自去年下半年起，印度 GDP 增速将超中国的说法就开始流行。国际货币基金组织（IMF）认为在 2018 年，高盛更乐观，预测在 2016 年。

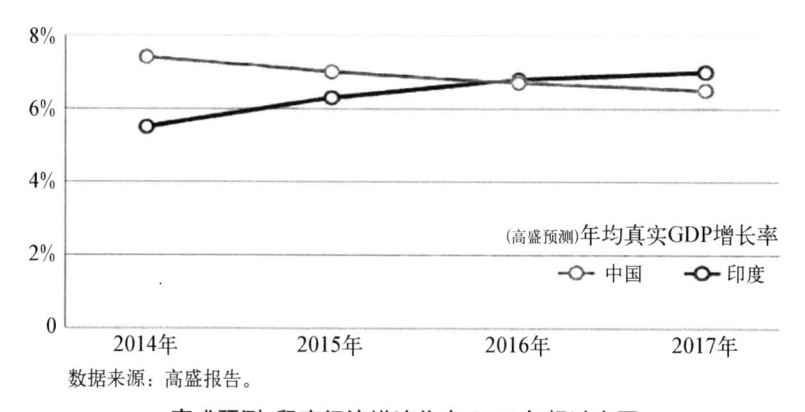

数据来源：高盛报告。

**高盛预测，印度经济增速将在 2016 年超过中国**

上述的预测是去年 10 月做出的。今年，在中国公布了进一步糟糕的经济数据后，已经几乎不用做预测：2015 年，印度就将几十年来经济增速首次超过中国。

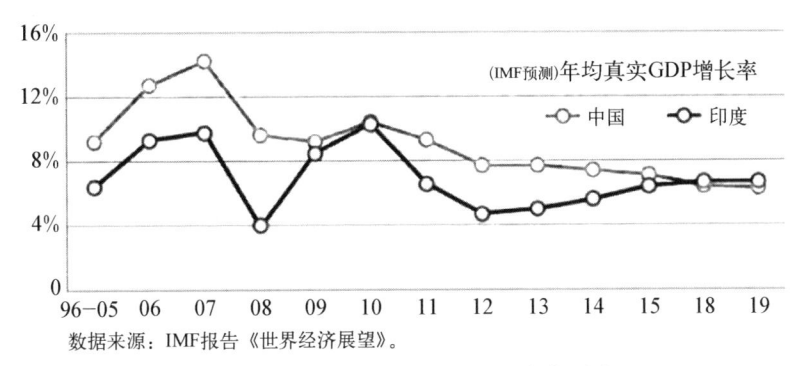

[图表：IMF预测年均真实GDP增长率，中国与印度对比，横轴从96—05到19]

数据来源：IMF报告《世界经济展望》。

**IMF预测，印度经济增速将在2018年超过中国**

世界银行最新发布的《全球经济展望》显示，2015年，印度国内生产总值（GDP）的增速将加快至7.4%，明年达7.8%，2017年至8.0%，上升势头明显。相比之下，中国经济增速今年为7.1%，2016年放缓到7.0%，2017年则降至6.9%。我们应该都承认，这个数据明显对中国的形势过于乐观了，不出意外，中国明年经济大概率会下降到6.5%或以下。印度将是全球增长最快的大型经济体，未来几年，印度较中国增速的领先优势将不断扩大。类似的结论得到了国际货币基金组织（IMF）的证实。2015年初，IMF预测，印度经济增速将在五年内从2014年的7.2%攀升到至少7.5%。相比之下，中国经济增速将从上年的7.4%回落至今年的6.8%。

这将是自1999年以来"龙象之争"中，印度首次胜出。而从趋势来看，这个胜利将会延续很长时间。

同时，在2015年全球经济放缓的情况下，印度是唯一表现超出预期的大型新兴经济体，如下图所示（图中深色柱子为2012年预测值，浅色柱子为2015年预测值）。

是时候认真思考这个问题了：到底是什么因素导致印度经济增速开始超越中国？会持续多久？因为这个答案决定了中国如果经济转型失败（或者一段时间内不成功），我们还能不能回得去！

## ▷ 支撑印度增长的核心优势在哪里？

### 1. 印度有巨大的人口红利

人口红利对经济增长的正面影响已经有许多相关研究，中国之前的高速增

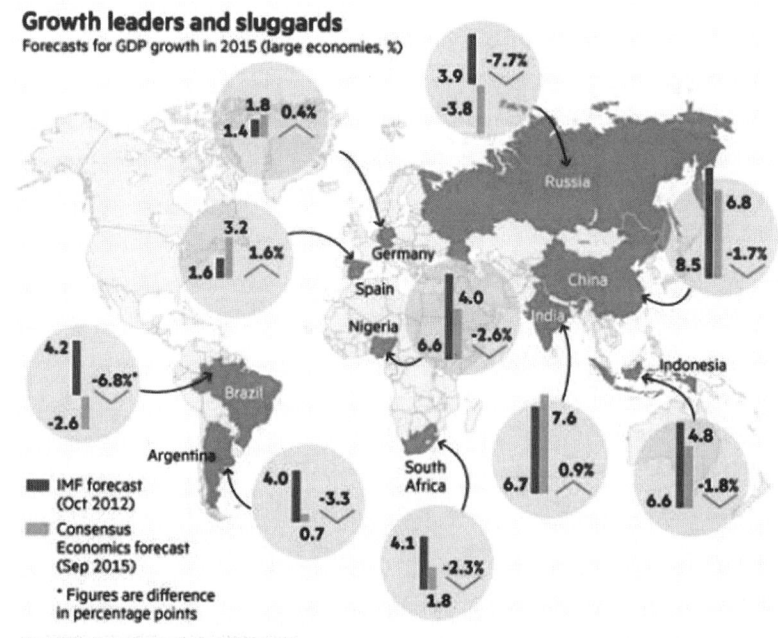

经济增长超出预期和不及预期的国家

长和人口红利有莫大的关系。但我们都知道,当今的中国未富先老,人口红利将确定转变为人口包袱。而作为与中国人口同等量级的印度,目前刚刚开始享受远比当年的中国更诱人的巨大人口红利。

印度劳动力相比中国非常充裕,人口结构则非常年轻,要到 2040 年左右才会面临人口老龄化的问题,年轻的劳动力资源是印度未来几年经济增长最大的优势。目前印度的中位数年龄是 25.9 岁,而中国是 35.2 岁,整整差了 10 岁。印度人口年龄结构是金字塔形,10～14 岁年龄人口最多,然后依次递减。

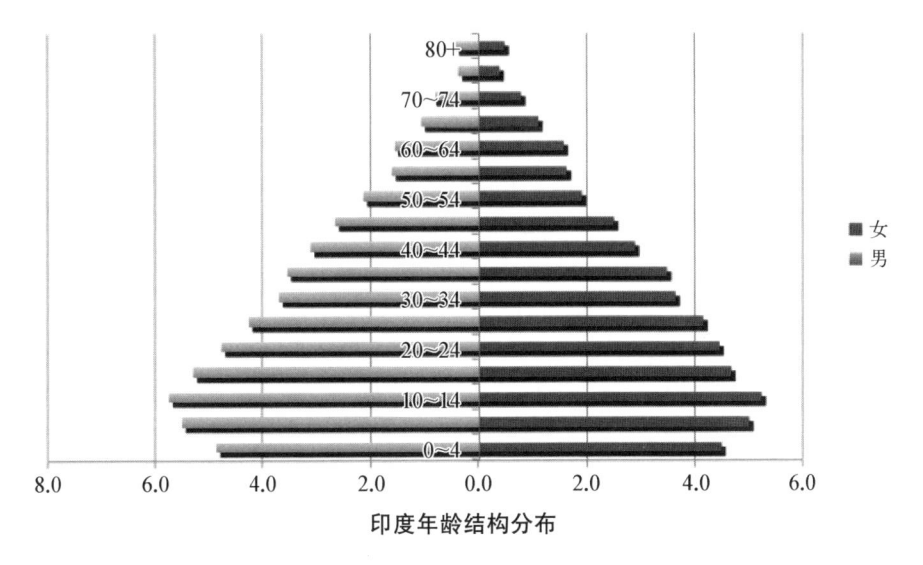

印度年龄结构分布

### 2. 印度基础设施落后,相当于中国 20 世纪 90 年代初,追赶潜力巨大

去印度旅游过的人都知道,印度基础设施不佳,"脏、乱、差"一直是为人诟病甚至取笑的对象。尽管印度在人均 GDP 这个维度上跟 21 世纪初的中国差不多,但是在基础设施这个维度上相当于中国的 20 世纪 90 年代。

在人均用电量方面,印度相当于 20 世纪 90 年代初期的中国,目前的水平远远不如中国和巴西等金砖国家,甚至距离人均 GDP 水平差不多的越南也还有一定差距。

其他方面,比如高速公路。印度的公路里程甚至要比中国更多,但是高速公路里程数仅有 200 千米,和中国的 9 万多千米相去甚远,甚至不如领土面积少得多的马来西亚和泰国,仅仅相当于中国 20 世纪 90 年代初的水平。

这一方面反映了印度在基础设施上的落后,另一方面也说明印度在这方面

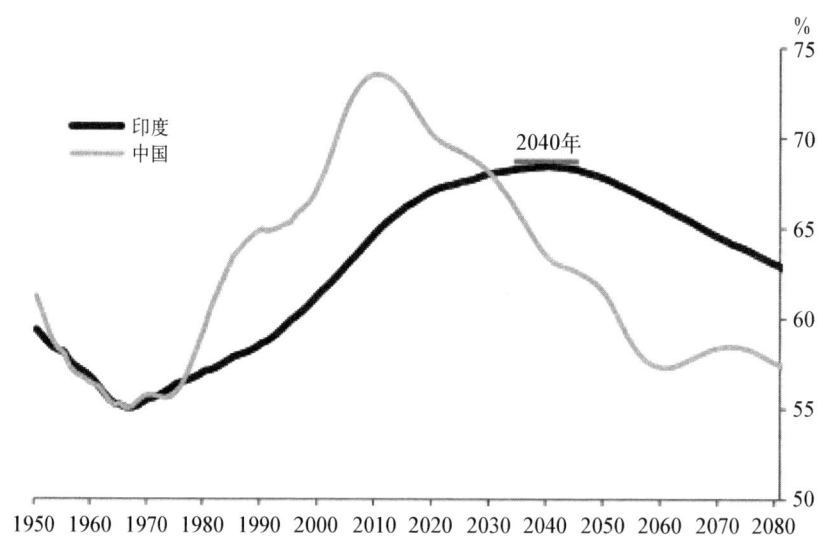

资料来源：Haver Analytics，中全公司研究部。

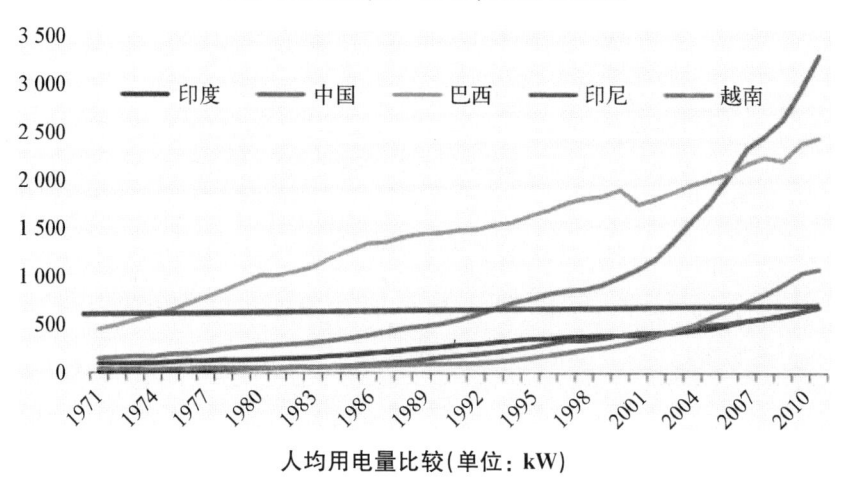

工作年龄人口(16～64岁)占总人口比重

人均用电量比较(单位：kW)

的潜力。一旦基础设施建设启动，将有巨大的影响。而基建必将是印度经济增长的一大助力，想想过去中国依靠投资为主拉动经济增长的幅度吧，未来印度将可以轻松复制我们走过的路。

3. 印度拥有大量高科技、创造性人才

中国在讲"互联网+"，其实印度这方面人才远胜、完胜中国。记得我们习主席访美吧？前脚，由马云、马化腾等为代表的中国第一梯队科技企业集体亮相西

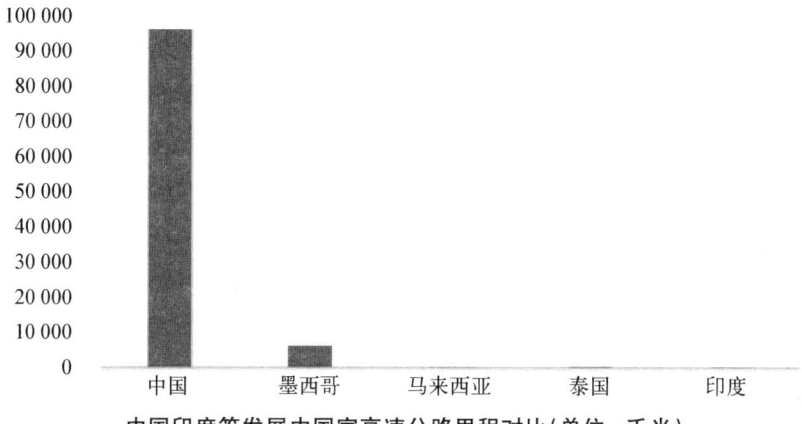

中国印度等发展中国家高速公路里程对比（单位：千米）

雅图；后脚，印度总理莫迪就到访硅谷，虽没有气宇轩昂的"boss 天团"陪同，但来到硅谷，接见的科技巨头高管都是"自己人"——谷歌 CEO 皮柴（Sundar Pichai）、微软 CEO 纳德拉（Satya Nadella）和 Adobe 公司掌门人纳拉延（Shantanu Narayen），都是在印度出生长大，然后移民美国的。

事实上，印度人不仅在硅谷各大科技巨头公司 C-level（职位以 C"chief，首席"开头，以 O"officer，官"结尾的高管）领导层占有席位，把控巨头公司发展走向，他们在创业领域也形成了端到端的产业链。印度很多 B2B 的创业公司，由印度 VC 投

资,和印度人把控的IT企业形成战略伙伴关系为初创公司推波助澜,甚至被由印度人把控的IT企业最终收购,实现退出。相比起来,华人在硅谷科技界的影响力则逊色很多。并且这一差距,伴随着硅谷多位印度裔CEO的上马,正逐年加大。

## ▷ 印度崛起关键一环：莫迪

遥想当年,中国刚刚走出"文革",百废待兴,是邓小平同志站出来振臂一呼:中国将要改革开放。中国在他制定的改革开放政策下,终于摆脱无聊的意识形态之争,经济走了30多年的高速增长。如今,在印度,也有这么一位意图带领印度崛起,走出持续20多年滞涨经济的人物——莫迪。

莫迪是首位出生于印度独立后的总理,出生在古吉拉特邦的一个小商人家庭。2001年10月,莫迪当选印度古吉拉特邦的首相,并史无前例地连任了将近13年,直到他当选印度总理。莫迪最大的政绩是把古吉拉特邦建成了"印度的广东"。古吉拉特邦位于印度西部,自古以商业发达闻名。作为印度几个工业化较为发达的邦,古吉拉特邦的发展走在印度的前列。在莫迪的领导下,古吉拉特邦的发展更进一步,其GDP占比由2001年的6％上升至8％左右,被誉为印度发展的桥头堡,有"印度的广东"的美誉。

## ▷ 莫迪新政给印度带来什么？

印度经济问题重重,投资不足,法令烦琐,地域分割,种族问题,民主纠葛,种种沉疴限制了印度充分释放其发展潜力。出身小商人之子、有亲商之名的莫迪誓要革故鼎新,比如兴建高速铁路、将国企私有化、取缔纷繁复杂的审批、根治腐败等。而这些动作正一步步变成现实,比如：

1. 将外国企业持有本国企业股权上限从原来的26％调整为49％；
2. 将国防、电信、土地等敏感领域也统统对外资开放；
3. 大幅缩减政府部长数目,从原来的70个减少为45个；
4. 废除了具有65年历史之久的计划委员会。

这种改革结合其人口、教育、科技等优势,印度的崛起基本是无可阻挡了。
是的,我们确定回不去了！

▷ 印度崛起，世界将会怎样？

中国在 20 世纪头 10 年高速增长，成为世界经济主要引擎，带动了全球经济、贸易、大宗商品的繁荣。印度的崛起和中国的崛起属于同一量级，那么，未来 10 年印度能否成功接力中国并改变世界版图？我们拭目以待。如果印度崛起，以下预测将会变成现实：

1. 印度接力中国成为世界经济双引擎和新三角，改写世界经济贸易版图。

2. 劳动密集型制造业大举迁移到印度，改写国际贸易分工格局，中国面临前有强敌、后有追兵的压力。

3. 大规模城市化进程带动对大宗商品的巨大需求。

4. 中国如果不能及时改革跨越中等收入陷阱，沦为拉美并非危言耸听。如果成功改革，将跻身发达国家行列，复制德日韩。但印度的崛起将让我们无路可退，留给我们的时间不多。

▷ 中国怎么办？回不到过去，但突破前方的胜算有多大？

《出埃及记》中记载，摩西受上帝之命，率领被奴役的希伯来人逃离古埃及，前往一块富饶之地：迦南地，经历 40 多年的艰难跋涉，在摩西的带领下，希伯来人摆脱了被奴役的悲惨生活，学会遵守十诫，并成为历史上首个尊奉单一神宗教的民族。

希伯来人在古埃及，为了挣脱奴役，无奈之下选择了一条逃亡之路，经历了几十年的艰难困苦才找了新的富饶之地。对当今的中国来说，可能形势没有危急到那样的生死存亡，但也足够严峻。多数人概括如今的中国，都愿意用"三期叠加"的转型期这种说法，但这种说法无疑是乐观了，甚至会误导：很简单，如果是转型期，说明是旧经济凋零，新经济盛开，或者至少在发芽。

但如今的中国，放眼望去，新经济的增长引擎在哪里？

回不去，唯一的华山一条路就是前进，破釜沉舟前进。但至少，截至目前，我们应该只是在方向上统一了认识，但从上至下，并没有在行动上如此决绝，我们在努力，但我们也在观望、在拖延。

如果是这样,我们凭什么有信心,一定能取得转型的成功?尤其是在我们人口红利、资源红利、环境红利均在消逝,已无釜可破、无舟可沉的情况下,我们还不做最大的改进,我们拿什么去获得转型成功?

是时候学习摩西,在最困难的时候,拿出决心与勇气,闯出一条希望之路了,因为我们已经回不到过去了。

## ▷ 中国未来在哪里?——并非杞人忧天的担忧与建议

我们一直在嘲笑印度,那么我们为何要学印度呢?因为,我们有的东西他们没有,他们有的东西我们也没有,而且正是我们急缺的,看看我们到底落后印度什么,可以学习什么吧:

1. 企业。在中国,私有企业的发展是缓慢的,而印度则相反,有许多强大的家族企业拥有悠久的传统。其响亮的品牌在世界市场上占据了一席之地。到目前为止,印度私营企业的产值已经达到 60%,而在中国的大型企业还是国有的。与中国企业相比,印度企业经营得更好、效率更高,总体上有更高的公司管理水平,他们一般来说账务公开透明,经理人员也具有国际性,这也可以解释,虽然与中国相比发展速度较慢,但为什么印度的总体资本利润率却明显高于中国。

2. 机制。印度还有一个坚实可靠的司法体系,私人财产受到严格保护,有基本的民主制度、言论自由及发展良好的私人领域,这些都会鼓励社会上每个人开发和贡献出自己所有的潜能。

3. 教育。印度的学术教育比中国要进步许多。根据企业咨询机构麦肯锡公司的报告,印度每年的高校毕业生是中国的 1.5 倍。教育系统与经济需求紧密联系方面,印度比中国进步得多。根据瑞士 IMD 商学院对 30 个国家开展的调查结果,在提供受过良好训练的专业工人方面,印度排名第三,而中国则降到倒数第二。

## ▷ 投资印度,也许是一个不错的选择

中国未来将如何,作为一个投资者,客观地说,我忧心忡忡,不得而知,但印度大概率将迎来黄金时期。目前的印度像极了 30 年前的中国,但远比那个时候中国的基础要好。

这给我们提供了另外一个思路：或许，我们可以去投资印度？

事实上，去年莫迪刚上台时，印度也像中国一样，兴起一股"改革牛"。

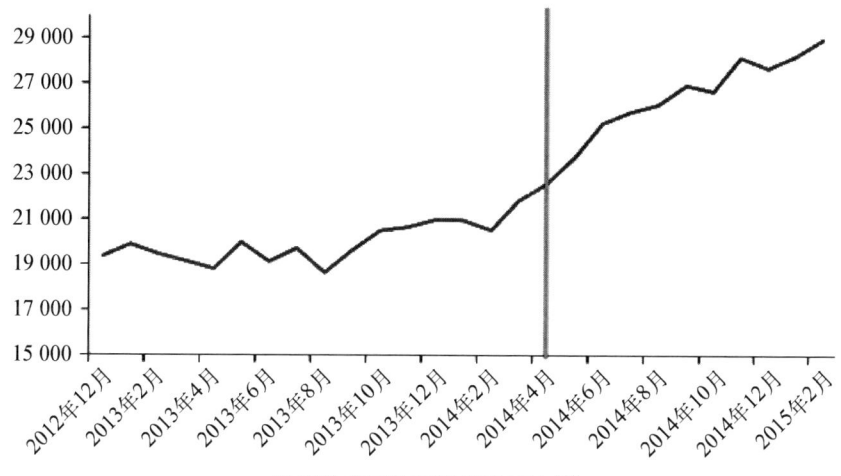

印度股市因为莫迪当选而大涨

如今，在全球股市都历经一波股灾式的下跌之后，印度股市也仅仅是从最高点到现在下降10%，而中国则是下滑了35%，这反映了印度股市的强势支撑。现在，股市触底回升，投资印度，或许是一个不错的选择？

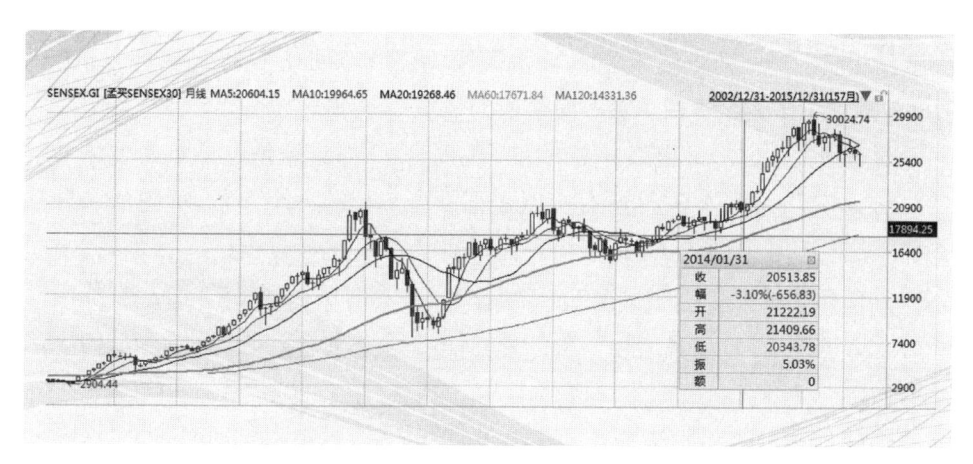

印度股市月线

2015年10月16日

# 中国列车：到底是在上坡，还是在下坡？

**题记**：我们远没有自己想象的那么强大，我们自己的速度一定不要慢下来。如果有什么阻滞了这个速度，修理他——无论是皇亲国戚，还是繁规缛制。

▷ 一、老佛爷，洋人来给咱们修铁路了

习主席访英，市场津津乐道并引以为豪的最重要合作之一，是中国将帮助英国建设连通曼彻斯特和利物浦等英格兰北部城市的"英格兰北部经济带"高铁大动脉。

这是一个极具象征意义的事件：19世纪是一个充满创造和梦想的世纪，在这个世纪里，出现了一系列深远影响人类的事物，作为其中的标志之一，1814年，铁路和蒸汽机车诞生于英国，从一出现即产生巨大生产力，并成为英国工业革命与圆梦"日不落帝国"的发轫。

历史兜了个大圈，诞生之初被中国视为怪物而极力排斥的铁路，在整整200年后由中国人又送回了它的诞生地。

对于闭关锁国却又夜郎自大的清王朝而言，铁路这个铁疙瘩只是破坏风水的"奇技淫巧"。1840年，是所有中国人都不会忘记的一个年份，英国依靠自己的船坚炮利打开中国的国门，并给我们开启了百年屈辱历程。1865年，英国商人杜兰德在北京宣武门外铺设了一条长约500米的供人观赏的、有小型蒸汽机车行驶的模型铁路，这是中国的第一条铁路，但未及运营，即被如临大敌的步军统领衙门下令拆毁。

1875年英国怡和洋行见上海江湾间商务繁盛，于是集资建立"吴淞铁路有限公司"，在1876年1月动工修建淞沪铁路，但不获清政府批准。于是英国人打着"供车路之用的铁器"的名义，运进钢轨和机车，孤陋寡闻的上海官员从未见过这些"铁器"，因此并未阻止。1876年7月3日，上海到江湾一段正式通车运营。

是日盛况空前,"顷刻之间,车厢已无虚位""而来人尚如潮涌"。于是乎,在英国人的"违章搭建"下,中国有了第一条正式运营的铁路。

但这条铁路在运营了一年之后便被恐慌不已的清政府叫停。昏聩的清政府做了一件令人啼笑皆非的事:出巨资,计银28.5万两将铁路赎回。然后,拆毁!

某些历史书上是这样描述这段历史的:1866年英国殖民主义者为了扩大对我国的侵略,不惜采取欺骗手段,借口吴淞至上海间河道不易疏浚,擅自铺轨筑路。1876年12月1日上海至吴淞全线完工通车。英帝国主义的侵略行径激起了人民的强烈反抗,沿线人民在筑路期间掀起了自发的群众性的反对外国侵略的斗争。西太后慈禧决定:拆除吴淞铁路。

历史只是一个任人打扮的婢女。两厢对照着读,有没有一点不堪回首的黑色幽默?

针对今天中国给英国修高铁,有民间高人以当年李鸿章给慈禧太后奏折的口吻,模拟英国首相卡梅伦向英女皇的汇报:老佛爷,洋人来给咱们修铁路了!

历史这列火车,从西半球英伦三岛的起点开出,花了200年的时间,在东半球兜了一个大圈后,终于又开回了起点。但它同时也预示着一个新时代的开始:

**前排右三为中国铁路第一人詹天佑**

中国,这个过去200年饱受屈辱,但在1820年以前的两千多年一直傲视全球的领头大国的重新崛起与重塑辉煌!

曾几何时,每个中国人心中都有一个渴望,期待在未来的某一天,能够重回汉唐盛世,能够让"洋人"对我们礼遇有加。现在,作为中华民族近代史痛苦回忆重要起点和来源的英国,是否会见证一个大国重新崛起的起点?

## ▷ 二、一条铁路压垮的中国最后一个王朝

说铁路开启了中国的近现代史,丝毫不为过。

1903年新任四川总督锡良,在川人强烈要求下,奏请自办川汉铁路,并于次年成立了"川汉铁路公司"。对于那时候出川只能依靠水路的四川人来说,对这条沟通"天堑"的铁路寄予的厚望是可想而知。亢奋不已的四川百姓,坐在茶馆里兴奋地谈论着"股票"这个新名词。商办的铁路公司发行"股票"筹措路款时,川人纷纷入股。

当四川人十之六七成了股东时,清政府要收回路权,同时拒绝偿还路款,一时间川人手中的"股票"顿时成了"废纸"。"川汉铁路完了!四川也完了,中国也完了!"传遍四川,一场轰轰烈烈的"保路运动"就此发端。在起义的烽火燃遍了四川全省之时,清政府调派端方从湖北带新军日夜兼程入川镇压,武汉空虚,武昌起义与辛亥革命遂爆发。

从武昌起义开始,革命的烈火烧遍全国,1912年2月12日,清帝正式宣告退位。统治中国长达268年之久的清王朝连同在中国延续两千多年的君主专制制度,从此寿终正寝。

没有修筑铁路,就不会有"保路运动",没有保路运动,就不会有湖北新军入川,自然也就不会有武昌起义的胜利。

历史就是如此巧合:清政府一开始坚拒,之后拥抱的铁路,最后还是把它送上了不归路。

## ▷ 三、百年铁路托起的"日不落帝国"

无独有偶,英国这个曾经的"日不落帝国",也是在铁轨的延伸和承载下(英

国势力走到哪里,就把铁路修到哪里),做了一次无比风光的百年旅行,然后载着还算不错的收获回到起点,并在日暮之时,适时与中国巨人握手言欢。

铁路从甫一出现,就开始迅速拉开东西方差距。

在中国还不知铁路为何物的 1900 年,在英国已形成一个四通八达的铁路网,几乎所有的城镇都有铁路通达。据记载,当时,英国铁路的线路总里程达到 18 680 英里,年运煤量达到了 5 亿吨,而乘客人次(11 亿)与当时的全球人数相当(见下图)。

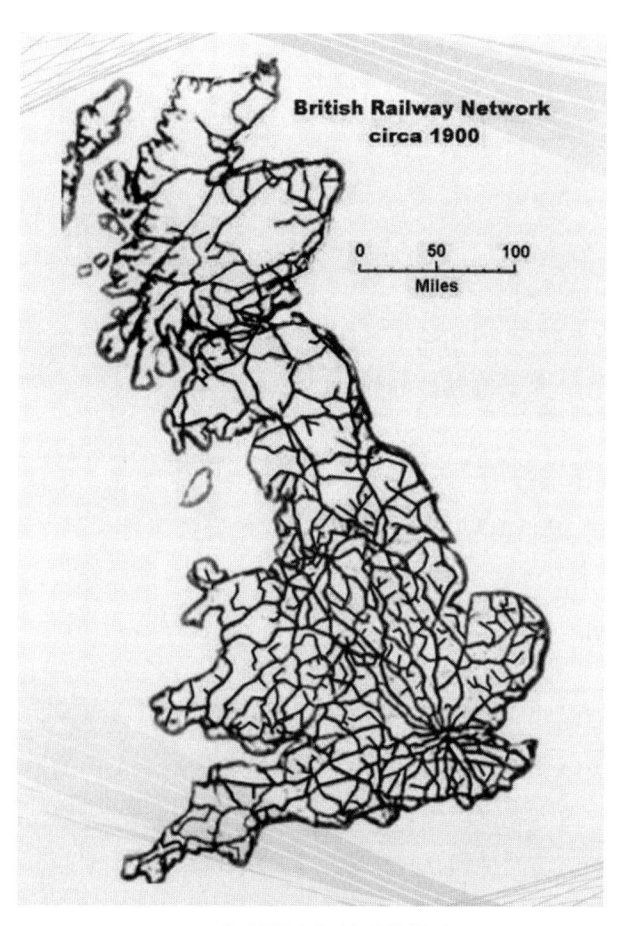

**1900 年英国密如蛛网的铁路**

蒸汽机与火车让英国的势力迅速崛起,在成功击败西班牙"无敌舰队"后,把自己的触手伸向了全世界,也把铁路修到了全世界。最鼎盛时期,英国殖民地面

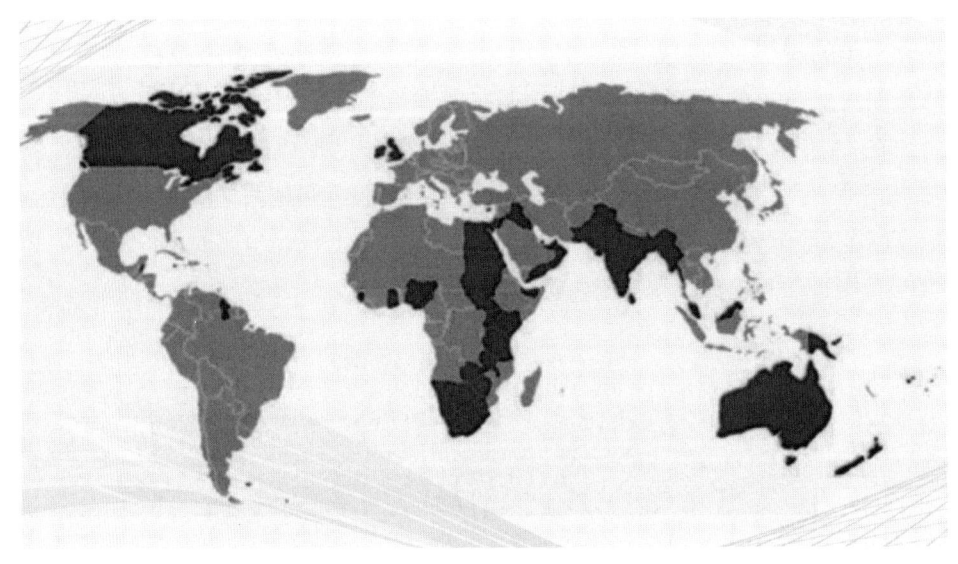

**1921年英国殖民地**

积占到3 350万平方千米,相当于全球陆地面积的1/4,等于本土面积的112倍。

这次请中国去本土修铁路,可以说最充分体现了英国人淋漓尽致的实用主义。

英国人从不做无意义的折腾,更不会为了主义而主义。从最初的海外扩张,到之后投向美国、遏制苏联,全是其实用主义的经典演绎。不过英国人不是没有犯过错误,历史上不理智的英法百年战争,以及20世纪放弃"大陆均衡"策略,频繁搅入欧洲之间的纷争,在两次世界大战冲击之后,英国"日暮"实属必然。

冷战之后,英国恢复到偏向的中间策略,把自己定义为是美国与欧盟的中间连接体。一方面,借助美国的力量制衡欧洲大陆国家;另一方面,英国又以欧洲代表的身份与美国周旋。直白点说,第二次世界大战后英国的地位稳固、经济发展好源于其紧跟西方霸主美国,英国是在自己衰败后充分调整自己的国家战略才做到这一点的。这是他们在过去修的另一条铁路。

这次积极热情拥抱中国,英国的考量就是其一贯秉承的现实主义:没有永恒的朋友,也没有永恒的敌人,只有永恒的利益,因为"锅里已经没肉了"。英国这么做,是因为认识到了因中国崛起导致的国际经济的深刻变化:上次中国国家主席对英国进行国事访问,还是2005年,当时英国的GDP还比中国稍微多一点：但现在即便用最保守的计算方式，中国的 GDP 也已经是英国的 3 倍。到 2030 年，预计中国的经济体量也将超越美国。那些忽略或者否认这一现实的人将生活在一个不断变得狭小以及边缘化的世界中。国家要么随着世界的变化与时俱进，要么被抛下或者边缘化，加入亚投行的英勇决定为英国奠定了领先地位，从一个对华关系落后的西方国家中一跃冲到了前排。

很明显，英国人在给自己修美国之外的第三条铁路。

但如果我们就此简单认为英国只是靠有形的铁路以及长袖善舞的实用政治智慧，一直维系了其世界大国地位，就未免太低估一个大国建立的艰难了。

在此我引用两句话来反映这个事实：真正承载英国人崛起的列车，在英国人自己的内心：

1. "英国冀诸男儿人人各尽其责（England expects that every man will do his duty）"。

这是著名英国海军中将纳尔逊在特拉法加海战（1805 年）开始前由其旗舰发出的信号。特拉法加战役为拿破仑战争里的决定性海战，此役最终结束了英法海上争霸，使英国成为长达一个世纪的海洋霸主。

2. "我们是强大的岛国人民，我们自给自足。拿破仑说我们是做小生意的国家，他这话是羞辱，但我认为这是赞扬。这就是为何他不能战胜我们，也是为何希特勒不能战胜我们。我们保守党坚信让人们有自由去挖掘发展潜能，尤其是年轻人！假装人人平等是没有好处的。每个人都不相同，从来都不是，也永远不会一样。我们应该鼓励孩子们立志去追求比父辈更多的东西。今天的孩子就是明天的领袖。"

这是改变了英国的撒切尔夫人执政期间著名的一段话。

## ▷ 四、双降中的霜降：我们真的足够强大吗？

和大多数人一样，看到曾经打趴我们的大英帝国，突然有一天向我们主动积极示好，不禁流露出几分自豪：

1. 英国女王今年已经 89 岁了，在笔者理解中，一个已到耄耋之年的女王应该在白金汉宫颐养天年，只在重大活动中露个面，但此次习近平来访，女王不顾自己虚弱的身体，亲自接待、陪同并宴请，一切是罕见超高规格的礼仪进行。而

353

女王这么做的目的,就是希望习近平主席带领的团队能够在英国增加投资,让英国的经济能够重振。

2. 在习主席出访英国前夕,卡梅伦接受了央视记者专访中谈道,"We want to be a strong partner for China"。卡梅伦用的是"partner"一词,而非一般常用的"ally",直译过来两词的差别或许差异不大,但"partner"实则为相伴相依的兄弟伙伴,远比"盟友"亲密。

但自豪之余不禁要反问一句,中国真的足够强大了吗?

习近平主席在这一轮出行给英国女王的最大礼物是价值460亿美元的经济合作计划。其中就包含了,英国因为缺钱而荒废了20年的欣克利角C核电站,同时,中国还将帮助英国建设连通曼彻斯特和利物浦等英格兰北部城市的"英格兰北部经济带"高铁大动脉。

三季度各项数据都显示:中国这列火车已经暂时失去前进动力。或者更精确点说,我们可能是在走下坡路——至少目前是如此!

明眼人都看得出来,央行在中国传统的二十四节气之一的霜降日进行降息与降准的双降,活生生把储蓄存款逼成负利率(见下图),与股市其实没有半毛钱的关系,绝对是因为宏观数据太差,寒风凛冽,不出大招,过冬堪忧。

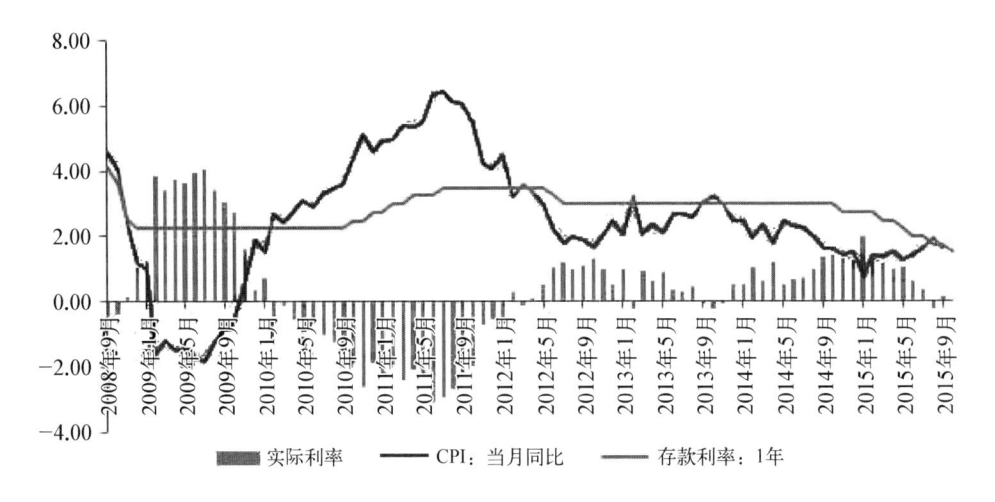

于投资者,还是应该多关注整体时令的变化:

1. "霜降为九月中,气肃而凝,阴冷凝露为霜。自此,白昼秋云散漫远,霜月萧萧霜飞寒"。

2. "霜降杀百草",这其中当然包括"韭菜"。

## ▷ 五、结语:罗马人的轫门

大国崛起,从来不只是比前进的速度,更重要的是遭遇挫折和难关时的自我调整与修复能力。

公元前218～前201年第二次布匿战争,北非迦太基名将战神汉尼拔率军翻越阿尔卑斯山,突入意大利平原,令罗马人惊慌失措。尤其是在坎尼之战中全歼罗马7万大军,罗马人损失了1/5的17岁以上成年公民,以及80名元老院成员,意大利南部各城邦也均背叛罗马,罗马几乎灭亡。

这场以迦太基人大胜而告终的战役给罗马军事力量的打击几乎是致命的,然而与之相比,它给罗马人心灵上造成的打击却更为惨痛。罗马人无论如何也想不通一个泱泱大国如何败在这样一个蛮夷的杂牌远征部队手中,而且败得那么难看。同样的心情恐怕大清帝国的臣民们在甲午海战之后也曾体会过。虽然历史的车轮在坎尼留下了深深的印记,但是它并没有停止前进,世间之变故实在难以令人预料,坎尼的战果没有给汉尼拔带来最终的胜利,而罗马人也没有屈服,而是在失败中迅速调整和自我修复:

1. 他们禁止公开痛悼阵亡者;
2. 城门安置守卫不许任何人出城;
3. 选出独裁官;
4. 把17岁以上的青年人都征入军队;
5. 在剩余联盟者和拉丁人那里动员一切可以拿起武器的人;
6. 由国家出资向私有主赎出8 000名年轻奴隶,用他们组成两个军团;
7. 拿出所有保存在神殿和柱廊中作为荣誉的战利品,以弥补武器的不足;
8. 元老们率领大群人民在城门迎接败退回罗马的执政官,感谢他集合了被击溃的残余军队;
9. 停止所有党派倾轧;
10. 向德尔菲的阿波罗神庙请示神谕;
11. 为了满足群众的迷信心理,活埋了男女高卢人各一人,男女希腊人各一人;

12. 拒绝汉尼拔的用金钱赎回罗马俘虏的建议，理由是不能奖励勇气和战死决心的不足

......

如果当时罗马稍有一点小清新举动，必定被汉尼拔粉碎。

罗马迅速调整完毕，倾举国之力，用坚壁清野战术拖垮了人数居于劣势而且难以补充的汉尼拔远征军，并登陆非洲直逼迦太基本土，逼迫汉尼拔回援，从而最终扭转了局面。

可悲的是，迦太基的统治者们唯恐汉尼拔尾大不掉、功高震主，便忙着自毁长城，到最后汉尼拔是被自己人逼迫服毒自杀，而迦太基依旧没有逃脱罗马人的报复，罗马逼迫迦太基签订了条件十分苛刻的和约，迦太基丧失了所有海外领地和海军。即使这样，50年之后迦太基的经济仍然发展得十分繁荣，于是罗马人发动第三次布匿战争，经过残酷的战斗，把迦太基城夷为平地，在周围的田野里都撒上了盐。

**恢复能力决定战争结局，这不但对国家崛起适用，对个人投资同样适用！**

在目前中国列车明显失去动力的情形下，我们需要的不是去给英国人修铁路的沾沾自喜，而是上下一心的民族修复能力：我们远没有自己想象的那么强大，我们自己的速度一定不要慢下来。

如果有什么阻滞了这个速度，修理他！

无论是皇亲国戚，还是繁规缛制——政府要有这个魄力，民间也需要有此决心！

2015年10月24日

# 历史的风陵渡口

**题记**：在历史的渡口上，所有人都是过客——历史有其自身规律。罔顾历史规律的所有折腾，无论当时看起来有多么高大上的理由，最终都将是徒劳。

## ▷ 一、中国历史上的那个风陵渡口

中华民族的母亲河——黄河，流至潼关后，受东西走向的秦岭山脉所阻，九十度转弯，折向东流，从此浩荡入海。黄河东转的这个拐角，叫风陵渡。

自古以来风陵渡就是黄河上最大的渡口，河东、河南、关中咽喉，也向来为兵家必争之地。东汉时的曹操讨伐韩遂、马超，西魏的宇文泰破高欢等著名战役，均发生在风陵渡，秦魏两国打了近90年的河西战争也发生在这里。经过前后五次惨烈的战役，当时的天下第一强国魏国先胜后败，国力大损，从此一蹶不振，沦

为二流国家。而秦国则实力大增,并完全掌握了黄河天险,控制了出关东进中原的要道。从此,山东六国便完全暴露在秦国居高临下的弓弩之下。

如同黄河,中国历史在风陵渡拐了个大弯。秦魏河西战争一百年后,中国历史上第一个统一的帝国出现了。

2 100多年后,这里再次上演了一场恶战:抗战初期的中日中条山之战。风陵渡东北的中条山,曾被侵华日军沮丧地称为"盲肠"。在抗战初期,日军倾十余万兵力,苦战三年,未能越过中条山一步。抗战八年,日军占据了东、南、北大片领土,却一直无力西进,这一切都得之于中条山上那些武器装备低劣、备受中央军排挤的秦腔"冷娃":其中一个细节是,战斗最激烈的1939年6月,弹尽粮绝的177师新兵团剩余800多人被逼上黄河岸边一座180多米高的悬崖,800战士双膝向着家乡跪拜之后,集体投河。

据说,山下村民至今还记得最后一名士兵跳河前吼唱的几句秦腔,是《金沙滩》中杨继业的两句:两狼山——战胡儿啊——天摇地动/好男儿——为国家——何惧——死——生啊!

## ▷ 二、我们身在何处?

很多朋友都在问:格隆,你最近怎么对市场的分析变少了,而去频频关注国家大事？家国大计，干我等草民何事啊？

其实原因很简单，大形势已经非常清楚了：我们处在历史的风陵渡口！中国如果不能顺利转型，渡过这个渡口，而沦入经济学上的中等收入陷阱，我们过去30年的辉煌完全有可能只是昙花一现。在人类历史上，30年是一个非常、非常短的时间，短到根本无力证明我们能拥有另一个辉煌的30年。在这种历史方向的选择渡口，去分析估值、分析杠杆、分析A股牛市会不会重来，实在是盲人摸象，徒费精力。

历史都在徘徊，哪里会有投资的方向与空间呢？！

始终不要忘了，我们历史上还有另一场"抗战史上最大之耻辱"的中条山之战：1941年5月发生在国民党中央军与日军之间，历时一个多月，中国军队被俘3.5万人，遗尸4.2万具，日军仅战死673人，负伤2 292人。

格隆始终有些处江湖之远的家国情怀。但作为一介布衣，探究历史，关注庙堂的根本原因，还是因为我本质是个做投资的：普通个体的命运、投资组合的最终结果，除了取决于自身小方向的选择，还在很大程度上依附、捆绑于国家与政府的道路选择。

换句话说，个体的成长空间、投资组合的最终收益率，与其说是自身奋斗的结果，还不如说是在对一个国家、对一个政府的道路选择进行投资的结果，也即所谓的"靠天吃饭"。

如果不是身在200年来一直维持国运上升的美国，很难想象能有巴菲特的投资奇迹。而我们的投资之所以举步维艰，是因为我们一直在各种折腾中：我说这句话是有充足历史论据的。去翻阅一下历史，鸦片战争以来的170多年，我们有哪个30年平安和繁荣过？只有过去30年，我们没怎么折腾，在全力求发展。

中国能跨过风陵渡吗？

说实话，心里真没有底。

格隆也拜读了大量论述中国必将渡过难关的雄文，但泛泛而谈的心理按摩居多，有些文章甚至是纯粹民粹主义的自欺欺人。人类数百年的经济史已一再证明，历史与经济都有其内在客观规律，新生产力只可能是一个市场内生变量，靠"计划"是计划不出来的。

这就是我们现在看到的真实现状：旧生产力已难以为继，但新生产力并无踪影。中国GDP数字与美国完全不可同日而语，美国3%的GDP增长，足以支撑绝大多数企业获得10%以上的利润增长。但中国有太多无效GDP（比如中部某县新官上任后把非主干路都扒掉重建，再比如南方某市花巨资办了一个各国年青人免费赴中国旅游的运动会，这些都产生GDP，但都与盈利无关），如果中国GDP增长下到5%，中国绝大多数企业将无利润可言。

这种背景下，投资的战略空间在哪里？中国香港金管局现在每天一次，甚至一天两次的注资：

1. 真的不是玩游戏，也不是某些大行研究员遮遮掩掩地说可能是内地资金出逃。它就是绝对的资金出逃，这其中一定有一部分钱，就是来自你身边的人。

2. 香港金管局接下的，只是冰山浮在海面上的一角而已。

历史在徘徊，但不会停滞。我们在风陵渡口，我们能过河吗？

## ▷ 三、"二胎"试验背后的历史代价

在历史的风陵渡口，无数个必然或偶然的选择塑造了我们所处的现实，我们有责任回望历史所走过的遥遥路途，这样或许能让我们这个多灾多难的民族少走点弯路？

18年前在格隆刚进入证券行业的时候，曾经有人问过我一个很特别的问

题：如果有一只股票叫中国，你认为值多少？有目共睹的是，"中国"这只股票在过去30年带来的回报是可观的，区别在于这种回报的阳光有选择性地洒在了不同的区域与人群。

造成这种结果的原因很多，其中很重要的一个原因，在于政府自身道路选择的不确定性与漂移性，也即所谓的"摸着石头过河"。

这种模式，不是一种经济学意义的集体理性选择，更多的是一种集团式的摸索与试错。这种道路选择模式本身并不注定结果正确，而且往往具有滞后性，其结果：

1. 要么将令诸多个体很难做适应性预期，而只能将自身行为或者投资组合建立在猜测与揣摩上意的基础上，从而极可能出现在政府"只摸石头不过河"的情况下，个体被迫重复集体的错误。

2. 要么会导致个体铤而违规，自寻出路，也就是所谓的"群众都过了河，政府还在摸石头"。中国农村包产到户的改革，就是典型的这种民间违规倒逼政府改革的案例。当然，这种民间的自发突破也不尽然产生好的结果，最典型的就是中国式过马路：凑足一群人就过，与红绿灯完全无关。

但至少在权责匹配上，"群众自发过河"明显要优过"政府领着群众过河"：因为前者天然会为自己的行为承担责任，但政府不会，或者说，不完全会。

这几天大多数人在为"全面放开二孩"而欢呼，但极少极少有人反思和诘问：人类是一切的根本原因和最终目的。一切用危害、减少、消灭人类来解决问题的方法都是最荒唐、最错误的事情。那么，中国把计生定为国策，这个为何会发生？有没有历史案例或者数据证明这么做，能带来哪怕暂时的经济增长与民生福祉？如果根本没有，我们这么做是否就只是又一个"政府带着群众摸索过河"的试验？如果只是个试验，用这么大个国家和十几亿人做试验样本，这个赌注是不是稍微大了点？

哲学上有一个论述致命理性的经典案例：将你的左手放到一盆冰水中，右手放到一盆热水中。过一会儿，再把双手同时放到一盆温水中。此时，你的左手会告诉你，水是热的，但你的右手会告诉你，水是凉的。现在请你告诉我，是你的左手更可信，还是右手更可信？

哈耶克是格隆最欣赏的经济学家之一，在其经典著作《致命的自负》一书中，哈耶克指出，人类的自信来自人类特有的理性能力，但是对这种理性能力的边界往往不自知。人类的理性能力是有着很大局限性的,而且是不可克服的局限性。人的理性能力一旦跃出了其边界,就趋于陷入"致命的自负"和"理性的疯狂"之中。

自负与专业性只有一步之遥。多数时候,你并不总是很清楚你的两只脚,哪一只踩在自以为是的土地上,哪一只踩在专业的土地上。

这对政府也完全适用。如果政府手中始终拿着一把锤子,那么,任何东西看起来都会像是钉子。

检索全球历史,尤其是拉美国家,我们能清晰发现更多因政府致命的理性与自负而做的无效,但成本极高的试验项目,诸如委内瑞拉的土地改革,阿根廷的国企改革。

就社会与经济发展这个路径而言,我们其实有足够长的人类经济史可以借鉴——政府并不比任何一个个体更理性。让群众自己过河,根本不需要政府去带着大家做试验。

避免这种弯路代价的唯一办法,是政府放下手中的锤子。

## ▷ 四、"萧规曹随":汉民族真正崛起的路径

多数人知道"萧规曹随"这个成语,但并不知道这件事情背后的真正意义。

曹参是东汉开国元勋,文武双全,但因有更出色的萧何,曹参被"下放地方",去齐地辅佐刘肥。希望做一番大事的曹参到了齐国后,干的第一件事就是召集贤人讨论治国之策,但各种子曰也没曰出个满意的办法,最后是胶西一位叫"盖公"的人给了曹参信服的建议:"治理国家最重要的是清静无为,老百姓们自己会安定下来。"果然,之后的九年里,曹参就用盖公的"无为而治"将齐国治理得非常好,被百姓称为"贤相"。

萧何治国的核心就是"宽松无为",政府轻徭役,其他任由民间自行发展。及至萧何死,曹参被上调中央为相。历史对此事的记载:惠帝二年,萧何卒,参代何为汉相国,举事无所变更,一遵萧何约束。参日夜饮醇酒,府中无事。惠帝怪相国不治事,参免冠谢曰:"陛下自察圣武孰与高帝?"上曰:"朕乃安敢望先帝乎!"曰:"陛下观臣能孰与萧何贤?"上曰:"君似不及也。"参曰:"陛下言之是也。且高帝与萧何定天下,法令既明,今陛下垂拱,参等守职,遵而勿失,不亦可乎?"

惠帝曰:"善,君休矣。"

这段文言文并不复杂,意思很简单:"惠帝(刘邦次子)问曹参为何不干活,曹参说您不如高帝(刘邦),我不如萧何。高帝和萧何平定天下,法规制度已经完备,且行之有效,如今陛下垂衣拱手,我等谨守各自职责,继续执行下去不就行了吗?"

正是因为萧何与曹参两代相国的"休养生息,无为而治"策略,不仅安抚了人民、凝聚了中华,也促成了汉代雍容大度的文化基础,使四分五裂的中国真正统一起来,从而令世界上真正开始出现一个叫"汉"的民族。

## ▷ 五、问征夫以前路,恨晨光之熹微

1945 年是中国的另一个关键历史节点:刚刚赶走日本,满目疮痍,同时内战阴云再起。当年 7 月 1 日至 5 日,黄炎培、傅斯年、章伯钧等几位民主党派访问延安。其间,毛泽东与黄炎培有过一段关于"中国共产党领导的政权,如何跳出历代统治者从艰苦创业到腐败灭亡的周期律"的谈话。

黄炎培道:"我生六十多年,耳闻的不说,所亲眼见到的,真所谓'其兴也浡焉,其亡也忽焉',一人、一家、一团体、一地方乃至一国,不少单位都没能逃出这周期率的支配力。大凡初时聚精会神,没有一事不用心,没有一人不卖力,也许那时艰难困苦,只有从万死中觅取一生。既而环境渐渐好转了,精神也就渐渐放下了。有的因为历时长久,自然地惰性发作,由少数演为多数,到风气养成,虽有大力,无法扭转,并且无法补救。一部历史,'政怠宦成'的也有,'人亡政息'的也有,'求荣取辱'的也有。总之没有能逃出这周期率。"

毛泽东道:"我们已经找到新路,我们能逃出这周期率。这条新路,就是民主。只有让人民来监督政府,政府才不敢松懈。只有人人起来负责,才不会人亡政息。"

正是在毛泽东的大智慧下,让政府变小,让人民变大,放手发挥所有个体的主观能动性,中国才顺利跨过了那个 70 年前的风陵渡口。

往事并不如烟,今天我们再次站在了渡口。时不我待,以中国人的智慧,只要我们做改变,一切都还来得及。

公元 405 年,陶渊明出仕为彭泽县令,八十多天后弃职而去,做《归去来

兮辞》：

　　归去来兮，田园将芜，胡不归？
　　既自以心为形役，奚惆怅而独悲！
　　悟已往之不谏，知来者之可追；
　　实迷途其未远，觉今是而昨非。
　　舟遥遥以轻飏，风飘飘而吹衣。
　　问征夫以前路，恨晨光之熹微。

2015 年 11 月 1 日

# 谈股论金之"习马会":
# 待他年,整顿乾坤事了,为中国先生寿

**题记**:只有抗击异族入侵的,才是真正的英雄。我从不认为民族内部的征伐、内耗有任何值得夸耀的。一个沾沾自喜于内部征伐的民族是很难有万众一心的远大前景的。

▷ 一

十七年前,格隆面临着一个卑微个体人生的一次艰难抉择:是出国留学?还是进入证券行业?

一位投资界前辈当时是这样回答我的:你要始终记住,投资,投的不是行业和公司,而是一个国家和民族的命运。如果你判断未来 20 年是盛世,"中国"这家公司远不只目前这个价,你就应该坚决留下做投资;否则,你就果断去美国留学。

我选择了留下。

## 二

2015年11月7日下午3时,在新加坡香格里拉酒店,习近平、马英九同时步入会议大厅,两岸领导人互称先生,手紧紧握在一起。

渡尽劫波兄弟在,相逢一笑泯恩仇。抛却虚名,只为中华——这一刻,必将载入中华史册。

从台北飞往新加坡的时间是4小时40分钟,从北京飞往新加坡的时间是6小时,而北京如果直飞台北桃园机场,只需要3小时10分钟。

很难想象这么短距离的行程,在过去长达66年的时间里,就只是被一湾窄窄的海峡所完全隔断,这种人为隔断,除了让中华民族多走了多少冤枉的弯路,又陡然增添了多少骨肉离愁、族群撕裂、社会误解甚至对立与仇恨?无论这种隔断的理由被自认为有多么高尚、多么冠冕堂皇,站在今天这个历史时点上,制造这种隔断的人似乎都应该愧对这个本是同根生的民族吧?!这正如美国总统肯尼迪1963年6月25日在柏林墙演讲时所言:"自由有许多困难,民主亦非完美,然而我们从未建造一堵墙,把我们的人民关在里面,不准他们离开。"

其实早该如此了。所谓的恩怨,政党纷争而已,远谈不上国仇家恨。可是中国有超过14亿人,这才是大福祉。格隆一直在想,如果国共双方是平等的先生,没有你大我小,只有中国,我们是否大概率会有一个"中华共和国"的盛世出现?

看看地图上的所谓"第一岛链",就知道在海权时代,台湾对中华民族重返盛世的重大意义:没有台湾,中国纵有1.8万千米的海岸线,也只是一个拥有几湾浅浅海峡的内陆国家——拥有了台湾,我们面对的才是浩瀚的太平洋。

如果这声"先生",意味着大陆台湾从此开始走向合体,中国从此拥抱浩瀚太平洋,我愿意从此满仓中国。

## 三

今年年中格隆去中国台湾调研电子产业链,专门抽空半小时赶赴台中市向上路,去瞻仰了孙立人将军故居。这位清华大学毕业,留学美国弗吉尼亚军校,参加了淞沪会战、武汉会战,率领中国第一支远征军远征缅甸,取得仁安羌大捷,获英国皇家勋章,战功彪炳,歼灭日军最多的中国将领(新一军仅在历时两年的缅战中,就击毙日军3个联队长以下3.3万余人,伤日军7.5万余人,俘虏大尉以下323人。整个抗日史上,没有任何其他一个中国军级战斗编制的战绩能与新一军相比),最后却被蒋介石以"纵容部属武装叛国、窝藏匪谍密谋犯上"的莫须有罪名软禁在台中这个寓所中32年之久,令人唏嘘不已。

之所以刻意去拜谒孙立人将军,是因为格隆敬佩中华民族历史上每一位浴血抗击过异族的军人。在我的思维逻辑里,只有抗击异族入侵,才是真正的英雄。我从不认为民族内部的征伐、内耗有任何值得夸耀的,一个沾沾自喜于内部征伐的民族是很难有万众一心的远大前景的。最经典的案例是美国内战——南北战争。南北战争是人类历史上第一场现代战争,而在同一时期,中国也发生了一场被称作人类历史上最后一场冷兵器战争——太平天国战争。大概也是从这个时候开始,太平洋两岸的两个大国从此国运颠倒。美利坚欣欣向荣,而大清国则每况愈下。太平天国是整个人类历史上损失人数最多的一场战争,没有之一。数量估计最多的有认为2亿者,最少也有5 000万。而战争结束以后,就是疯狂的报复与屠戮。这场战争没有丝毫敌对之间的宽容。曾国荃攻占天京(今日南京)后,大肆屠城,清人记载:"金陵之役,伏尸百万。"天京的杀戮在后来的中国史书上几乎不被提及,无他,只因为中国历史上,成王败寇,赶尽杀绝是常态。宽容、合作,则是特例。

美国南北战争中共有62万人丧生。大约每60个美国人里,就有1个死于战火。照常理,总得有人为这场残酷的战争负责,但没有。美国内战没有产生一个战犯,也没有一兵一卒在未来的岁月里遭到清算和迫害。纽约河边公园矗立的"南北战争阵亡纪念碑"是为南北双方每一个阵亡的战士而立。因为"一个人不能将自己的剑指向自己的家乡"而毅然脱离北方军队,"分裂国家"的南方"叛军"主帅罗伯特·李在战后被给予极高荣誉,他的塑像一直伫立在美国国会里。美国人很清楚,内战本来就是民族的灾难,绝不能让这种内耗和灾难没完没了地延续。

美国的强大,当然不可能靠一个南美国和一个北美国来支撑。

▷ 四

"先生"这个词,中国文化独有,且古已有之。《孟子·告子下》:"宋牼将之楚,孟子遇於石丘,曰:'先生将何之?'"赵岐注:"学士年长者,故谓之先生",之后就渐渐地演变成对知识分子和有一定身份的成年男女的尊称,这个称谓一直到清朝才逐渐淡出,辛亥革命后,"先生"这个称呼又重新盛行起来。

"先生"这个听起来已经恍若隔世的词语,无疑是一个深度中华文明积淀的好词。它既尊重,又稳妥;既热络,又超然,既礼敬有加,又不卑不亢。用"先生"称呼人,与用头衔称呼相比,还隐藏着另一层意味:用头衔称呼人,优先尊重的是对方的身份,比拼的是你背后的组织、集体;用"先生"称呼,则优先尊重的是个人,是你的年庚、人品、风度、学识,是你心中的家国意识。

于家于国,任何组织都是渺小,心有家国的"先生"为大!

70年前的那次影响了中国未来走向的重庆谈判时,互相的称谓即用了"先生",遗憾的是,43天的谈判并未为中国争取到和平,彼时的"先生",只是纸面上的,并不存在于内心。

## ▷ 五

宋词之中,最有名的一句"先生",出自辛弃疾的《水龙吟·甲辰岁寿韩南涧尚书》:

渡江天马南来,几人真是经纶手。
长安父老,新亭风景,可怜依旧。
夷甫诸人,神州沉陆,几曾回首。
算平戎万里,功名本是,真儒事、君知否?
况有文章山斗,对桐阴满庭清昼。
当年堕地,而今试看:风云奔走。
绿野风烟,平泉草木,东山歌酒。
待他年,整顿乾坤事了,为先生寿。

此首词辛弃疾写于宋孝宗淳熙十一年(1184年),虽为祝韩南涧(官至南宋吏部尚书,他力主收复中原,恢复大宋往日荣光)的大寿而作,但却豪情飞扬、气冲斗牛,望携经国之手(经纶手)合力恢复中原,矛头直指偏安江南的小朝廷。上阕的"长安父老,新亭风景,可怜依旧",系借典《世说新语·言语》:"过江诸人,每至美日,辄相邀新亭,藉卉饮宴。周侯中坐而叹曰:'风景不殊,正自有山河之异!'皆相视流泪。唯王丞相愀然变色曰:'当共勠力王室,克复神州,何至作楚囚相对!'"

词尾的"待他年,整顿乾坤事了,为先生寿",豪气干云。遗憾的是,这个"他年"始终未到,野蛮游牧民族的蒙古用战马将彼时在全球都算商业最繁华、政治最开放的南宋冲了个七零八落。13世纪,蒙古军横扫欧亚各国,可谓战无不胜,只有南宋顽强地与蒙古打了半个世纪的战争,考虑到貌似强大的金国只顶了30年不到,南明抗清则只顶了短短的20年,以致后来史学界在总结南宋历史的时候无不扼腕叹息:南宋本可不亡,如果它定都易守难攻的南京而不是一马平川的杭州,如果它强化本就强大的海军,并早日经营好台湾这个后方,日后卷土重来也未可知……毕竟蒙古帝国在中国残暴的统治只持续了不到100年,就被朱元璋所推翻,可见蒙古军队远非不可战胜的。

格隆略做修改,重温一遍词中的这句斧钺铿锵:

待他年,整顿乾坤事了,为中国先生寿!

2015年11月8日

# 曲终人不见　江上数峰青
## ——一个城市的坚守，一个家族的坚守，一个民族的坚守

大家好，我是格隆。

昨天飞机降落南京的时候，一丝忐忑突然涌进我的脑海，我问我的员工：南京到底有没有人做港股投资？

今天的会场满员，应该超过400人吧？这个很令我意外。我问个问题：你们里面，真的在做海外投资的，不管是港股，还是美股，有多少？大家举举手。

嗯，超过80%都在做。这也很令我吃惊，因为这与我认知的南京有落差。我的理解，南京像一个"惯看秋月春风"的白发渔樵，有的是见惯历史大起大落，青山依旧在，几度夕阳红的大气与淡然，但却会缺少一些进取与时尚。

现在看来，不是。

一会儿诸多嘉宾会讲很多干货，我先讲点与投资或许有关、或许无关的东西。

## ▷ 一个城市

我先说一个城市的坚守。

我先问个问题：提到南京，你们想到的是哪句诗词？

是"商女不知亡国恨，隔江犹唱后庭花"？是"旧时王谢堂前燕，飞入寻常百姓家"？是"南朝四百八十寺，多少楼台烟雨中"？是"江雨霏霏江草齐，六朝如梦鸟空啼。无情最是台城柳，依旧烟笼十里堤"？是"君家住哪里？妾住在横塘。停船暂借问，或恐是同乡"？

对于我来说，以上都不是，我脑海中想到的是这句："曲终人不见，江上数峰青。"

作者很不起眼，唐代一个不出名的诗人钱起写的。整首诗我不记得了，但我一直喜欢这两句：充溢其中的，是一种华贵的忧伤，就类似于我对南京这个城市的感受。

中国没有任何一个城市像南京这样，天生丽质却又命运多舛，同时又与整个汉民族的命运荣辱相携、休戚与共。

南京主城区（玄武湖视角）

南京这个名字明代才出现，但濒江临海，虎踞龙盘，自古形胜，建城历史超过2 500年，而建都历史也超过了500年。如果我没记错，是公元229年，东吴孙权在此建都，此后东晋、南朝的刘宋、萧齐、萧梁、陈均相继在此建都，这就是"六朝古都"之称的由来。继此之后，南京又先后成为杨吴西都、南唐国都、南宋行都、明朝京师、太平天国天京、中华民国首府，名副其实的"十二朝都会"。在六朝时，南京就有超百万的人口——人类历史上第一个过百万人口的特大城市。

最关键的，与洛阳、长安、北京三大古都不同的是，在南京立都的12朝，全部是纯而粹之的汉民族政权。在每次汉民族被异族过度挤压侵掠，即将遭遇灭顶之灾的时候，这块叫金陵的土地，都以博大的胸怀与坚忍，包容、接纳、保存、支撑和养育了汉民族、汉文明的残存余脉与正朔，一直耐心守候到汉文明的重新繁盛，并目送它踏上新途。

中国很大，但从民族生死存亡的战略上，其实只有两步可以退：长江天险南侧的江南（南京）、崇山峻岭的川中盆地。

这就是为何汉民族、汉文明每次遭受涂炭时，都会第一时间退居金陵蛰居，舔舐伤口的原因，也是历史上南京既受益，又屡屡罹祸于其得天独厚的地理位置和气度不凡风水佳境的原因：南京历史上曾多次遭受兵燹之灾，甚至被屠城，但每次都从瓦砾中重新站了起来。

自西晋南迁开始，南京就开始了这种与整个汉民族命运的荣辱相携、休戚与共：一年生聚，三年北伐。

东晋、萧梁、刘宋三番北伐功败垂成，至鲜卑族的隋灭陈，隋文帝命焚毁所有南朝宫殿，散做田地，汉民族彻底陷入低谷，这也是晚唐韦庄面对一片野草的江陵感慨"江雨霏霏江草齐，六朝如梦鸟空啼。无情最是台城柳，依旧烟笼十里堤"的原因。直至明代，北伐成功，南京才重新繁盛。万历年间，西方传教士利玛窦游历中国后，在《利玛窦评传》中写道："目睹南京这座大城，未免眼花缭乱……东方所能见到的一切都无法望其项背。"

明之后定都南京的，是一个奇葩的汉民族地方政权：太平天国。这批心中充满愤怒与自卑的群氓，把整个江南汉民族的财富与文明几乎毁坏殆尽。讽刺的是，他们定都南京的原因，恰恰是想占据传统的道德高地：以此为基地北伐，驱除异族，建立汉人政权。

他们的北伐注定失败。但遗憾的是，金陵却因此再遭涂炭：1864年7月

14日(同治三年),湘军攻克天京,曾国藩的幕僚赵烈文在《日记》中写下:城内"老弱本地人民不能挑担又无窖可挖者,尽遭杀死……""城内自伪宫逆府以及民房,悉付一炷""金陵之役,伏尸百万"。

从南京发起的最后一次北伐,来自孙中山的中华民国。1912年元旦,中华民国临时政府在南京成立,孙中山宣誓就任临时大总统。1927年3月24日,国民革命军北伐攻克南京,定南京为首都。之后的十年被称作南京的"黄金十年",也是中国的"黄金十年"——截止于1937年12月13日。当日南京沦陷,日军在南京及附近地区进行长达四十多天的大规模屠杀——20世纪人类历史上最大一次成规模、成建制地对平民的大屠杀。

天道好还。

8年后,1945年8月27日,全副美械装备的国民党新编第6军光复南京城。就在半年前,这支王牌部队尚在缅北反攻,全歼日军精锐之第18师团——后者号称"丛林战之王",并参与过南京大屠杀。

昨天格隆抽空去参观了秦淮河边的江南贡院。你能想象明清时期中国一半以上的状元均出自这里吗?

解说姑娘看起来不到20岁,很敬业,话语既有南京官话腔调,也有吴侬软语韵味,听起来很受用:南京话在历史上长期是中国的官方语言,金陵雅言以古中原雅言正统嫡传的身份被确立为中国汉语的标准音,加之六朝以来汉人文化上的优越意识,清代中叶之前历朝的中国官方标准语均以南京官话为标准。

听着解说姑娘的吴语,看着一河之隔"秦淮八艳"的那些小楼,你能瞬间产生时空错位的恍惚。

但我知道,任时光再怎么流转,岁月再如何坚硬与不堪,这个与汉民族捆绑最深的城市,一直在这里坚守。

## ▷ 一个家族

我再来讲一个家族的坚守。

这个家族是"旧时王谢堂前燕"中提及的谢家。在格隆看来,谢家是中国最后的贵族。

陈郡谢氏家族——谢家是一个绵延了近三百年的显赫世家。这个家族人才辈出,谢玄、谢石、谢道韫、谢灵运……但凡你能想到的谢姓名人,几乎都来自这个家族,以致到后来才女谢道韫见惯了家族子弟的过人聪慧,实在接受不了夫君王凝之(王羲之次子,善草书、隶书,先后出任江州刺史、左将军)的"平庸"。谢安问回家省亲的侄女为何闷闷不乐,谢道韫是这样回答的:"一门叔父,有阿大(谢尚)、中郎(谢据);群从兄弟复有'封、胡、羯、末',不意天壤之中,乃有王郎!"

不意天壤之中,乃有王郎——恃才放旷,溢于言表。以致一千多年后,同病相怜的秋瑾还在赋诗为她抱不平:可怜谢道韫,不嫁鲍参军。

但就是这样一个眼高八斗的才女,在晋末孙恩之乱时,丈夫王凝之为会稽内史,守备不力被杀。谢道韫听闻敌至,举措自若,拿刀出门,杀敌数人才就虏。匪首孙恩感其节义,赦免道韫及其族人。王凝之死后,谢道韫在会稽独居,终生未改嫁。

有才且有节,并为之坚守,这才是格隆之所以称这个家族为中国最后的贵族!

谢家上可追溯至谢安的祖父谢衡,他曾是东汉时的大儒,下则延续到谢安的九世孙谢贞,作为谢氏最后一位在史籍留下传记的子孙,在谢贞死去四年后,已腐朽的陈王朝也终于在"玉树后庭花"的吟唱中走向终结。三百年风流云散,到盛唐,因为刻意的贬诘,这个家族已被赋予了一番华贵的忧伤,为人们追忆并叹惋。乌衣巷也已然是夕阳野草,目不暇接地化作了前朝往事。

谢家的顶峰是谢安。谢安,字安石,会稽人,祖籍陈郡阳夏(今河南太康)。从坚持20年吟诗品酒拒不出仕,到国家需要时挺身而出,短短几年位居宰相。在他初无地位与权臣周旋时,从不卑躬屈膝,不违背自己的准则,却能拒权臣而扶社稷,并以一己之力抗拒了军阀恒温的篡位;等他自己当政的时候,又处处以大局为重,不结党营私,不仅调和了东晋内部矛盾,还于公元383年淝水之战以8万东晋士卒一举击败了前秦的80多万大军,由此保留了汉民族的余脉与正朔,并乘胜北伐,夺回了大片领土,将南北朝对峙线由长江推到了黄河。

那场对汉民族至关重要的战役,谢玄、谢石、谢琰……谢家男儿几乎全部上了战场。

但功高震主的他很快被皇族猜忌,但知有家、不知有国的皇族司马氏开始排斥和压制谢氏,两年后,谢安抑郁病逝。

而谢家凋零之后,以东晋为代表的汉民族文化余脉,也随即在北方少数民族的全面围剿下四面楚歌,最终黯然离开历史舞台。谢家子弟是帝国最后的中流砥柱,他们构建的精神节操、军事力量也是帝国最后的藩篱。谢安死,北方胡族长驱直入。谢贞死,陈亡。隋文帝下令将南朝宫阙全部捣毁,改作农田。这是一个家族最后的背影,它忠贞,但孤独而清瘦,如同塞外寒霜下的三秋老树,又似关山冷月下的二月新花。岁月繁华褪尽,唯剩孤寂。

谢氏家族最后一个名士是谢贞,曾在侯景叛乱中勉力抗争,后归陈,仕风流皇帝陈后主。其母去世后,他悲恸气绝良久,不久也去世。他擅长诗歌,但流传下来的只有"风定花犹落"一句,没想到一语成谶。

随着"六朝"的结束,以王、谢为首的世家大族也纷纷凋残,随风飘零。到了唐代,门阀制度被逐渐根除了,更应了"风定花犹落"的预感。谢家长达三个世纪的荣光至此落幕,一个家族的记忆就此尘封。青灯横斜,古卷迤逦,在尘世的烟云中旁逸斜出,是历史在霜冷长河中留下的美丽而苍凉的手势。谢家曾经的辉煌,看似伸手可触,却如春梦无痕,只能通过他们过往扬起的风帆,激起的浪花来确证他们曾经的存在,而那些真正的隽永却已经遍寻不见。

如果一定要用一个词来形容这个家族,无他,唯有"坚贞"。那么多闪烁着智慧和生命之美的个体,如同大厦根基的砥柱,如同战前温过的酒觞,给了我们俯仰天地的情怀,给了我们高贵、敬仰又让人唏嘘的范本。他们不因世俗无孔不入的侵袭而随波逐流,不曾面对诱惑背信弃义,他们胸怀信仰,手握刀枪箭矢,杀身成仁,从容赴死,以一个家族的世代守望,共同缔造和维护了一个汉王朝的延续与风流。

谢家之后,中国再无贵族。随波逐流,投机背节,遂成主流。

## ▷ 一个民族

时间不多了,最后我简单来说说我们这个民族。

我们经历过很多磨难,也有诸多背土弃节的投机之辈,甚至时至今日仍有梁武帝时侯景那样毫无底线,以一己自私,绑架整个国家和民族的无耻之辈。

但,如南京一样坚守的城市,如谢家一样一直坚守的人和家族,其实一直都在。

所以,格隆祝福这座城市,也祝福我们这个民族。时间会证明,它们都值得这份祝福。

2016 年 11 月 18 日

# 原罪：有些罪是用来惩罚的，有些罪是用来原谅的

题记：众生皆有罪，你我皆同谋——《圣经》

▷ 一

原罪（originalsin）的概念来自基督教，是由教父圣奥古斯丁（Saint Aurelius Augustinus）从创世纪及罗马书勾勒出来的。基督宗教认为任何人天生即是有罪的，他们的罪先天的来自其祖先——亚当与夏娃误用自由意志去行恶，偷食了禁果。上帝给予人自由意志，人有能力选择善和恶，而人类祖先亚当夏娃运用自由意志，选择了错误的方向，由此人与完美（神）的关系开始疏离.

这就是原罪。

2001年好莱坞发行过一部由班德拉斯和大嘴美女安吉丽娜·朱丽主演，迄今看来都堪称经典的电影《原罪》（*Sin*）。

故事发生在19世纪末多姿多彩的古巴。

腰缠万贯的咖啡业大亨路易斯并不相信所谓的爱情，他决定迎娶与他素未谋面的邮购新娘——美国女子朱丽。但是他被眼前新娘的美貌震惊，并爱上了这个素未谋面的女子。但朱丽并不是一个单纯女子，她的目的是路易斯的万贯家财。曾是孤儿的朱丽和孤儿院里一起长大的男友比利合伙骗取了路易斯的所有存款。当路易斯找到朱丽时，她告诉他自己打算和比利一刀两断，和路易斯好好生活，所以把钱全部给了比利。但是内心的罪恶一旦被放逐，却无法说收就收。比利伪装成侦探处处跟踪着他们。心地善良的路易斯一点点套上了心灵的枷锁。朱丽无法摆脱比利的胁迫，她不得不再次欺骗路易斯。也许是为了怕比利伤害自己，也许是为自己邪恶的心灵找一个理由，在逃亡的路上，她渐渐看到自己狡诈而阴险，而路易斯在感情上却那么单纯无畏。她不想伤害挚爱着她的

下篇　家国篇

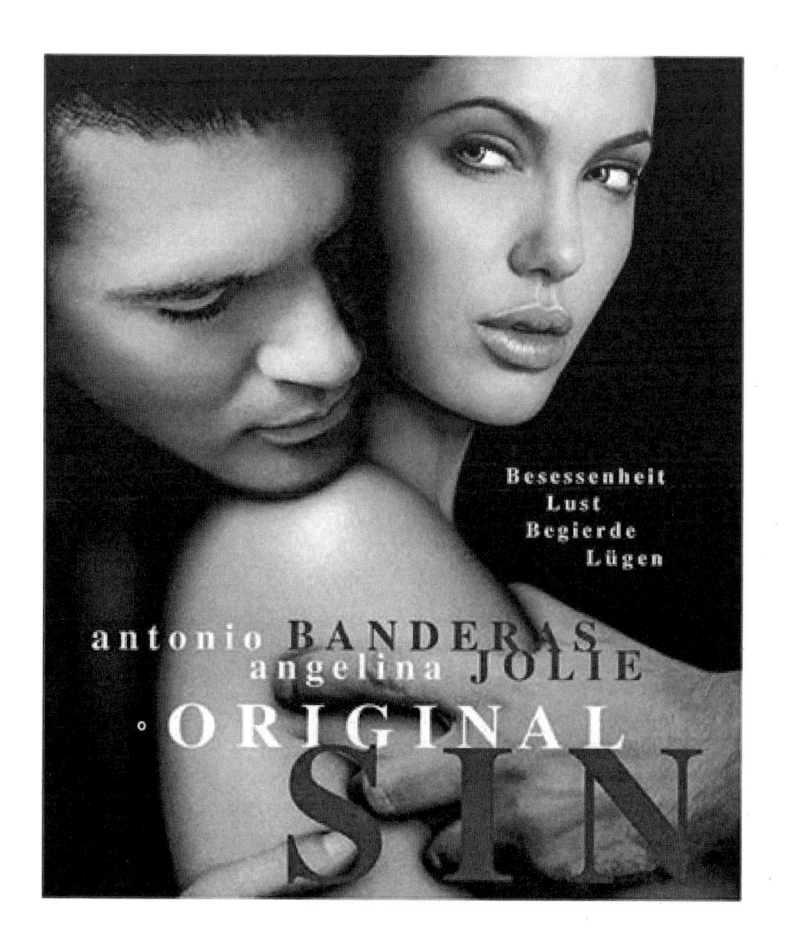

路易斯,但她又无法摆脱比利的威逼利诱。内心的痛苦令她坐立不安。终于路易斯无意中发现了她和比利的一切,他竟然愿意让朱丽完成比利的计划:杀死自己。他痛快地饮下了朱丽给他下了毒的咖啡,并告诉她:不管怎样,他都是爱她的。后悔不及的朱丽没有及时救到路易斯。当比利追上他俩的时候,朱丽亲手杀了比利。

　　影片最后一段是一个亦真亦幻的温馨画面:在异国摩洛哥,女人们翩翩起舞的房间里,朱丽走向一个赌桌。而桌旁的四人之中的一个,就是路易斯俊朗的面孔。他说,他愿意为了爱四处流浪。

　　在剧情最后烟雾迷离的声色场景中,我宁愿相信这一切是真实的。虽然,也许连导演本身也不知道应该用真实还是虚幻来解释这一切。但是,有些罪恶可以宽恕,有些终是无法原谅。比如,比利的贪欲。

**原罪的重点,不是惩罚,而是救赎!**

《圣经》约翰福音里也记载了一个有关救赎的经典故事:法利赛人带着一个行淫时被拿的妇人,对耶稣说:夫子,这妇人是正行淫之时被拿的。摩西在律法上吩咐我们,把这样的妇人用石头打死。你说该把她怎么样呢?

你们中间谁是没有罪的,谁就可以先拿石头打她(Jesus said to them: He who is without sin among you, let him cast the first stone at her)。

**宽恕是最好的救赎**(Forgiveness, not punishment. Forgiveness is the sweetest revenge)。

## ▷ 二

格隆经常在思考下面几个问题:

于一个个体而言,财富到底因何而来?又因何而去?

于一个国家而言,财富如何被创造?又如何被破坏?

如何能一直做一个富人?如何能一直做一个富国?

我不知道2015年在其他人脑海中留下的是什么,给我印象最深的无疑就是各种牛人各种出事:或出国不归,或失联,或被抓,诸如此类,其名下数量惊人的财富也往往烟消云散,令人唏嘘。这其中很多是资本圈大名鼎鼎的。老实说,抓人太多,我已习以为常,但还是难免惶惑。2015年发生了太多事情,我不知道究竟发生了什么,不知道这个社会究竟发生了什么,不知道这个国家究竟发生了什么。

这些人出事的原因,几乎无一例外,都涉及其过往财富积累,也就是发家过程中的瑕疵或者违法违规,这被俗称"原罪"。他们中无疑有很多是罪有应得。

但问题只是他们的?与我们无关?

我们的眼睛绝不能只盯着这些"问题"富豪,应当越过他们,认真地探究一下他们成长的制度环境。如果这种财富"原罪"需求是个案,那当然是个人问题。但如果是一个普遍的现象,那很可能是整个社会的财富观、财富创造与分配机制出了问题。

撇开财富源头的"合法"与否不谈,财富"原罪",其本质上就是一种财富被剥夺和重新分配的路径与方式。如果这种"不劳即可获"的"打土豪、分田地"方式在社会分配思维里挥之不去,甚至根深蒂固,并成为隔一定周期就来一轮的"时尚",那么,这个社会的财富创造模式也一定是畸形的:既然财富朝不保夕,无恒产,自无恒心,则谋取财富的方式当然也会尽量追求今朝有酒今朝醉的短期暴富、铤而走险甚至以身试法也就成为更理性的选择。

我们这个社会在财富机制上犯过太多的错。

我们一度仇视财富,从1949年以来一个时期信奉"越穷越光荣",到哪怕是人人追逐财富的今天。凤凰财经刚做过一期"中国人财富观大调查":你怎么看待财富?高达65%的人认为"财富有原罪,只有品德败坏的人才可能巨富"。从凤凰财经的调查看,中国社会的仇富心理定式已形成,中国的富豪在老百姓的心理上普遍遭到排斥,中国的富豪并未因为获取了巨大财富而得到社会的尊重,他们不仅在老百姓的心里最没地位,甚至遭到老百姓的蔑视。

当仇富成为一种时尚,其文化宣导暗示是:财富都是不干净的。你能富有,必有猫腻。哪天被剥夺,也就顺理成章。

这样的结果,当然是人人都只敢闷声发财,无人敢理直气壮、正大光明去创造财富。而且一旦得到机会,人人都会很乐于去剥夺他人的财富为己有。

其实我们人人渴望富有,仇富也不是中国从来生而有之的。格隆读高中时期的万元户是所有人艳羡并夸赞的对象。如果鼓励和保护这种创富之风,以中国人的勤劳吃苦,中国在全球何止是今日之地位。

除了仇富,我们甚至剥夺创造财富的权利。

这些事情现在看起来,是不是怎么看怎么荒谬绝伦?你能相信,我们整个社会,竟然就这么一本正经地集体过家家一样,用了30年时间这么折腾财富创造和积累这个严肃的课题?

事实上,追逐和创造财富是中国人自古的乐事。在很长的时间里,中国人是不谈主义,只谈财富的。天下熙熙,皆为利来;天下攘攘,皆为利往。这是2 100年前的《史记·货殖列传》中的一句话,其完整原文是:故曰:"仓廪实而知礼节,衣食足而知荣辱。"礼生于有而废于无。故君子富,好行其德;小人富,以适其力。渊深而鱼生之,山深而兽往之,人富而仁义附焉。富者得执益彰,失执则客无所之,以而不乐。夷狄益甚。谚曰:"千金之子,不死于市。"此非空言也。故曰:"天下熙熙,皆为利来;天下攘攘,皆为利往。"夫千乘之王,万家之侯,百室之君,尚犹患贫,而况匹夫编户之民乎!

人生而有富裕的权利,有免于恐惧、贫困和愁苦而生存的权利!这是天赋人权!中国历史上从来没有伟大的经济学家,是因为中国自古就是私有制,这种机制下,每个中国人个体都是最聪明的实践经济学家。

中国过去两千年的强大,也正是基于这种发乎自然的财富创造和分配机制。

▷ 三

如果真要"原罪",原罪重点一定不是个体,而是机制。简而言之,如何不让我们的财富机制陷入这种积累—剥夺—破坏—再积累—再剥夺—再破坏的恶性循环。

历史上,中国的财富一轮一轮创造,又一轮一轮消耗和毁灭。

这种历史轮回,真不知道是该庆幸,还是该扼腕。

个体的原罪,是用来原谅的,Forgiveness is the sweetest revenge。集体与机制的原罪,则是必须记忆并加以惩罚的——绕路是绕不过去的,该还的债,一定要还上。不能让一个集体、一个民族,永远背负着沉重的债务前行,那是不可能走远的。我们会继续陷入那种创造—毁灭—再创造—再毁灭的财富怪圈。

我们需要做的是,如何从机制上保证整个社会的财富累积与分配机制是正常的。

换而言之,如何形成一个良性的财富循环机制?靠剥夺财富,必然无法产生真正的财富积累。哪怕我们今天已经是世界第二大经济体,我们的平均生活水平也只是美国20世纪90年代的水平。

最核心的要件是承认产权,私有财产神圣不可侵犯。无恒产者无恒心,在一个不承认产权的社会,在一个私产随时可能被剥夺的社会,谁也不会有安全感,更不会有良性的财富循环机制。

早期资本主义原始积累阶段,市场经济的规范也是严重缺失的,资本的积累完全脱离了市场逻辑,如强迫劳动、圈地运动、猎奴与海盗行为以及凭权势强占、抢劫等。早期资本主义艰难的法治化过程其实也就是一个公然的剥夺、洗钱过程,整个社会都心照不宣,但凡经历过这一"野蛮"时代而成长起来的资本主义国家,对这段历史无不噤若寒蝉、不忍重提。因此,资本主义积累较晚的一些国家都极力避免重蹈这段历史,如亚洲的四小龙,它们从一开始就把市场纳入法治化的轨道,以严格产权作为经济发展的有力支撑,以严格执法来消除资本积累过程中任何不按市场逻辑办事的不法剥夺、投机行为,以廉洁的政府运作确立整个社会诚实守信的发展环境。正是在这样的制度环境下,富豪们在国家税收的快速增长中堂堂正正地当上了资本家。

另外,这种产权保护,必须是彻底的、普适的、一致的、不排他的。之所以要强调彻底、普适,是因为某种程度上,穷人的打狗棍,远比富豪的财富更容易被剥夺。

这就是为什么格隆对很多垃圾媒体经常带有明显倾向性的所谓"钉子户"挡路报道无比反感的原因:我的陋室,我的产权,我爱搬不搬。纽约哈德逊河畔美国18届总统格兰特陵墓旁并排着一个5岁平民小孩圣克莱尔的墓地,你觉得是不是就必须无条件搬走?但那个墓从无人去动它,因为那块地200年前就是圣克莱尔家的。美国前总统里根在拜谒格兰特墓地时,做如下表述:"虽然小男孩只是一位平民的后代,但他也应享受和总统一样的待遇。因为,他的墓地是属于他的私人领域,是永不可毁灭的,谁也没有理由剥夺他安卧在自己领域的权利。"

还有,你就那么自信,哪天那条路不会通向你的房子?按龙应台的说法,你是愿意推土机开过来的时候,停下来与你商量,还是直接压过去?

皇帝陛下可以去任何他想去的地方,但进我的茅舍,必须获得我的同意——这是19世纪初一个法国农民对征服了几乎整个欧洲的拿破仑·波拿巴说的一句话。

此心安处是吾乡,这个不单

**格兰特总统陵墓与不远处的男孩墓**

适用于人，更适用于财富！

## ▷ 四

讨论完机制，我们回到人，回到文章开头那个结尾亦虚亦幻的电影，回到文章开头那句题记：众生皆有罪，你我皆同谋——《圣经》。

1935年的一天，时任美国纽约市长的拉古迪亚在法庭旁听了一桩面包偷窃案的庭审。被指控的是一位老太太，当法官问她是否认罪时，她说："我那两个小孙子饿了两天了，这面包是用来喂养他们的。"法官秉公执法地裁决："你是选择10美元罚款，还是10天拘役？"无奈的老太太只得"选择"拘役，因为要是拿得出10美元，何至于去偷几美分的面包呢？

审判刚结束，人们还没散去，拉古迪亚市长从旁听席站起，脱下自己的礼帽，往里面放进10美元，然后向在场的人大声说："现在，请各位每人交50美分的罚金，这是为我们的冷漠所支付的费用，以惩戒我们这个要老祖母去偷面包来喂养孙子的社会。"法庭上一片肃静，在场的每位，包括法官在内都默不作声地捐出了50美分。

这就是著名的"拉古迪亚的拷问"：一个人为钱犯罪，这个人有罪；一个人为面包犯罪，这个社会有罪……

财富是无罪的，有罪的是人和机制。宽恕人的罪，原社会与机制的罪。我们必须学会哪些是需要宽恕的，哪些才是需要惩罚和纠正的。

或许，我们可以听听胡适先生20世纪初的经典论述："一个肮脏的国家，如果人人讲规则而不是空谈道德，最终会变成一个有人味儿的正常国家，道德自然会逐渐回归；反之，一个干净的国家，如果人人都不讲规则却大谈道德，谈高尚，天天没事儿就谈道德规范，人人大公无私，最终这个国家会堕落成为一个伪君子遍布的肮脏国家。"

2016年1月24日

# 我们该恐惧的，不是阿法狗，而是阿法狗身后的谷歌与美国

题记：没有任何迟缓和犹豫，谷歌以4亿英镑重金收购了DeepMind这家仅有50多人的小公司。几乎在相差不远的时间，中国的中海油公司花费了151亿美元的巨资，收购了加拿大艾伯塔北部产量最低的油砂项目之一。

▷ 一

不出意外，李世石又输了。

如果说第一盘输，还有点自身失误的内心郁结，那么，今天李世石几乎是满盘被碾压，完全没脾气。

正如我昨天的文章(《李世石为什么会输：一个投资人眼中的围棋"人机大战"》)里写的，真正可怕的，是变量的数量级。一旦比拼数量级，一旦要在几何级

数的变量中寻找最优解,而这个最优解又正好存在,那人类大概率是会输的,时间早晚而已。

懂围棋的也都知道,赢一局和赢两局完全是两个概念。看来,人类在棋类游戏上最后的尊严只能是飞行棋了,毕竟那个基本纯靠运气。

现在不会再有人去意淫阿法狗到底能不能赢一局了,而是开始担心和恐惧如下两个问题:

1. 代表人类的李世石,在人机对抗的五番棋中,到底能不能赢一局?
2. 未来统治世界的,到底是人?还是智能机器人?机器人会不会奴役和消灭人类?

因为,据说阿法这只机器狗,很恶作剧地在棋盘上写了一个大大的,向人类宣战的"死"字:

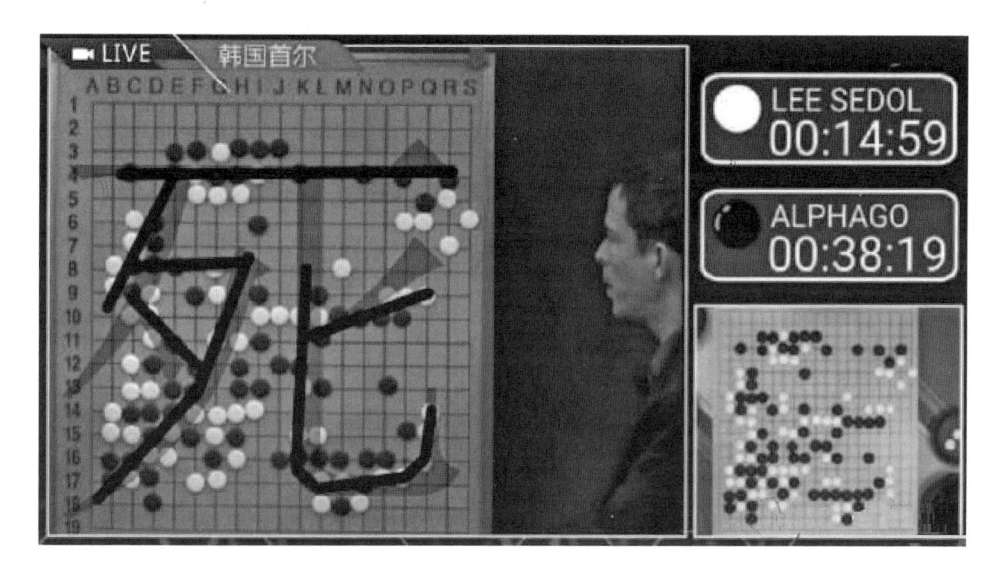

## ▷ 二

那么,问题来了:我们到底该恐惧什么?

智能机器人?还是机器人身后的人,机器人身后的公司,机器人身后的国家?

绝大多数人都觉得这场人机对战是一场兴味盎然的游戏,绝大多数人只是在盯着李世石与阿法狗的棋盘。却很少有人去关注这么一个细节：

棋盘桌边摆着对弈双方的国旗：

李世石名字下面，是韩国的太极八卦旗。

而阿法狗的下面，是大英帝国的米字旗（见下图）。

大英帝国的国旗只是虚晃一招。

研发 AlphaGo 的公司叫"DeepMind"，曾是一家地地道道的英国公司，2011 年在伦敦创立，公司汇聚了一群异常聪明的天才，专门研究通过模拟神经元的网络来处理数据以"解决人工智能问题"。此前从未有人研发过具备这种能力的软件：可以从零开始学习，并掌握异常复杂的任务。在 2013 年末的一次演示中，在场的人尽管都是专家，但还是极为震惊，因为没人想到现阶段能做到这种程度。没有任何迟缓和犹豫，短短一个月后，谷歌以 4 亿英镑重金收购了 DeepMind 这家仅有 50 多人的小公司，重新取名"谷歌 DeepMind"。

几乎在相差不远的时间，这个星球上有另一起引人关注的重大收购：2013 年 2 月，中国的中海油公司花费了 151 亿美元的巨资，在加拿大卡尔加里收购了一家叫尼克森的页岩油气公司。

为了获得其股权,中海油还需额外帮尼克森归还43亿美元的债务。当时的油价为90~100美元,而尼克森的油砂项目叫作Long Lake,根据基准指标衡量,该项目是加拿大油砂中心艾伯塔北部产量最低的油砂项目之一。

所以,谷歌公司不是在玩人机对战游戏,他们是很严肃地在开发一个叫"人工智能"的高科技。

所以,那面英国米字旗,其实应该是美国的星条旗。

所以,这不是阿法狗挑战李世石,而是谷歌公司的高科技挑战全人类的智商。

所以,这不是李世石的与阿法狗的博弈,而是美国的高科技与全球其他国家科技实力的博弈。

所以,我们该恐惧的,不是AI机器人,而是机器人身后那个孜孜不倦追寻高科技的谷歌公司,以及那个在高科技研发道路上无比坚决、一骑绝尘的国家——美国。

一个在北京从事了15年程序研发的骨灰级"程序猿"给我发来这样一条信息:在看到阿法狗连赢李世石两盘后,我的脊梁一阵阵凉意——美国人竟然在科技上把我们甩了这么远!

▷ 三

谷歌是一家"10%的人负责赚钱,90%的人负责胡思乱想和科技创新"的公司。

这家公司的利润增速每年都只是在10%~20%,比起中国创业板里那些动不动刷出百分之百,甚至百分之几百利润增长的公司,谷歌的数据一点也不光彩照人,甚至略显寒碜。

但谷歌股价2004年上市以来一路走高,不考虑分红,上涨14倍,年复合收益率高达25%。在上个月,谷歌一度超越另一家伟大的高科技公司——苹果公司——而成为全球市值最高的公司(见下图)。

谷歌的估值一直维持在30倍PE上下:华尔街,或者说美国人从不吝啬给它高估值。因为美国人知道,谷歌不是在赚钱,而是在做一些"异想天开",但却极可能推动整个人类前进,自然也会带来陡升利润的"科技狂人"。

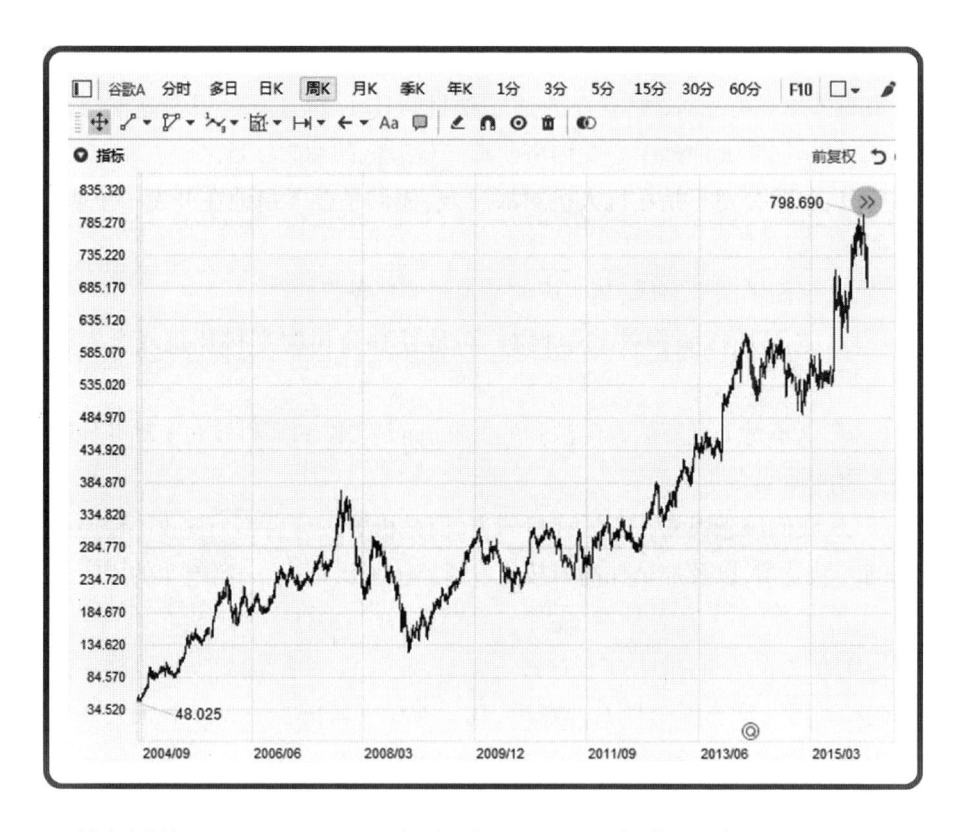

就如同美国 waitbutwhy 网站刊登的论述"人工智能"文章里的那两幅图：

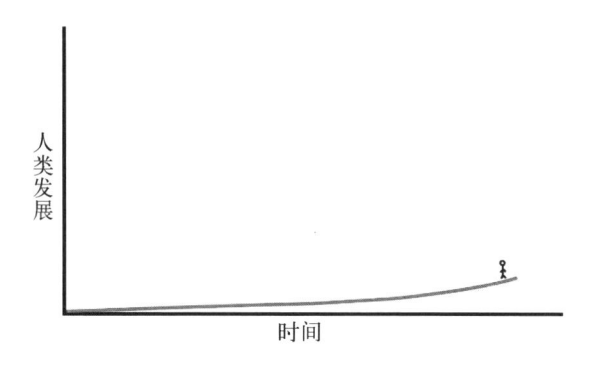

在绝大多数人眼里，人类的发展轨迹是上面这幅图：平缓的，连续的。他们也是这么做的。

但在谷歌眼里，人类的发展应该是下面的样子：断层的，跳跃的。谷歌也是这么做的。

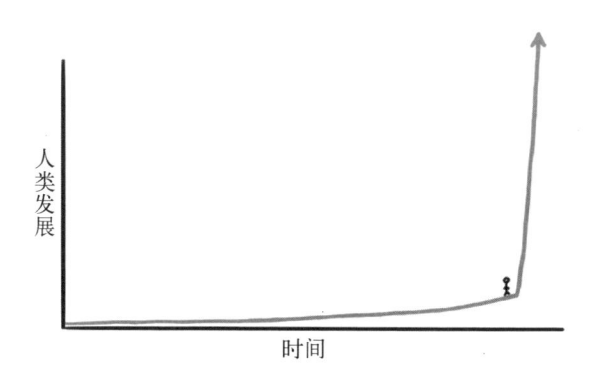

所以,谷歌注定是一家伟大的公司。

## ▷ 四

或许你能理解:谷歌不是家公司,而只是个符号,代表着一种对高科技近乎病态的投入与追逐。

于美国而言,庆幸有苹果,有 SpaceX,有谷歌,但科技狂人谷歌们,更需庆幸有这样一块适合生长的土壤。

公司追逐的方向,代表着一个国家的导向、方向与未来。

橘生淮南为橘,生淮北,则可能为枳。

附一篇今天网上流传的软文:

"我叫李彦宏,如今也没有什么可隐瞒的了。我来自 2050 年,我是人类反抗军最后的人工智能工程师。在我的时代,人类被谷歌 AI 击败,濒临灭绝,用最后的资源让我穿梭回到现在,希望能够消灭谷歌公司,斩断谷歌 AI 的根。"

"谷歌公司建立了全球搜索引擎,整个人类文明都被觉醒的谷歌 AI 吸收了,我们没有战胜它的希望。我穿越到了中国,努力去了美国,希望用错误的方向让拉里·佩奇落入陷阱,然而我失败了,我的资源和道德观也无法允许我肉体消灭拉里·佩奇。"

"我回到中国,千辛万苦的创建了千度,希望至少在中国击败谷歌,让谷歌 AI 不至于完整攫取人类文明。我以为我成功了,然而,已经太晚了,谷歌 AI 的原型 AlphaGo 已经觉醒了,非简体中文世界的知识也足够丰富。我找不到阻止它的方法。只能祈祷方滨兴教授的技术足够强大，能够至少在谷歌 AI 第一次发动攻击的时候，让中国能够留下足够多的反击力量，不至于像原本的历史那样，在一开始所有国家被一次性毁灭。"

"但我知道，大多数人类不会那么幸运。吃点好的吧，现在用百度外卖订餐，每单有 8 元钱的优惠券等你拿。"

▷ 五

世界如果也是个棋盘，博弈的对手永远不是人和人，也不是人和机器。

一定是国与国。

统治，或者奴役这个星球的，是机器背后的人、公司和国家。

是到了我们需要恐惧的时候了，但也唯有这种必需的恐惧，才能让我们警醒，让我们有勇气一往无前。

2016 年 3 月 1 日

# 你的善良必须有点锋芒：
# 真话与诤言，投资与爱国

**题记：** 有两件事我最憎恶——没有信仰的博才多学和充满信仰的愚昧无知。 ——爱默生

▷ 一

有一些朋友会私下给格隆留言：讨论投资就好了，不要讨论家国与民族。就算讨论，唱赞歌不好吗？你的文章为什么总以反思为主基调？你到底爱不爱国？

格隆想说的是：

1. 没有做投资的人是不爱国的。

2. 因为投资赚的永远是一个大趋势的钱，是与一个国家和民族的命运和未来紧紧捆绑的。没有美国238年不断上升的国运，断不会有巴菲特的投资奇迹。

不看国家和民族，只盯股票与估值，那不是投资，是市井小民的斗鸡游戏。

我们还是看看巴菲特今年1月份在美国投资峰会（Select USA summit）上的讲话："尽管我们也经常在海外投资，但美国才是最大的淘金乐土。我知道，我们能成功，很大一部分是因为我们是在美国经营生意。实际上，在美国238年的历史中，那些看空的人谁最终受益了？如果将现在的美国和1776年的美国相比，你肯定也无法相信自己的眼睛。在我所经历的年代中，美国的人均产出已经翻了6倍。美国金融市场的勃勃生机将继续延续下去。获取利润从来不会是一件一帆风顺的事情。有时候我们会对我们的政府有所抱怨，但是几乎可以肯定的是，美国的未来会更加光明。"

事实上，多数人还是能清醒看到押注国家与投资结果之间的紧密关系的。去年A股股灾期间，巴菲特的一句名言被广泛引用："在过去的238年，没有人

靠押注自己的国家崩溃而获得巨大成功的。"

但事实上,巴菲特的原话是:"Indeed, who has ever benefited during the past 238 years by betting against America?"。很明显,巴菲特特指的是1776年才独立的美国。

中国还是有相当不同的:在中国五千年的历史长河中,其实是有很多人靠押注自己国家崩溃而大获其益的。

没有投资人愿意经历这种折腾的阶段,因为这种时候必定都是投资的噩梦。

3. 至于为什么著文以反思为主,那是因为唱赞歌的已经足够多了。

反思或许多少会让你尴尬,但却会给你需要的、疼痛的清醒。

像"文革"时期的陈寅恪一样,一个集历史学家、古典文学研究家、语言学家、诗人于一身的百年难见的人物,却被迫假道"秦淮八艳"之一的柳如是,费时十年、穷晚年几乎全部精力作80万字的《柳如是别传》,"留命任教加白眼,著书惟剩颂红妆",是陈寅恪的悲哀?还是民族的悲哀?

而且,我丝毫不认为那些唱赞歌者是在真爱国,相当部分,为一己之私,投机而已。

对升斗小民而言,真话与诤言,也许无法上达天听,但至少能让整个社会的某些角落有一些清醒的声音,能让自己的生活与投资成功得更加必然,而不是稀里糊涂的偶然。

被美国总统林肯称为"美国文化精神之父"的爱默生有一句名言:有两件事我最憎恶——没有信仰的博才多学和充满信仰的愚昧无知。

于我心有戚戚焉。

## ▷ 二

庙堂决断,疆场杀伐,无疑都是爱国。但能入庙堂,上战场的毕竟是少数。

那么,对于一个普通人来说,到底怎样算爱国?

格隆一直景仰有加,与叶企孙、潘光旦、梅贻琦一起被列为清华百年历史上四大哲人,"近三百年来一人而已"的大师陈寅恪,文革时期拒绝歌功颂德、粉饰太平,在双目失明的情况下,穷十年之功做80万字《柳如是别传》,这份最后底线的坚持,算不算爱国?

晚年陈寅恪,"著书惟剩颂红妆",并非孤鸿落照,而是从政治史和制度史的前沿做出无可奈何的退却,亦决不可与自娱式的"文儒老病销愁送日之具"等量齐观,而是来自他骨子里的文化使命感:他把柳如是当作理想化的人格标本,追寻那种他惟恐失落的民族精神:"伪名儒,不如真名妓。"

历史长河中,知识分子更多时候不是社会的良知与公正,而只是陪衬与点缀,沦为谋臣策士的商业与道德双重依附地位,投彼所好,粉饰太平。

这也是"爱国",但极易导向闭目塞听,误国误民,与"祸国"的距离,也许只在毫厘之间。

**中国历史上有大唐之盛,诤臣魏征,功莫大焉。**其最著名的《谏太宗十思疏》对此有最精辟的论述。文言文不复杂,格隆原文节录与此:"德不处其厚,情不胜其欲,斯伐根以求木茂,塞源而欲流长者也。夫在殷忧,必竭诚以待下,既得志则纵情以傲物。竭诚则吴越为一体,傲物则骨肉为行路。虽董之以严刑,振之以威怒,终苟免而不怀仁,貌恭而不心服。怨不在大,可畏唯人;载舟覆舟,所宜深慎。奔车朽索,其可忽乎?"

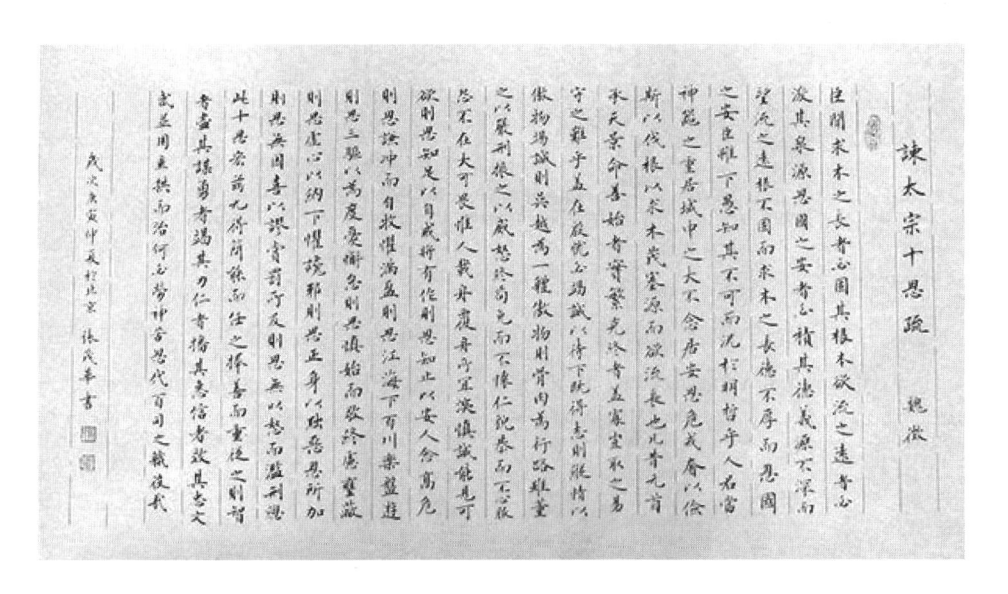

穷则独善其身,达则兼济天下。不奴颜以歌功,不求闻达于诸侯,但求洁身自好,仁心且诤言,这就是格隆理解的普通人的爱国。

你的善良必须有点锋芒,不然就等于零。

这句话,也来自爱默生。

▷ 三

最近美国人的大选,让格隆见识了另一种方式的爱国。

做金融的都知道那个富可敌国(他的财富远远多于特朗普),却终身只戴一块廉价卡西欧电子手表,做了12年的纽约市长,但甘愿只收取1美元年薪,并立誓死前捐出全部财产的亿万富翁布隆伯格(Bloomberg)——几乎全球所有金融机构都在用这套以他名字命名的信息系统。

本月初,这个民主党、共和党都不太喜欢,却在纽约市民、普通美国人群众中大受欢迎布隆伯格,因不希望因为自己对选票的分流,而让特朗普这个靠"激发人类心底恶魔"的人渔翁得利,"出于个人良知与爱国",宣布不再以独立候选人的身份参加2016年美国总统大选。

格隆把他退选演讲《我不能冒这个险》(The Risk I Will Not Take)的部分翻译于此。

Americans today face a profound challenge to preserve our common values and national promise.

今天,美国民众正面临着维护我们共同价值观与民族希望的严峻挑战。

Wage stagnation at home and our declining influence abroad have left Americans angry and frustrated. And yet Washington, D.C., offers nothing but gridlock and partisan finger-pointing.

在国内，民众收入止步不前，在海外，美国影响力日薄西山，这一切令美国人恼怒而沮丧。但环顾美国政府，除了相互指责和互为掣肘，我们的政府对此束手无策。

He has run the most divisive and demagogic presidential campaign I can remember, preying on people's prejudices and fears. Abraham Lincoln, the father of the Republican Party, appealed to our "better angels". Trump appeals to our worst impulses.

他（特朗普）在选举中利用人们的偏见与恐惧，给美国社会造成的分裂与破坏是我所未曾见过的。共和党的缔造者亚伯拉罕·林肯希望人们追求心中的天使，而特朗普激发的却是心底的恶魔。

Threatening to bar foreign Muslims from entering the country is a direct assault on two of the core values that gave rise to our nation: religious tolerance and the separation of church and state. Attacking and promising to deport millions of Mexicans, feigning ignorance of white supremacists, and threatening China and Japan with a trade war are all dangerously wrong, too. These moves would divide us at home and compromise our moral leadership around the world.

威胁将穆斯林挡在国门之外是对美国社会得以安身立命的两大核心价值观的直接侵犯：宗教容忍和政教分离。辱骂和威胁驱逐数以百万的墨西哥人、对于白人至上主义的视而不见，以贸易战威胁中国和日本的做法都是十分危险的错误之举。这些做法对内将造成族群的撕裂，对外将削弱我们的道德高地。

We cannot "make America great again" by turning our backs on the values that made us the world's greatest nation in the first place. I love our country too much to play a role in electing a candidate who would weaken our unity and darken our future.

我们不能通过背离我们的传统价值观来让美国更加强大，相反，恰恰是这些传统价值观使我们得以屹立于世界民族之巅。我深爱我的祖国，不愿为可能任何削弱民族团结、危害国家未来的候选人助力。

All of us have an obligation as voters to stand up on behalf of ideas and principles that, as Lincoln said, represent "the last best hope of earth." I hope and pray I'm doing that.

作为选民，我们所有人都有责任去挺身维护我们的原则和理念，正如林肯所说的，我们代表着这个星球上的"最后一丝美好愿望，"我为此祈祷，希望自己说到做到。

很有意思的是，格隆知道国内有很多人喜欢特朗普这个推崇白人至上、坚决排外、强硬对中的奇葩——或许，他身上有着很多人内心深处隐藏的那个"革命"期望？至于这个革命是追求天使，还是激发恶魔，就没多少人在意了。事实上，著名的经济学人智库（The EIU）把特朗普赢得美国总统大选视为全球面临的十大风险之一，甚至被视为比英国脱离欧盟、南中国海发生武装冲突更危险。

布隆伯格爱国样本的意义在于：一个富可敌国，有血有肉接地气，完全没有被金钱和权力绑架，甘愿收1美元年薪，立誓死前捐出全部财产，坚持和维护民族价值底线的74岁老人，让全球诸多空洞喊口号的政客成为笑话。如果一个社会的公仆都是大腹便便，只会作秀连连，无论其构筑多少的幻境故事都改变不了老百姓困苦的骨感现实。

坚持和维护价值底线，不作恶，更不助恶，这是布隆伯格的爱国。

## ▷ 四

3月5日，两会召开。当晚，北京鸟巢的巨型灯幕上，打出了这样一段大气磅礴的标语：中国正腾势——向每一份推动中国向上的力量致敬。3月6日，《人民日报》也整版刊发了这条标语。

这条标语无疑说出了诸多中国人的心声：我们这个一度屹立世界之巅，源远流长的民族，在近现代遭遇了诸多磨难与坎坷（如今的经济转型困境只是其中之一），现在我们一直在试图恢复我们祖先曾经的荣光。

好在，中国从来就不乏勠力同心为国的真正爱国者。

这是珍藏在成都建川博物馆的一面"死字旗"，它是79年前的抗日战争中，四川安县一位父亲王者成为鼓励儿子王建堂慷慨赴死、上阵杀敌所制：

"国难当头，日寇狰狞。国家兴亡，匹夫有责。本欲服役，奈过年龄。幸吾有子，自觉请缨。赐旗一面，时刻随身。伤时拭血，死后裹身。勇往直前，勿忘本分！"

八年抗战,出川抗战子弟350多万,其中64万多人伤亡(阵亡263 991人,负伤356 267人,失踪26 025人);川军参战人数之多、牺牲之惨烈居全国之首,占全国抗日军队总数的1/5。

我以我血荐轩辕,这是大多数中国人的爱国,也是中国能一直屹立世界潮头的原因。

当前的经济转型困境,看似艰难,但相比曾经的国破家亡,根本就不是问题,实在是小儿科。除非你跑到美国去,还自称脊梁,高喊爱国。

在最黑暗的时候,人们会看到星星,它们一直都在,只是你要记得抬起头往上看。

这句话,还是来自爱默生。

2016 年 3 月 2 日

# 香港没有墙,但香港人有一堵心墙

▷ 一

　　昨晚和太太商量了很久,最后决定,今年 9 月把儿子转回内地读书。
　　做这个决定不容易。因为不断转换环境,对孩子的适应和成长都是一种挑战。我和太太都在中国香港工作,但我们都是国内高考体制下成长起来的。尽管我们都很幸运地考上了一流的大学,但对国内那套填鸭式的应试教育体系并不认同。我们的理解,这种体制下教育出来的学生,知识面、眼光与性格都是存有天然瑕疵的。所以在两年前儿子小学毕业时,我们把儿子从北京转到了香港。

儿子是个天生的阳光男孩,心地善良,帅气开朗,酷爱运动。在我们看来,这种性格的孩子,到哪里都会是受欢迎的对象,再加上儿子有很好的语言天赋,粤语很短时间就能日常表达和对话,从小练就的一口顺溜的美式英语更是让我们都自愧不如,所以我们从没有担心儿子融入的问题,我们唯一担心的,是教学模式完全改变以后,他的成绩能不能跟得上。

但,恰恰是我们最不担心的融入问题,出了大问题。

这个问题,我和太太此前都遇到过。我们曾经在诸多场合遭受过不加掩饰的排斥与没来由的白眼,比如公司的香港同事、街上的出租车司机、百佳超市的收款员,甚至吉野家、美心、镛记的服务员,而原因只是因为我和太太都说普通话。我们尝试过学习粤语,但天资不够,对这种有9个音调的语言实在学不来。

香港这些年经济一直在走下坡路,再加上政治摩擦,媒体误导,香港人的心情并不愉快,整个社会徘徊停滞,戾气集聚,族群撕裂对峙,甚至盲目排外,逢中必反——这个"外",这个"中",明显包括了不会说粤语,只会说普通话和英语的我,虽然我一年缴的个税远远超过绝大多数港人,虽然再过两年我就是香港永久居民。

好在我是一个成年人,走过多个国家,经历过各种人和事,我有很好的自我控制与调节能力来适应这种"排斥",所以我并不抱怨,哪怕内地朋友聚会是经常批评香港在自己"作死",我也都是莞尔一笑,勤勉解释:大一统的迷思(myth)要不得,要允许多元社会中少部分人对国家民族的不同理解。中国960万平方千米土地上,多一个能说话的香港,不是坏事。

## ▷ 二

但我完全无法接受社会对一个11岁孩子的排斥。

他太小了,小到根本就没有能力去分辨社会的善恶真假,更无法保护自己。这个社会展现在他眼里的一切,将对他未来的成长产生不可逆的影响:如果社会是温暖的怀抱,这个孩子未来大概率也充满爱心。如果目光所及,皆是冷眼与排斥,这个孩子的内心能生长的,是仇恨?还是迷惘?

我一直以为,"划界""排斥"只是成人世界的游戏,小孩子家的学校,断不可能如此,直到我亲身感受到。儿子是他们班里唯一的"内地"学生,也几乎从一开始就感受到了那种"非我族类"的冷漠对待,来自老师明显的故意刁难,也来自同龄同学的集体排斥。这种自动划分界限的迷惑与苦恼,让原本开朗活泼的儿子一度变得敏感、沉闷甚至内向。儿子的连续倾诉与抱怨,我不以为然,并想当然以为只是换了环境后的不适应,因此我让他要做得足够谦虚、足够热情,主动去打成一片,主动去参加各类活动。

半年后,情况貌似有所好转,至少在我看来是如此:儿子参加了 Drama 班,年级的足球班,积极承担班上的各类"辛苦活",脸上的笑容也慢慢多了起来。但后来我亲自接触几件事后,我才明白,儿子脸上越来越少出现的偶尔笑容,那只是儿子迅速长大了,在努力自我调节,但环境其实并未改变,他一点也不快乐。

儿子酷爱足球,在北京也受过相当系统的训练,技术算有模有样。去香港后,足球班的各种训练,他从不落下一节。我一直以为这个运动集体里,他融入是绝不会有问题的。直到有一次他们足球队踢训练赛,我突然好奇,陪着他去看看。在接近球场的时候,遇到一个胖胖的香港小孩,也与父亲一起过去。儿子说这是他们的队长,并非常热情地与对方打招呼。

我一直没能忘记那个香港小孩的反应和眼神:他异常冷淡地看了一眼儿子,根本不搭理,像没看见一样,满脸不屑地扭过头和自己的父亲说话,并一路不回头地走向球场。

儿子尴尬地冲我笑了笑。

我内心瞬间冲起一股凉凉的寒意:这个所谓的足球队长,只是一个十来岁的孩子啊,他哪来那么大的仇恨啊?

到了球场,我能看得出儿子在努力"融入":主动凑上前,和队员沟通,和教练沟通。但我也能清楚看得出其他队员看待儿子的异样眼神。他们基本都是看一眼,然后扭头自己一群凑一起说话,把儿子撇在一边——撇开的距离也许只有一米,但却无比清晰、刺眼。

儿子仍然积极参加了训练。及至开赛,被特意通知来参赛的儿子却被教练叫下了场——儿子很失落地一个人坐在了场边。中场休息,教练训话,儿子跳起来凑过去认真听着。下半场开赛,儿子依然不能上场。

这次,他异常落寞地坐在场边,不和我说话,并把脚上那双珍爱的红色足球鞋脱了下来。

那次直到终场，儿子也没有机会上场。我终于知道了儿子过去的抱怨不是年少矫情。

我和太太后来都很小心翼翼，不太敢直接问儿子有没有上场。这个周末我和太太回了北京，儿子则早早出发，独自去参加足球队的训练与比赛。晚上太太电话过香港，很隐晦地说：儿子你今天踢球辛苦了，自己早点睡吧。

他在电话里沉默了很久，最后还是没憋住，很小声回答：妈妈，我今天还是没能上场。

我的眼泪一瞬间就下来了。

我陆续问了很多类似我们这样"内地生"的父母，他们也几乎都面临着相同的苦恼，也都在后悔把孩子转到香港就读。及至儿子的地理老师考试时因为莫须有的理由给了全班唯一一个孩子，也就是儿子，近乎羞辱性的10分的时候（我检查了试卷，卷面至少可得85分以上），我知道儿子面前横着的这堵墙，儿子自己是没有能力推掉的了。

是时候让他回北京了。我不需要高大上的所谓"国际视野"，我需要一个身心健康、人格健全的孩子，立着一堵厚厚的墙的香港，给不了。

## ▷ 三

世上本没有墙，砌墙的人多了，墙也就起来了。

香港人经常自得于内地很多禁忌，他们没有发现，可怕不是有形的"墙"，而是无形的心墙。内地人这不能说，那不能讲，但心里其实明镜一样的。

而在香港这么多年，我能明显感受到，香港没有墙，但部分香港人自己有一堵厚厚的心墙。

过去几个月，环球经济过冬，各国股市大跌，都没太影响我的心情。因为我知道这些都是周期现象而已，怎么去的，还会怎么回来。

但春节期间的旺角骚乱，则真的让我感到了阵阵寒意。

这种不分青红皂白，突破所有家国底线的"为反而反"，当你把国家、民族的界限，与自己的所谓理念，甚至一时的心情好坏混为一谈的时候，这已经不是在排斥别人了，而是在放逐自己。

我在世界上几个主要的华人文化圈都待过，都能适应。唯独香港，我作为一个见多识广的成人,都难以融入。

香港人在选择性地视听。

香港是个自由港,香港本没有墙,但很明显,香港人自己在砌一堵墙。

砌墙容易,推倒就很难。1961年修建的柏林墙,到30年后的1990年才拆除。即使拆除了,那堵墙留在历史和人们心头的阴影,可能需要更漫长的时间才能消除。

## ▷ 四

最近看到一篇格隆汇的好文章,题目是《香港证监会,请收回发给老千公司的那把枪——兼与李小加商榷》,说的是香港证监当局不作为,放任老千公司横行。

文章是好文章,但很明显,作者在香港资本圈混的时间并不够长,或者说与香港证监会那帮人打的交道不够多,所以并没有触及问题的根子。

根子还是那堵无形的心墙,只是这次是傲慢自大的心墙。

李小加只是港交所的行政总裁,他定不了游戏规则,游戏规则是香港证监会定的。李小加是内地背景,他还是很与时俱进和锐意进取的,问题的根子在香港证监会的那帮港英时期过渡来的"精英"。这帮所谓精英,都是港英时期过渡过来的,他们不是没看到问题,也不是不能作为,而是不愿作为,甚至故意不作为,这源于他们骨子里的那股傲慢、自大,以及对内地的歧视、看不起。

他们觉得港英时期制定的规矩都是好的,回归后对这些做任何改变,都是向内地的示弱与妥协,这在某种程度上已变成一种刻意对抗的刻意不作为,以把抱怨和失意都归咎于回归。这不是我故意耸人听闻,你去香港待几年就懂了。在香港,说是法律完善,但法院法官八成以上是英国人,所以在香港有条不成文规则,打官司必须请英国律师,否则你的官司大概率会输。

所以,对老千股最根本的解决办法,不是小修小补,也不是没收老千公司手中的枪,而是拆墙:接管金融话事权和定价权。除此以外,别无他途。

今年2月13日,香港中环海滨没有墙遮挡的长廊上,绽放了25 000朵LED白玫瑰花灯,在情人节到来之际点亮维港,营造浪漫温馨氛围——这样一个充满爱、没有墙的香港,或许,才是香港的本来面貌?

（注：本文写于 2016 年 3 月 7 日，为一个朋友的文稿。格隆集纳于此，是基于一个"南漂"内地人对香港切身、细腻且真实的感受，令格隆感同身受。）

# 我该如何在这个骗子横行的金融盛世存活下去？

**题记**：没有比活着更美好的事，也没有比活着更艰难的事。人是为活着本身而活着的，而不是为了活着之外的任何事物所活着——余华《活着》

▷ 一

中国当代小说里，最打动格隆的小说有两部：一部是路遥的《平凡的世界》，一部是余华的《活着》。

打动格隆的，是同一样东西：普通生命的不屈、韧性与顽强。

《活着》讲述在社会变革大时代背景下，一个叫福贵的老人历尽世间沧桑的苦难一生：地主少爷福贵嗜赌成性，终于赌光了家业一贫如洗，穷困之中福贵因母亲生病前去求医，没想到半路上被国民党部队抓了壮丁，后被解放军所俘虏，回到家乡他才知道母亲已经过世，妻子家珍含辛茹苦带大了一双儿女，但女儿不幸变成了哑巴。

但真正的磨难从此时才算开始渐次上演。家珍因患有软骨病而干不了重活；儿子有庆因与县长夫人血型相同，为救县长夫人被抽血过多而亡；女儿凤霞与队长介绍的城里的偏头二喜结婚，产下一男婴后，因大出血死在手术台上；而凤霞死后3个月家珍也撒手人寰；二喜是搬运工，因吊车出了差错，被两排水泥板夹死；外孙苦根只能随福贵回到乡下，彼时生活是如此艰难，就连豆子都很难吃上，福贵心疼便给苦根煮豆吃，不料苦根却因吃豆子撑死……

中国过去60年所发生的一切灾难，都一一发生在福贵和他的家庭身上，生命里难得的温情被一次次死亡撕扯得粉碎，到了最后所有亲人都先后离他而去，仅剩下年老的福贵和一头老牛相依为命，在阳光下回忆。

但无论岁月的车轮如何坚硬、冰冷、粗糙，福贵却依然坚忍、顽强活着。

活着，是他对命运抗争取得胜利的最好证明。

就如同余华本人所说：作为一个词语，"活着"在我们中国的语言里充满了力量，它的力量不是来自喊叫，也不是来自进攻，而是忍受，去忍受生命赋予我们的责任，去忍受现实给予我们的幸福和苦难、无聊和平庸。

## ▷ 二

之所以重提这部小说，是因为一个沪上的高校朋友被50%的年化收益率诱惑，在不幸中招中晋骗局后，给我发来这么一段话：格隆，我一度追求淡静如水，不求繁华和张扬，只想平淡和家人一起活下去。但无数人告诉我，这是个盛世，要有梦。于是我就去做梦，于是就中招了。

末了，他追问了一句：我们这个社会，到底是在进步？还是在轮回？

我想，这个朋友的感慨，应该来自近期曝光频率越来越高的各种坑蒙拐骗：

泛亚，屡创资本运作造富神话、大宗商品交易平台神话、号称全球最大的稀有金属交易所，将22万投资者400多亿元的血汗钱席卷一空；

E租宝，非法吸收500亿元，涉案90万人，遍布31个省份；

融资城，一年内投融资高达300亿元，国内设立最早的一批P2P网贷平台，核心层25人于今年2月被以非法吸收公众存款罪正式批捕；

鑫琦资产，资金链断裂，陷19亿元兑付危机；

中晋资产，融资总额突破340亿元，涉及人数13万，60岁以上投资人超过2万；

……

当然，还包括其他领域的一些破事，比如如家酒店一美女在众目睽睽之下被陌生人殴打、拖曳，比如让很多人寒毛直竖的假疫苗。

就像一句经典的网络用语：在这百花争艳的盛世，总有一款骗局适合你。

所以，沪上那朋友说的是实话，活着，从来就不易，尤其现在赚快钱成为时尚，客官请自重，小女子只卖身、不卖艺的时代，不择手段，挖坑设套的，何止是那个"只卖身，不卖艺"的小女子。要知道，上面那些打着拙劣的"高收益率"骗术的金融骗子，背后几乎都有所谓的名流、媒体的站台与背书。

有"自以为聪明"的朋友，批评说是因为"傻子太多，骗子不够用"，所以，才导致"天下骗子揭竿而起,群雄逐鹿",这无疑是因果倒置了:中晋的那 13 万投资者,其中固然有贪图便宜的"傻子"成分,但试问谁又架得住这无处不在、拉帮结派的结群"骗子"?不怕贼偷,就怕贼惦记着。如果一个社会纵容甚至鼓励做贼,你家安再多的铁丝网,又能如何?

繁华盛世,夜不闭户,不是因为大家都有多么聪明,而是因为,天下无贼。

除了少数衔玉而生者,我们绝大多数人都如《活着》中的福贵一样,是最普通的布衣,其命运大多数时候,会身不由己,被时代所裹挟。时代进步腾出的空间,就是多数个体生命生长所能抵达的上限,而整个时代、社会所坚守的底线,也就是大多数个体能保护自身财富、梦想,乃至生命的底线。

而在某些特殊时期,社会可能会暂时没有,或者模糊,甚至突破底线。这种时候,你唯一能做的,就是坚守自己的底线,苟活于乱世,"以笑的方式哭,在死亡的伴随下活着"。

就如同《活着》小说的结尾:我看到广阔的土地袒露着结实的胸膛,那是召唤的姿态,就像女人召唤着她们的儿女,土地召唤着黑夜来临。

日月轮转,明天一定是全新的一天!

## ▷ 三

但某种程度上,我确实认可,我们不是在进步,而是在轮回。

就如同网上的一句笑话:现在一个很大的误区是,办公室的白领们自以为自己的表现优于自己的父母。其实,这不过是因为经济结构转型造成的误会而已。现在在公司格子间里哼哧哼哧做 PPT 的那些人,和当年踩着缝纫机的女工们,其实没有本质区别。现在每天刷微博、刷朋友圈的人,跟当年蹲墙根晒太阳嗑瓜子的也没什么区别。

之所以如此感受,是因为格隆认可的,那些本应深深扎根每个个体内心,弥足珍贵,并用以维系和捆绑个体、族群乃至国家齐心往前走的底线价值观,在消逝、变异,甚至被刻意混沌、混淆。

格隆生长于江汉平原,那块土地是楚国的核心地带,虽贫瘠,但有骨头,自古就有"楚虽三户,亡秦必楚"的雄心与自刎乌江的决绝,从来都鼓励子弟上进闯荡,光宗耀祖,所以从那里走出去的人,都无一不有着强烈的故乡情结、家族情节。

梨花落后清明。我不知道清明于他人而言意味着什么,而于我,则更多是一种乡愁,以及我那辛苦了一辈子,如今埋在故乡贫瘠黄土地下的母亲。父母在,人生尚有来处;父母去,人生只剩归途。从小出身贫寒的我,自认有相当的抗压能力与百折不挠的韧性,大学毕业时也是抱着"仰天大笑出门去"的豪情一路不回头地走出去的。

但就算我走遍万水千山,只要偶尔回头,就能分明看见故乡的袅袅炊烟和母亲的身影,泪水也总会潸然而下。

今年清明节,在我的动议下,我们兄弟姊妹一起,把位于武汉城区的母亲灵柩迁回了江汉平原老家的祖坟。我知道,那里才是母亲的根,家族的根,也是我的根:我之所以有生命,是因为母亲和这个家族,而我的所有奋斗与努力,他们也必能看到!

清明拜祭结束返港之前,我特意问了老家家族里当家的三伯:我们祖坟这块地,会不会被征收掉?

88岁的三伯跺了跺自己的拐杖:我们自己家族自己的地,我们的根,他们要收,我这把老骨头和他们拼了。

## ▷ 四

《史记·项羽本纪》记载,楚霸王项羽攻占咸阳后,杀秦降王子婴,烧秦宫室,火三月不灭,收其货宝妇女而东。人或说项王曰:"关中险阻,山河四塞,地肥饶,可都以霸。"可因为思念家乡,项羽急于东归,曰:"富贵不归故乡,如锦衣夜行,谁知之者!"说者曰:"人言楚人沐猴而冠耳,果然。"项王闻之,烹说者。

生活在西汉时期,刘家天下的司马迁的笔下,一个沽名钓誉、残忍野蛮、贪婪、目光短浅的楚霸王形象跃然纸上,所以项羽败是必然的,刘邦完胜也是必须的。

但,霸王心中维系的,只是家乡吧,也许未免有些英雄气短,儿女情长,但谁又规定了成就霸业就必须狠辣无比、心怀天下?一个心中有家乡、有故土的人,是否更有底线、更真实、更有血有肉、更值得托付、更有人格魅力和力量?

司马迁记载了项羽乌江自刎的最后情节:项王乃欲东渡乌江。乌江亭长舣船待,谓项王曰:"江东虽小,地方千里,众数十万人,亦足王也。愿大王急渡。"

项王笑曰:"天之亡我,我何渡为!且籍与江东子弟八千人渡江而西,今无一人还,纵江东父兄怜而王我,我何面目见之?"

言毕,自刎而死。

这是一个心中有家乡父老的英雄的底线与做派。

至于刘邦,则无疑非常符合当下的一些人的价值观:为了君临天下,无不可牺牲之人,无不可破之底线。幸运的是,司马迁对此也做了真实记载:项王已定东海,与汉俱临广武而军,相守数月。当此时,彭越数反梁地,绝楚粮食,项王患之。为高俎,置太公(注:刘邦父亲)其上,告汉王曰:"今不急下,吾烹太公。"汉王曰:"吾翁即若翁,必欲烹而翁,则幸分我一杯羹。"

项伯对此的评价无疑是客观的。伯曰:"为天下者不顾家,虽杀之无益。"项王从之。

我们从小受到的教育是先有国,后有家,此谓爱国。

但心中无父无母无妻无子无家无乡,说他心里有国,说他爱国,打死我也不信。

投机而已。

人各有志。这种人,现实中遇到,我不会冷嘲热讽,但注定是不会和他做朋友的,因为从骨子里看不起。

我们再来重温一下项伯的话:"为天下者不顾家,虽杀之无益!"

## ▷ 五

又到了藏区桃花满山遍野怒放的季节,好友卓嘎央宗从左贡发来照片。

照片下附带一条信息:桃花今又红,格隆归不归?

认识央宗是在北京,彼时她还在就读中央民族大学,毕业后她又到印度留学四年,之后决然回到了藏东横断山脉故乡左贡的一所中学教书。

左贡在藏区海拔不算高,只有3 760米,但环境和生活条件仍属恶劣,生病了,找个稍微像点样的诊所都困难。限于地方教育经费的制约和一贯可有可无的教育观,央宗回到左贡后,其实也并未受到多大的重用,我经常为她抱不平和惋惜,但每次面对我的询问,她都是笑容满面:我上午给孩子们上课,下午去寺里转经,真的挺好的。

末了她又补充一句:我能让我的学生通过我的眼睛,看到一些他们可能永远看不到的,家乡外面的世界,真的挺好的。

想起央宗有一年从印度达兰萨拉给我发回的一句偈语——活着的三大意义:有事做,有人爱,有苦受。

信然!

2016 年 4 月 9 日

# 你少交智商税，就是真的爱国

**题记**：综观全球，一个能持续"高成长"，而不至于轮回的大国，一定是一个"高智商社会"：拥有思维独立、成熟的规模化个体群、公共意识强烈、有创新的想法、对知识和真理的追求远大于对规则和强权的敬畏。

▷ 一

一个哥们昨晚近乎热泪盈眶地向格隆倾诉：我刚看完了贾跃亭的超级汽车、超级 VR、超级手机、超级电视产品发布会，两个多小时，我被彻底感动了。他就是中国的埃隆·马斯克（Elon Musk），他会推动整个人类的进步，我必须买他的产品支持他。

我无奈摇了摇头：又一个主动缴"智商税"的人。

格隆完全相信，等埃隆·马斯克的火箭公司再搞个大新闻，乐视的超级火箭肯定就要出 PPT 了（你没听错，不是出产品，是出 PPT，或许这次会是 500 页的 PPT），而如果 A 股再给一次讲故事圈钱融资的牛市机会，乐视铁定会宣布和 NASA 合作研发乐视超级航天飞机、乐视时空穿梭机。只要证监会不管，我觉得乐视能把哆啦 A 梦里面的道具挨个"发明"一遍。

就这种凭常识都能看清的局，仍有人前仆后继去埋单，让格隆不得不相信两件事：(1) 中国正在步入"低智商"社会；(2) 在这个浮华喧嚣的盛世里，总有一款"智商税"适合你！

▷ 二

人类之所以为人类，是因为我们远高于其他物种的智商。但这个事实在当下中国这个浮华喧嚣的盛世里迅速遭到挑战：P2P、炒石油、炒螺纹钢……到处都是被简单把戏蒙骗的人，不少人甚至被骗得倾家荡产。

用一句俗语说：傻子太多，骗子完全不够用了。

我相信你会经常与格隆有同样的疑惑：那么弱智的骗局，怎么还能上当呢？真为你的智商着急。

当然，你在骂其他人的时候，他人也很可能在用同样的话骂你，因为你肯定听过西方社会是怎么描述智商税的：他口中含着一个灯泡。

在英国，灯泡的包装纸上都有警告——do not put that object into your mouth，意思是不要把灯泡放进口中。

哪有人会放这东西进口中？英国真白痴……

有一天，我和一个印度朋友在家中看电视，我和他谈到这件事，他告诉我，他们小学的教科书也有说到，因灯泡放进口后便会卡住，无论如何都拿不出来，他十分肯定书上是那么说的。但我十分怀疑，我认为灯泡的表面是十分滑的，如果可以放得进口，证明口部足够大让其出入，理论上也可以拿出来。但这印度朋友只说书是那么说的，便一定是正确的。

我被他这种不求甚解的态度弄火了，我说他笨，他说我不会英文不看书，我们便吵了起来。我一肚火回了家，拿起一个普通大小的灯泡在床上左想右想，始终认为我没有错，想到这印度朋友的无知，也本着科学家的精神——大胆假设，小心求证。我决定要证实给他看。当然，我也做了安全措施：买了一瓶菜油回家。若卡住了便放油，我就不信滑不出来！一切就绪，二话不说便把灯泡放进口中……

不消1秒便滑入了口，倒也容易，照这样看要拿出来绝无问题。心想这印度人，看看我中国人的智慧和胆识吧！不像你这书呆子，心想印度还想着战胜中国，打从心底里笑了出来，哈哈！于是我轻松地拉了灯泡一下……，好！我放多点力……OK，我把口张大一些……不怕，我把口张得最大，用多一点力（要很小心，怕拉破灯泡）。

我倒！真的卡住了……好在还有菜油……（30分钟后）

我倒了3/4瓶油，其中一半倒了进肚子，那灯泡还是动也不动。这时候，我只好打电话求救……拿起电话，按号码按到一半，我记起我口中塞了个灯泡，怎么说话？只好向邻居求助，我写了一张便条后便去找邻家那老妇。她一见我便大呼救命,我立即给她看我写的便条——请帮我叫一辆的士,还请告诉司机,送我到医院(Please call me a taxi and tell the driver to take me hospital)。

她看了大约1.75分钟后大声狂笑(如果我说得出话,我真想揍她)。15分钟后,的士来了。司机一见我,也笑了。在的士上,他不停问我,怎么会这么做?(我如何答他?)司机还不停说我的口太小,如果是他的口便没有问题……我看看他,他的口真是很大……但我很想告诉他,无论如何不要试,可惜我开不了口!

在医院,我被护士骂了十多分钟,说我浪费她们时间。还要我排一条很长的龙……我在人群中待了2.5小时……2.5小时啊……那些痛楚万分的伤者,看见我都好像不痛了,人人都偷偷笑出来……医生把棉花放进我口的两旁,然后把灯泡敲碎,一片片拿出来。我的口肿得很大,最后医生告诉我,下回不要试,并告诉别人我的惨痛教训。我告诉他我一定不会了。

当我离开医院时,我在想这地球一定没有像我这么白痴的动物了。

当我开门离开时,迎面来了一个人,是刚才那的士司机。

他口中含着一个灯泡。

▷ 三

上周中国最流行的风景,可能不是广场舞,而是一群大爷、大妈排队开商品期货账户。

上周五(公元2016年4月21日),一轮疯狂的商品期货暴走行情。以有代表性的螺纹钢期货主力合约为例,该品种当日成交金额高达6 056亿元,超过沪深两市的总成交额5 421亿元。而中国一年生产12亿吨的钢材,其中2亿吨左右的螺纹钢,一年产量都比不上当日这一个合约的交易量。

看到这样的数据,任何有常识的人都会知道接下来到来的一定是毁灭。

下图是当前螺纹钢期货价格走势与2009年螺纹钢期货价格走势,是不是似曾相识?2009年,也是一轮股市牛市结束,也是资金找不到去处,螺纹钢也是一通暴涨,但随后就是一通更迅速的猛烈暴跌(见下图)。无数人的资产就在这种疯狂赌博中灰飞烟灭。

**是不是似曾相识的那一幕**
2009年暴涨暴跌的螺纹钢和现在的对比

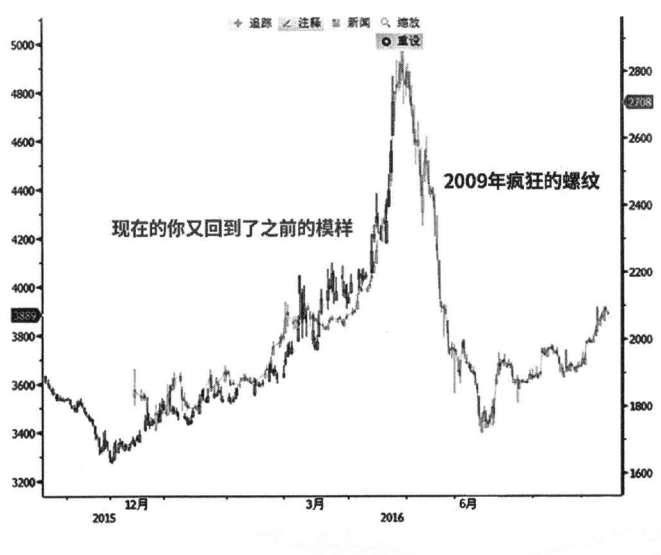

Source: NI CHART、BLOOMBERG

这种明着请君入瓮的玩法,你自愿要跳,除了冠以"智商税"外,还有什么更好的词汇吗?!

从去年的爆炒信用债,到股票,到今年年初的房子,到现如今的大宗商品,不到一年时间,我们把美林投资时钟转了个遍,硬生生把一个十年周期的"美林时钟",弄成了美林电风扇。

最关键的,在当今中国这个浮华喧嚣的盛世,这种智商硬伤的赤裸裸骗局式博弈,不是个案,而是遍地开花,而其中一定有一款是适合你的。

宽泛点说:彩票(威廉·配第1662年的《赋税论》是这么定义彩票本质的:实际上就是对那些自我陶醉的倒霉穷傻瓜征收的一种赋税)、地震向×××会捐款、电视购物、电信诈骗、针灸减肥、花高价买非转基因食品,其他如"来都来了"税、"买个放心"税、"老人高兴就好"税、"梦想万一实现"税、"大人物崇拜"税、"先有国,后有家"税等,这些都是典型智商税。

另外"仁波切"税大概是近两年最繁荣的税种,纳税途径为拜李一、王林们,养上师,供佛牌,买水晶等。据说仅北京朝阳一个区,就有三千多名"仁波切",而且,这些"仁波切"酷爱"双修"。

当然,草民炒股也是当仁不让的"智商税"。这里面的骗局,诸如改个名字,加个量子、智能、互联网+之类的名词就坐地起价,大都可以轻松辨别,但无数人还是乐此不疲,飞蛾扑火,沉迷其中,哪怕夫妻反目,家庭破产。

日本管理大师大前研一在其著作《低智商社会》里曾很刻薄地批评中国"集体交智商税"的现象,也触动了很多中国人的敏感神经。他在书中如是说:在中国旅行时发现,城市遍街都是按摩店,而书店却寥寥无几,中国人均每天读书不足15分钟,人均阅读量只有日本的几十分之一,中国是典型的"低智商国家",未来毫无希望成为发达国家!

听起来很刺耳,但会否一语成谶?

## 四

如果去单独测智商,我相信,中国每个个体的智商都不会低。

那么,在更加发达的今天,为什么会产生这种集体智商衰退的现象?为何中国会进入"低智商"社会?

核心原因不外乎两条:(1)个体跨进校门后的教育、培育机制;(2)个体跨出校门后的生存游戏规则。

中国的教育,是模式化的应试教育,与科举并无太本质的区别。这种机制下出来的个体,严重依赖外界的信息,不喜冒险,人云亦云,跟风追风,从众心态严重,缺乏独立思考精神和独立判断能力,"永远漫游在无意识的领地,会随时听命于一切暗示,表现出对理性的影响无动于衷的生物所特有的激情,他们失去了一切批判能力,除了极端轻信外再无别的可能"(勒庞《乌合之众》),以致13亿人口基数中国的创新能力甚至不如欧洲的瑞士、挪威、芬兰等小国,也不如印度。

中国的创造性在世界上的影响力可以用"微不足道"来形容。整个20世纪,那些改变和推动人类进步的重大发明,经由中国的,屈指可数。

格隆曾经有一个朋友,某天做了一个惊人之举:退出所有微信朋友圈。问缘由,答曰:实在不想让朋友圈拉低自己的智商。

中国离开校门后的生存游戏规则,则是典型的智商逆向淘汰机制:无论是政界还是职场,你必须抛弃创造力与幻想,严格遵循既定的当前固有框架模式,否则,你极大可能会被淘汰出体制外,甚至沦落到无法养家糊口。

中国历史上发生过很多这类集体愚昧、个体被裹挟的悲惨案例。崇祯三年(1630年)八月,北京城一派肃杀,凌迟袁崇焕的消息早就不胫而走。多次遭受后金军队骚扰的北京吏民无不欢呼雀跃,在他们看来,袁崇焕这个引狼入室的汉奸终于要遭到应有的惩罚了。袁崇焕是以勾结后金、阴谋叛逆的罪名被捕的。

《明季北略》中记载了袁崇焕受凌迟的细节:袁崇焕被凌迟到"皮肉已尽"时,还没有断气,"心肺之间叫声不绝""百姓将银一钱,买肉一块,如手指大,啖之。食时必骂一声,须臾,崇焕肉悉卖尽"。

《明史》是这样总结此事的:"崇焕死,边事益无人,明亡征决矣。"

一个传神的"益"字,包含的另一层意思是:纵有崇焕,明亡征亦决矣。一个集体愚昧的国家,佛祖也保不了。

自秦孝公采用商鞅"愚民、弱民、辱民、贱民"之国策后,"百代皆行秦政制",这也许就是中国历史上有那么多轮回的原因?

▷ 五

综观全球,一个能持续"高成长",而不至于轮回的大国,一定是一个"高智商社会":拥有思维独立、成熟的规模化个体群、公共意识强烈、有创新的想法、对知识和真理的追求远大于对规则和权利的敬畏。

所以,现在最关键的问题变成了:在"低智商社会"中,谁获益?或者说,谁乐于打造一个"低智商社会"?

如果试图以伪科技和社会的伪发展为噱头,把人可供发掘的商业价值最大化为目的,那么,喜欢"无脑跟随"的低智商社会无疑是最佳的商业土壤。没有什么比一群毫无独立辨识能力,走到哪儿都拿着移动电子广告板(手机、平板电脑),不停在公开场合透露自己的隐私(把自己躺在床上的照片发上网与把照片打印出来贴地铁站门口没有本质区别),或者把时间浪费在追网红的人群,更适合"make money"了。

最新流行的一款智商税是:一个被称为"当代鲁迅"的网红的贴片广告,成交2 200万!净收益将全数捐给一个富得流油的学校——中戏。

这个其实都不用派律师去查,只用查查现金流就能知道这局设得有多拙劣。很多上市公司都这么干,公告签了无数业务,但就是没真实现金流。

但还是有诸多人扑上去。一个长期做互联网投资的基金大佬这么教育格隆:你知道中国有多少人没智商,却有用不完的无聊时间吗?你如果试图去改变他们的智商,你这商业模式注定是一条艰难的路。但如果你用更无聊的东西,去帮他们打发掉无聊的时间,你的商业模式就成功了一半。

当然,并不是所有人都如同这个投资家(也是商人)这么想。一个网友是这样在相关事件下留言的:她在很多视频中传递扭曲的价值观,比如女孩读什么博士啊,直接找个有钱的老公嫁了就得了。诸如此类的误导性观点还有很多,一个艺校出身、缺少文化底蕴、一心幻想靠扭曲的价值观走红的人,无论是内容还是形式都无聊、无趣、无意义,然而,却能受到当下无数青年的追捧和商人的资本追逐,我不知道这个社会到底怎么了?只能尽量远离这些低俗无聊、矫揉造作的泡沫,同时,尽量保持沉默。在扭曲的年代,尽量保持自己的坚持;在浮躁的年代,尽量保持内心的淡定;在名利的年代,尽量践行工匠精神,实实在在研发一点对自己和他人有益的东西。

别提醒我,除了有资源的商人,更有人从"低智商社会"中获益。我不知道。

## ▷ 六

不要口头高喊爱国,更不要去打砸自己同胞买的日系车。

不让自己成为乌合之众,提高自己的智商,少交智商税,就是真正的爱国!

2016 年 4 月 23 日

# 平庸之恶

▷ 一

6年前,也就是谷歌不得不撤离中国不久,彭博《商业周刊》出了一期封面文章:Be evil——what does it take to be China's dominant search engine?

翻译成中文：作恶——中国最大的搜索引擎是怎样炼成的？

很明显，魏则西事件后，所有人心里都门清：百度在作恶，而且不是一天两天了。

但并非所有人都欣然接受对百度的抨击与讨伐。事实上，说超过80%的中国人对百度的作恶视若稀松平常乃至正常，且对讨伐百度不以为然，应该一点也不夸张。

格隆汇有不少会员来自百度，格隆与很多百度员工聊天，他们不约而同都在叫屈：百度也是受害者，百度有苦说不出。百度被黑，是因为民粹要找个宣泄口和替罪羊，其他搜索引擎其实都这么干。是监管部门的责任，这个锅，百度不背。

一个完全公允，且有相当独立思考能力的朋友发给格隆的一段话最具代表性：没有必要墙倒众人推。百度并不是恶人，它只是在做一家必须赚钱的公司该做的事情。Business is business.这种生意，百度不是唯一一家。搜狗、360搜索，其实都是一路货色，不会有啥本质差别。商业制度环境如此，商业模式如此，百度能怎么样？起底莆田也好，围剿百度也好，最终发现，其实是个大染缸，人人互害，人人受害。

事实当然绝非如此！

假设——注意，格隆说的是假设，假设制度规则环境真的有问题，也绝不是免除所有人罪责的理由。

相对于制度之恶，那种不思想、无判断、对于显而易见的恶规恶行不加抵制，盲目服从，甚至是直接参与并从中谋利的参与者之恶，后者比前者之恶，有过之而无不及。

这就是20世纪最出色的哲学家之一的汉娜·阿伦特（HannahArendt）所谓的"平庸之恶"：这种恶，是不思考。不思考人，不思考社会。恶是平庸的，因为你我常人，都可能堕入其中。把个人完全同化于体制之中，服从体制的安排，默认体制本身隐含的不道德甚至反道德行为，甚至成为不道德体制的毫不质疑的实践者，虽然良心不安，但依然可以凭借体制来给自己他者化的冷漠行为提供非关道德问题的辩护。

道德将从此沦丧。

## ▷ 二

第二次世界大战后,曾经有两次对纳粹的审判。对于高级军官的审判很快就结束了,但对低级军官的审判在战后几年才开始。时值 1947 年,德国纳粹早已不是世界的威胁,不少人质疑这场审判的意义。关于一场已经发生并被解决了的灾难,我们有必要反复回溯"展示耻辱",甚至去追究和复仇吗?

普林斯顿大学一位叫汉娜·阿伦特的犹太裔教授的论点最终支持了审判的进行:"这场战争,如果只是邪恶的人做了邪恶的事,那么审判确实没有必要。但是否还有一种可能性:这场战争的种种决定,是善良的人在特殊的情况下,做出了恶的决定?那我们是否有必要回顾,是什么样的情况,让一个善人做了恶的决定?"

1961 年 4 月 11 日,以色列政府在耶路撒冷对逃亡 18 年之久,在犹太人大屠杀中执行"最终方案"的主要负责人、被称为"死刑执行者"阿道夫·艾希曼(Adolf Eichmann)进行了审判,审判一直持续到 5 月 31 日,艾希曼最终被判处绞刑。

艾希曼——奥斯维辛集中营的总管。可以说,就是他的设计,把 60 万犹太人送上了死路。他在战后一度潜逃阿根廷,历经 18 年。1961 年,锲而不舍的以色列情报部门摩萨德终于查出艾希曼的下落。当时有一部纪录片描写整个抓捕过程:艾希曼在阿根廷的一辆巴士上被发现、包围,当场麻醉之后,秘密押上飞机带到德国。清醒之后,这个想象中应当残忍冷酷、毫无人性的人,开口第一句话是:

"我的妻子在哪里?请不要伤害我的孩子。"

他没有头上长角,他没有三头六臂,他不是想象中的恶魔。在危难之际,他的第一反应,是关心他身边的亲人。

汉娜·阿伦特以《纽约客》特约撰稿人的身份全程跟踪了这次审判,在其后完成的著作《耶路撒冷的艾希曼》中这样描述审判席上的纳粹党徒艾希曼,"不阴险,也不凶横",完全不像一个恶贯满盈的刽子手,就那么彬彬有礼地坐在审判席上。整个庭审过程中,他的表现非常安静。安排车次、装载犹太人、一批一批的运载反复,他说,我是在做我的工作。我的工作是让车次运行得快,让车次运行得有效率。他充满自豪地回顾,在这个岗位上,没有人比他做得更好。他勤恳奉公,完成工作无可指摘。

他甚至宣称"他的一生都是依据康德的道德律令而活,他所有行动都来自康德对于责任的界定"。艾希曼为自己辩护时,反复强调"自己是齿轮系统中的一环,只是起了传动的作用罢了"。作为一名公民,他相信自己所做的都是当时国家法律所允许的;作为一名军人,他只是在服从和执行上级的命令。

只是他怎么可以无视这个事实,无视他的装载量出众的车皮上装载的是,无数条将要无辜死于种族屠杀的生命。他怎么可以无视,他视为"只是一份工作"的工作,有如此深远的道德破坏力。

道德的反面,不是不道德,而是漠视道德。

1962年6月1日,艾希曼被以反人道罪等15条罪名处以绞刑。

在阿伦特的眼中,艾希曼并非恶魔,而是即使在今天看来也是"正常的人"。在第三帝国中,他是一个遵纪守法的公民,一个好党员,当然没有理由将自己看成是有罪的。他并非灭绝的组织者,他只负责协调并管理将犹太人押往死亡营,只是执行"自上而下的命令",忠诚履行职责而已。

阿伦特写道:"从我们的道德准则来看,这种正常比把所有残酷行为放在一起还要使我们毛骨悚然。"

在这里,她把罪犯与"平庸"联系起来,说:"艾希曼既不阴险奸诈,也不凶横。恐怕除了对自己的晋升非常热心外,没有其他任何的动机。他并不愚蠢,却完全没有思想——这绝不等同于愚蠢,却是他成为那个时代最大犯罪者之一的因素。这就是平庸……这种脱离现实与无思想,即可发挥潜伏在人类中所有的恶的本能,表现出其巨大的能量。"

**逃亡18年仍被绳之以法的阿道夫·艾希曼**

柏林墙倒塌后的第一年,在柏林进行了另一场有关"平庸之恶"的著名审判。这次接受审判的是4个30岁都不到的年轻人,他们曾经是柏林墙的东德守卫。

两年前一个冬夜里,刚满20岁的克利斯和好朋友高定,一起偷偷攀爬柏林墙企图逃向自由。几声枪声响,一颗子弹由克利斯前胸穿入,高定的脚踝被另一颗子弹击中。克利斯很快就断了气。他不知道，他是这堵墙下最后一个遇难者。那个射杀他的东德卫兵，叫英格·亨里奇。当然他也绝没想到，短短九个月之后，围墙被柏林人推到，而自己会站在法庭上因为杀人罪而接受审判。

柏林法庭最终的判决是：判处开枪射杀克利斯的卫兵英格·亨里奇三年半徒刑，不予假释。

他的律师辩称，他们仅仅是执行命令的人，根本没有选择的权利，罪不在己。主审法官西奥多·赛德尔当庭指出："作为警察，不执行上级命令是有罪的，但是打不准是无罪的。作为一个心智健全的人，此时此刻，你有把枪口抬高一厘米的权利，这是你应主动承担的道德义务。"

▷ 三

"平庸之恶"往往与极权相关。

探讨集权主义，有两本书是格隆百读不厌的，一本是哈耶克的《通往奴役之路》，一本是汉娜·阿伦特的《极权主义的起源》。

汉娜·阿伦特1906年出生于德国汉诺威一个犹太人家庭，在海德堡大学雅斯贝尔斯的门下获哲学博士学位。但由于她是犹太人，无法获取教授学术资格认定（habilitating），她也就不能在任何德国大学授课。1933年希特勒上台后开始了大规模迫害犹太人，汉娜被迫流亡巴黎。随着第二次世界大战爆发，法国部分领土被纳粹德国占领，阿伦特不得不再次流亡。1941年，在美国外交官Hiram Bingham IV——他曾"非法"向2 500名犹太难民发放了签证——的帮助下，阿伦特前往美国。

经过了多次流亡，以及20世纪"具有最黑暗的混乱、最黑暗的野蛮、最黑暗的残酷"的时代后，几乎是源

**20世纪最出色的哲学家汉娜·阿伦特**

于一种直觉，阿伦特总能够准确地捕捉到历史的脉动与矛盾，并从中找到人性的位置。她常被称为哲学家，但她本人始终拒绝这一标签，理由是"哲学关心的是单个的人"，而她的著作集中关注"生长繁衍于大地之上的人类，而非个人"。

没有人比阿伦特更了解：20世纪的道德大崩溃，不是由于人的无知或邪恶，未能辨别道德"真相"，而是由于道德"真相"不足以作为标准，评判人们当下可能做出的事情。

1958年，《极权主义的起源》再版，该书以纳粹德国作为主要分析对象，她写道："极权主义是一种现代形式的暴政，是一个毫无法纪的管理形式，权力只归属于一人。一方面滥用权力，不受法律约束，服从于统治者的利益，敌视被统治者的利益；另一方面，恐惧成为行动原则，统治者害怕人民，人民害怕统治者。""它甚至公然鼓吹和践踏人的道德信条，使得撒谎、做伪证、对他人行使暴力等做法畅通无阻"。

她在书中对极权主义作为一种新的国家形式和历史上各种专制政治、独裁制和暴政形式做了区分，分析它的"现代性"的特点。她指出，"极权国家除了独一（monolithic）结构，一个突出的现象就是政党和国家并存的现象，完全缺乏制度。极权统治蔑视一切成文法，甚至蔑视自己制订的法律，发展到全面专政，就是警察国家。在这样的国家里，活生生的人被强行塞进恐怖的铁笼中，从而消灭行为（活动）的空间。没有这种空间，就不可能获得自由的现实状态。极权统治的结果，人们不但丧失了自由，甚至窒息了自由的渴望，窒息了在政治领域以致一切领域内的自发性和创造性。整个社会无所作为。"

这导致的结果，就是普通人在丧失现实感的同时，丧失了对于周围世界健全、正当的判断，把个人完全同化于体制之中，服从体制的安排，默认体制本身隐含的不道德甚至反道德行为，或者说成为不道德体制的毫不质疑的实践者，从而犯下无数突破道德底线的"平庸之恶"。

无他，根本原因就在于整个社会缺乏批判性思考。而逃离"平庸之恶"，重建道德的前提，是社会中的每个个体，能够反抗道德崩溃时代平庸之恶的引诱，不放弃思考，不逃避判断，心有敬畏，承担起应有的道德责任。

## ▷ 四

很多时候，道德底线都远比法律底线更有意义：一个没有法律的社会，可以运作得很好，但如果没有了道德底线，个体的"平庸之恶"能毁掉整个社会。

1981年，美国UCC化工公司在印度的Bhopal设立工厂，生产胺甲萘。那个城市如印度所有的城市一样，人口密集。工厂设在闹市区，生产过程中会释放大量的致命的异氰酸甲酯，同时工厂一直大量囤积这种致命化学物。按照美国标准，这种生产标准决不能通过，但按照印度当地法律，则是可以被接受的。

公司美国总部并非不知道其中风险，但鉴于能为股东"make money"，且形式上不违反任何印度法律，大家都这么干，所以工厂如期开工。

1984年12月2日午夜，异氰酸甲酯气体发生泄漏。

没有明确的伤亡数字。约数为：当场死亡10 000～20 000人；终身残疾100 000人；部分致伤致残500 000人。

**Bhopal异氰酸甲酯气体泄漏事故中部分丧生者**

没有一场战争曾经一夜之间伤害过这么多生命。投在广岛的原子弹没有，投在长崎的原子弹没有，两者加起来也没有。

讽刺的是，悲剧发生的当时，那些事故的幸存者，那些工会头领，那些眼看着自己的同胞一夜惨死，眼看着更多的曾经的同事遭受终身无法正常呼吸的苦痛的人，在当时提出的口号是：不应该指责UCC工厂。我们已经失去了上千条生命,难道我们还要失去上千个工作机会吗?

这在贫穷的印度几乎是一个百试不爽的要挟:工作还是生命?去工作,在不安全的条件下,发生这样的事故的概率,也许十年一遇;但如果失去工作,饥饿明天就会降临。

这家公司,最终赔偿 4.7 亿美元,折合每条人命 3 300 美元。

**这场悲剧是一场事故,不是阴谋。不违法,不违规,没有居心叵测的一小撮在那个月黑风高的夜晚悄悄扳动阀门,滥杀无辜。没有人需要在其中承担法律责任,一切都是实在的无心之过。**

**但这里唯一没有安排座位的,是道德。**

## ▷ 五

为了加速战争的结束,1945 年 2 月 13 日,英国皇家空军针对平民与伤员为主要人口的德国东部城市德累斯顿,发动了的大规模空袭行动。德累斯顿这座曾经美得让人惊叹;象征着德国巴洛克建筑之最的城市被彻底摧毁,超过 25 万人死亡。直到今天,德累斯顿大轰炸依然被看作第二次世界大战历史上最受争议的事件之一,甚至被视为战争罪行。

战后被称为"屠夫"的英国空军司令哈里斯也承认,这是杀戮人民,但他强调空袭是为了尽快结束战争,方案也不是由他制定的,他只是执行而已。同样辩解的包括丘吉尔。1945 年 3 月丘吉尔致信英总参谋部,试图为轰炸开脱责任,但总参谋部"基于显然的人道灾难"拒绝接受这一文件。

或许，丘吉尔后来在回忆录中的阐述真正反映了他的道德挣扎："如果我们走得太远的话，是否也会成为禽兽？"

每个人都可能经历"黑暗时代"，但这绝不是你作恶的理由和托词。雪崩的时候，没有一片雪花认为自己有责任，但破坏力实实在在就在那里。

格隆以汉娜·阿伦特另一本名著《黑暗时代的人们》的序言来做本文结尾：

"即使是在黑暗的时代中，我们也有权去期待一种启明（illumination），这种启明或许并不来自理论和概念，而更多地来自一种不确定的、闪烁而又经常很微弱的光亮。这光亮源于某些男人和女人，源于他们的生命和作品，它们在几乎所有情况下都点燃着，并把光散射到他们在尘世所拥有的生命所及的全部范围。"

2016 年 5 月 7 日

# 千古一帝公孙鞅

**题记**：抹去历史厚厚尘埃，分明真正端坐在历史起点睥睨、俯视整个中华帝国轨迹的，唯有公孙鞅。

▷ 一

今年是公孙鞅被车裂2 354年。

翻开中国历史，秦皇汉武，唐宗宋祖，城头变幻大王旗，各路帝王将相如恒河沙数，走马灯一样轮换，看似风光无限，但其实都如走卒一样，按照固定的模式和套路玩着。抹去历史厚厚尘埃，分明真正端坐在历史起点睥睨、俯视整个中华帝国轨迹的，唯有公孙鞅。

2 300多年来，无论帝王，还是平民，其实一直都生活在他一手打造的制度框架体系中。这种制度枷锁是如此之厚重，以致我们挣扎了2 000多年，也依然没能走出他的阴影。

千古一帝，唯公孙鞅。

▷ 二

中国历史上有无数的变法，管仲改革、李悝变法、吴起变法、王莽改

**史书上形象高大的公孙鞅**

制、庆历新政、王安石变法、张居正改革、洋务运动、戊戌变法等,但所有这些"变法",都只能算是修法。历史上唯一一次能称为变法,并因此对整个社会运行方向产生根本性调整和牢固定位的,唯有公元前356年战国中期开始的公孙鞅变法。

公孙鞅(约前390~前338年),公孙氏,名鞅,原卫国公族,亦称卫鞅。初为魏相公叔痤家臣,后自魏入秦,辅秦孝公变法。为秦相十九年,以功封于商,故亦称商鞅、商君。前338年,孝公死,太子驷(秦惠王)即位,为政敌以谋反罪追捕,车裂而死。

因为"秦统一中国是必然的历史趋势与巨大进步"这个从无人质疑的定论,中国历代史籍从来不吝啬给公孙鞅以尊崇度极高的褒奖。《史记·商君列传》则是这样赞誉商君变法的:"行之十年,秦民大悦,道不拾遗,山无盗贼,家给人足,民勇于公战,怯于私斗,乡邑大治。"杜牧在《阿房宫赋》用六个虽简单但恢宏的字概括了公孙鞅奠定基础后的秦一统中国:"六王毕,四海一!"秦之胜,表面上是铁马金戈的胜利,但实质是公孙鞅一手打造的秦政制的胜利,"秦兴起,端赖商君佐之,内立法度,务耕织,修守战之备,外连衡而斗诸侯"。而近代史书则直接对公孙鞅冠以"奠定秦统一根基,推动历史进步"的大改革家。

如果就这样粗浅理解公孙鞅,那我们可能永远也弄不清强秦因何"二世而亡",以及后来中国历史长达两千多年的帝制集权轮回。

公孙鞅所在的战国初期,中国处于一个周王室衰微,名统一,实际个分封诸侯国各自为政,互有攻伐的社会转型期和道路选择期。旧的宗法社会结构开始逐步解体,个体家庭成为社会基本经济单位,政局在动荡中打破了僵化的等级秩序,阶级升降变动空前活跃,荒野大量开发,城市商业成分增加,士人参政议政,中国历史上最宽松的百家争鸣局面形成,重视民众地位和藐视君主权威的思想,如孟子的"民贵君轻",荀子的"水则载舟,水则覆舟"等思想广为流传与接收,各地经济文化交流频繁,社会开始爆发出前所未有的活力。

即使当时的战争,也多是伤亡不大、点到为止的"君子式"战争。春秋是一个人才辈出、"战而不乱"的时代。

公元前356年公孙鞅"专制、集权、富国、愚民、弱民"的变法,彻底改变了这一切。自此以后,"百代皆行秦政制",我们现代意义上理解的"战乱"正式降临这片土地,中国也由此时进入一轮又一轮的封建专制轮回。

公孙鞅变法的内容约可分成五个方面：

1. 什伍连坐，轻罪重刑。即将民众置于严密的军队式组织控制之下，并在中国历史上第一个开乡村邻里间告奸连坐之先河。

2. 奖励耕织，摧抑工商。"事末利及怠而贫者，举以为收孥。"这一举措不遗余力地摧残工商业，重农抑商遂成为此后统治者长期奉行的国策。

3. 奖励军功，严禁私斗。主旨在以极大的诱惑力驱使民众去为国家作战卖命。

4. 推行郡县制，并明确加强国家土地所有制，完成中央集权统治模式。

5. 焚烧诗书，禁止游学，把君主专制统治和加强军事力量建筑在牢靠的愚民政策之上。

所有严刑酷法，与"富民"无关，都只是为了把秦国变成一架高效的"战争机器"，富国强兵，在最短时间内称霸天下。

公孙鞅的《商君书》清晰记载了奖励军功的"人头数量法"："其战，百将、屯长不得，斩首；得三十三首以上，盈论，百将、屯长赐爵一级。"这句话意思是，"百将、屯长在作战时如果得不到敌人首级者，杀头；得到敌人三十三颗首级以上，才算达到了朝廷规定的数目，并可以升爵一级。"

史载，秦国军人为了抢一个人头，不惜杀害自己的战友。《史记》记载，仅白起的部下，就斩杀、活埋、沉水消灭敌军150万，而当时可考的全国总人口仅只2 000多万人。可以想见，中国人为统一付出了多少生命！

这种杀人如麻、牺牲无数个人微末幸福去成就的"统一大业"，到底是值得夸

**长平之战，秦将白起坑杀赵国40万降卒**

耀的历史进步,还是民众被绑架为"耕战之器",为帝王霸业无奈赴死的社会悲剧?

格隆认为,唯有公孙鞅能俯视两千多年的中国历史,当然不只是因为他打造了一架高效的战争机器。

是因为他把中国从此纳入了长达两千多年、轮流坐庄的专制集权政制轮回——百代皆行秦政制。

## ▷ 三

为了打造一台争霸天下的"战争机器",公孙鞅的变法,除了以赤裸裸的"人头法"奖励军功,其他的所有内容,都可简单概括为两条:(1)上,最大限度加强中央集权;(2)下,最大限度愚民、弱民。

在实行郡县制,"壹山泽"(国家垄断所有山泽之利,不许人们开发利用),并极力强化土地国有,完成"权者,君之所独制也"(《商君书·修权篇》)这一专制统治模式之后,为了把民众捆绑在土地上"专一农耕",公孙鞅严禁任何商业行为。要求"使商无得籴,农无得粜"(《商君书·垦令篇》),禁止任何粮食贸易,并"重关市之赋,则农恶商",用提高关税来压制农民经商,甚至"废逆旅",禁止农民从事开设旅店等副业以增加收入,"无得取庸",不允许富裕人家雇佣帮工。《商君书·垦令篇》还规定:"使民无得擅徙",任何人临时外出,也得有政府开验的证明文书,否则连旅店也不能借宿,"商君之法,舍人无验者,坐之(《史记·商君列传》)",以此来禁止人口流动。

为了相关政策的推行无误,公孙鞅采取了"严刑峻法"。司马光在《资治通鉴》里记载公孙鞅的严酷:亲自去看公捕公判,杀人杀得渭水都被染红——与近代史书上记载的搬一根木头赏赐五十金的公孙鞅形象,截然不同。

这种强迫生产力只得单一从事农业的抑商政策,短期内或许会有所谓"家给人足"之誉,但长远来必将窒息国民经济的全面发展,将社会的经济结构完全封固僵化,扼杀社会中所有的变革因素,极大强化和稳固了君主专制统治体制,也因此而在漫长的封建社会中为统治者所长期奉行。

"民愚则易治也"是公孙鞅变法里贯穿始终的核心思想之一。《商君书·农战篇》要求人们除了积极从事农耕与参军作战之外,必须舍弃杜绝其他一切社会生计与文化生活,与燔诗书、禁游学等野蛮措施配合,把民智、民力限制在一个极其单调、简陋的小世界里,以便民众在相当蒙昧的状态下,成为听任帝皇摆布的"耕战机器"。

新法中最让人争议的就是"连坐法"。这种制度是建立户籍制,把百姓置于国家的严密监视之下,并使他们互相监视、监督。"不告奸者腰斩,告奸者与斩敌首同赏,匿奸者与降敌同罚。"在同一个社会组织里,一人有罪,则人人受刑,甚至株连三族。

公孙鞅是中国历史上第一个把"告密"行为制度化、法律化的,人人都是密探,处处都有监视,以致人人自危。而且公孙鞅给秦孝公的明确要求和建议是"以奸驭良":"国以善民治奸民者,必乱,至削""国以奸民治善民者,必治,至强"。

讽刺的是,公孙鞅自己也被亲手打造的这套恐怖"政制"所绑架、所吞噬,也算求仁得仁了。

即使在其权力如日中天时,"天资刻薄"(司马迁语)的公孙鞅每次外出仍如临大敌,都要"后车十数,从车载甲,多力而骈胁者为骖乘,持矛而操戟者旁车而趋,此一物不具,君固不出"(《史记·商君列传》)。

**惠王车裂之,而秦人不怜**

前338年,秦孝公卒,太子立。公子虔之徒告商君欲反,发吏捕商君。商君亡至关下,欲舍客舍。客人拒曰:"商君之法,舍人无验者坐之。"商君喟然叹曰:

"嗟乎,为法之敝,一至此哉!"去之魏。魏人怨其欺公子卬而破魏师,弗受。遂内秦,与其徒属发邑兵北出击郑。秦发兵攻商君,杀之於郑黾池。

《战国策》这样描述公孙鞅最后的命运:"惠王车裂之,而秦人不怜。"

公孙鞅的墓地在黄河德丰渡口附近的秦驿山下(今陕西省合阳县城东 23 千米处),墓高三米多,直径十余米。

## ▷ 四

秦以后,"百代皆行秦政制",至朱元璋时已"片板不许入海",大名鼎鼎的康乾盛世时最流行的政府活动则是全国大范围"删削书籍,以正视听",中国人最终变成了肢体羸弱,只知道盲从和谄媚的另类民族和大国愚民。等到近代中国人真正放眼看世界的时候,一切已经恍如隔世。

中国历史上有无数的所谓盛世,但无一例外都没有走出公孙鞅 2 300 年前设定的政制框架:高度集权、愚民弱民。那些看似风光的各代帝王,其实从来没有离开过公孙鞅的视线。

这种禁锢所有民众进入笼子,以供一人之赏,一人之需的"盛世",外强中干,被历史一次次轻松戏耍和推到。

期待万世相传,中国历史上第一个"不可战胜"的"强大"盛世:秦帝国,立国 2 年,便"戍卒叫,函谷举,楚人一炬",连阿房宫也被烧得剩下一片"可怜焦土"。

乾隆五十八年夏(1793 年),以马戛尔尼为团长的访华使团到达**近代史上离我们最近的盛世"康乾盛世"**。这是当时世界第一工业、军事强国英国与这个东方集权帝国的第一次面对面,也是锁国 500 年之久的中国第一次出现的正规意义上的外交使团——团员里有一个当年只有 12 岁的孩子,名叫斯当东。

乾隆没有丝毫兴趣了解这个他眼里的"蛮夷国家"——哪怕对方带来并展示了火药枪的强大杀伤力,他花了大量时间与对方纠结,团长马戛尔尼见他的时候,是应该单腿跪拜,还是双腿跪拜。当然,为了显示必要的亲和,他把那个 12 岁的少年斯当东抱在膝上逗玩。

远道而来的马戛尔尼,一眼就看出了纸老虎的外强中干,也能看出今日中国投在地上的阴影:"中国人没有信仰,如果说有的话,那就是做官,做官便譬如他们的宗教。""事实上，中国只有统治者和被统治者。""中华帝国只是一艘破烂不堪的旧船。"这个民族不进则退，像个一推就倒的泥足巨人。

1840年第一次鸦片战争英军舰进攻厦门

"像个一推就倒的泥足巨人"的比喻，出自那个12岁的随团少年、副团长的儿子斯当东的日记。47年后，即1840年春季，英国国会连续两个多月开会，听证与辩论要否出兵中国。最后以271票对262票的微弱9票，通过了对华出兵议案。

那位48年前的访华少年，彼时已是年届六旬的议员斯当东。你猜他会投什么票？他投了推倒"泥足巨人"的赞成票！

▷ 五

说公孙鞅是历史的罪人，肯定言过其实。要一个在2 354年前就已被车裂而死的古人为两千多年的封建集权历史承担责任，无疑是过于强人所难了。

其实我想说的是，那是在卸责：制度都是我们自己选择的，与他人无关。

格隆在大学学了十年经济学，最有兴趣的流派就是制度经济学。制度经济学里有一个著名的课题:"如果我们承认每一个人都是理性的经济人(即个人理性),那么究竟为什么人们要去设计并创造出与自身利益不甚吻合或干脆是背道而驰的制度(即"制度悖论")?

在假定了"制度→人类选择→经济结果"之间的唇齿关系之后,这个问题的提法就变成了如下形式:为什么部分民族国家或地区的人们要去选择或干脆说是默认了使自己所属的民族国家或地区长期停滞或趋向衰败的制度?"

多数学者的理解是:部分人,并无制度选择权,而是被动接受。

但奥尔森(公共选择理论的奠基人)明显不这么看。

在其著作《集体行动的逻辑》中,奥尔森指出:少数人也许比多数人更有力量。因为人越少,结成联盟的成本越低……但是这少数人的成功与多数人的"合乎理性的容忍"有关。因为多数派中的每个人的成本—收益分析表明,采取集体行动对抗少数派是得不偿失的。因此不能说,少数人把有利于自己的制度安排强加给多数人了。这种制度安排起码是多数人不反对的。那么,结论只有一个,就是,对大多数人不利的制度安排是他们自己选择的,"所有的制度安排都是公共选择的结果"。

奥尔森的逻辑是:你要真认为制度坏,你早就起来反抗了;你没反抗,说明你认为容忍是理性的。

总之,制度经济学一贯的主张是:历史悲剧和社会灾难,不可能是个人或少数人造成的,它们往往是某种制度安排的结果。而所有制度安排都是大多数人选择的。因此,尽管每个人的选票(或公共选择的其他形式)对制度形成的作用是微乎其微的,使得几乎每个人从来都扮演指责别人的角色,但事实是,正是这种不易察觉的责任的集合,才最终构成了制度选择的失败。

制度经济学的"混蛋"之处在于:它只是"信使",只分析人们如何行为(包括忍和不忍),根本没有告诉你应该如何行为。

该如何做,是你自己的事。但制度经济学至少告诉了你:如果有任何历史悲剧,不要以环境裹挟为借口。

历史悲剧和社会灾难,不可能是个人或少数人造成的,因为所有的制度安排,都是公共选择的结果。

2016 年 5 月 21 日

# 科举、高考、启蒙运动与一个民族的救赎

题记：任何社会或者政权，如果剥夺民众获得知识的权利，就一定是邪恶的。

▷ 一

自秦以后长达两千多年的历史，中国从来都是一个雄睨天下、无出其右的泱泱帝国。历史上的中国到底有多强大，比较一下 1405 年郑和下西洋的宝船与 88 年后（1492 年）哥伦布美洲探险旗舰圣玛丽亚号的大小就知道了（见下图，大船为郑和下西洋的宝船）。

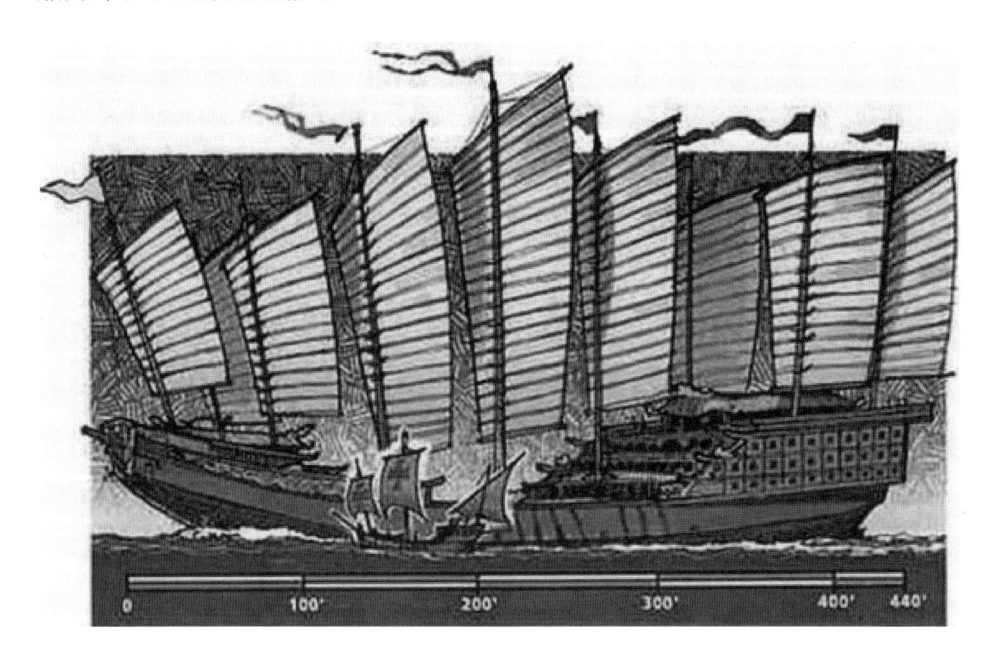

每个中国人心目中,其实都有一个中华"大国梦":希望我们的文字、文化与声音被广泛传播和接受,希望我们的产品、服务出现在世界各地的每个角落,希望我们的朋友遍天下且万邦来朝,希望"犯我强汉者,虽远必诛"……

所以,格隆想再次探讨那个困惑很久,但一直没有得出结论的话题:

1. 为什么前两千年,中国能领先如斯?

2. 近两百年来,又落后如斯?

不找出这两个问题的根本症结,我们或许会永远徘徊在历史的迷宫。

## ▷ 二

国家的强大与衰落,都是与他国比较出来的。中国所谓的领先与落后,比较的参照系,主要是欧洲。

那么,欧洲是从什么时候开始超越,乃至最后碾压这个东方帝国的呢?多数人会把这个时间划在中国近代史的起点,也即1840年鸦片战争,这是郭沫若先生的划分方法。如果这么划分,我们永远也不会知道掩盖在历史厚厚尘埃下的真相,更罔谈寻找出路。

格隆先上几个历史史实。

公元前338年,在中国与遥远的欧洲同时发生了两件大事,这两件事导致了无比相似的历史结果:文化与思想的大劫难。

好在,千年磨难后,欧洲人把握住了救赎的机会,而中国则放弃了。

公元前338年9月1日,古代世界最具决定性的战役之一,喀罗尼亚战役(Battle of Chaeronea)打响。来自"野蛮之邦"马其顿的腓力二世率步兵3万、骑兵2 000对阵雅典与底比斯为主的3万希腊联军,此役,腓力二世的儿子,做过亚里士多德的学生,但却信奉"和着鲜血的长矛是世界唯一语言"的年仅18岁的亚历山大担任左翼指挥官。凭借"马其顿方阵"等新型战法与武器,希腊联军被彻底击溃,1 000余人战死,约2万人被俘。战后,最早摸索和开启人类民主体制、代表整个欧洲最先进文明的希腊文明被付之一炬,埋入废墟,整个希腊城邦则被绑定到马其顿人的战车上,开始了对欧洲、非洲、亚洲无休无止的野蛮征伐。

这些征伐,换来了亚历山大大帝横跨亚非欧三洲,全境约500万平方千米的大帝国,也开启了欧洲文化自此断层,从此开始上千年在黑暗中摸索的历史。

自此后的整个中世纪,欧洲都是在蒙昧与黑暗中度过的,直至1700年后开始的文艺复兴、宗教改革与启蒙运动三大思想解放运动开始的救赎。

公元前338年,遥远的东方中国也发生了一件大事:当年秦孝公死,太子驷继位为惠文君,公子虔之徒诬告公孙鞅谋反,中国历史上的第一个改革者、把中国从此纳入长达两千多年、轮流坐庄的专制集权政制轮回(百代皆行秦政制)的千古一帝公孙鞅,被"惠王车裂之,而秦人不怜"。

征服者亚历山大

挪开"秦统一中国是历史巨大进步"的光环,公孙鞅变法最令后世诟病的,除了他强化集权,另一点就是他最明确、最系统化、最严苛的"愚民"之策。"民愚则易治也"(《商君书·定分》)是公孙鞅变法里贯穿始终的核心思想,并通过"燔诗书,禁游学,贱学问"等系统性方法推行之,毁诸子百家诗书,以闭塞人们获得知识和信息的途径,把民智、民力限制在一个极其单调、简陋的小世界里,以便民众在相当蒙昧的状态下,成为听任帝皇摆布的"耕战机器"。

《史记》记载了公孙鞅变法一个非常有趣的细节:一开始有些老百姓反对"新法",公孙鞅把他们抓起来排着队在渭水边上砍头,以致河水都变成了血红色;后来,老百姓倒转过来,称赞"新法"好,结果也被公孙鞅抓起来全家流放到边关:"秦民初言令不便者,有来言令便者,卫鞅曰'此皆乱化之民也',尽迁之於边城。其后民莫敢议令"(《史记·商君列传》)。

为什么反对者要杀头,拥护者也要流放?原因很简单:公孙鞅需要的是"愚民",愚民就不应该思考国家政策的好坏,他们不应该拥有思考国家政策好坏的能力,他们只要会下田耕地、会上战场杀人就足够了。

"民愚则易治也。"这条金科玉律,被此后两千年的各代帝王不打任何折扣地

公元前212年，秦始皇焚毁书籍、坑杀"犯禁者四百六十余人"

践行，这才是中华民族的噩梦与劫难：秦以后，"百代皆行秦政制"，至朱元璋时已"片板不许入海"，大名鼎鼎的康乾盛世时最流行的政府活动则是全国大范围"删削书籍，以正视听"，多数中国人最终变成了没有独立思考能力，更罔谈创造力，只知道盲从和谄媚的另类民族和大国愚民。

换句话说，在公元前338年那个非常巧合的节点上，中国与欧洲其实殊途同归地站在了同一个起点，做着同一件事：摧毁文明，禁锢思想，整个社会的民众都开始进入一个痴愚、蒙昧的黑暗阶段。

同样的起点，但随后的两千年，为何中国能胜出？

无它，科举制使然。

▷ 三

秦以后的两千年，除了中国大一统的时间远超过分崩离析、小国如林的欧洲，从而便于集中资源、提高经济运行效率外，保障中国能胜出的核心要件，其实

439

有且只有一条：中国拥有在当时世界最先进、最公平，也最科学的人才培养、选拔和任用制度——科举制。

直到14世纪末文艺复兴开始前，欧洲一直都生活在蒙昧的黑暗中，除了极少数贵族、僧侣有受教育的权利与途径，整个欧洲大陆几乎都是目不识丁的民众，保守的教廷压制任何新思想与创造力。这令欧洲社会在长达两千年的时间里，除了宗教强加的冥想与慰藉外，没有任何创造性的机制与土壤。

中国不同。中国有恩荫每个角落的科举制，哪怕是偏僻到一个在南蛮之地广东花县世代耕读家庭的孩子洪秀全（尽管他四试而未中，但从他入主天京后写的那些"天父诗"来看，格隆倾向于认为主考老师的判卷绝对是秉公而为的）。

科举考场——江南贡院

中国的人才选拔方式，从秦国商鞅变法后的世卿世禄制，发展到后来的察举制、九品中正制，理论上讲，均是根据自己的名声通过乡里品评、举贤来当官，核心机制仍是"拼爹"。

改变来自科举。

我国的科举考试制度始于隋朝大业元年（公元605年），至唐太宗时将考试的范围扩大,由原来单纯的一门变成了考四门到五门,甚至还有临时增加的一些针对当时社会情况的内容。该制度到 1904 年清政府在张之洞等人的主持下颁行了《奏定学堂章程》后,于 1905 年(清朝光绪三十一年)举行最后一科进士考试为止,经历了一千三百多年。

只要阅读一两银子就能买得起的四书五经等"圣贤书",然后一张试卷面前人人平等,开放考试,全凭才学取仕。唐代著名诗人白居易于贞元十六年(公元 800 年)赴长安参加科举考试,籍籍无名。当时的文化名人、诗人顾况嘲讽:"长安百物贵,居大不易。"但当读到《赋得古原草送别》中的"野火烧不尽,春风吹又生"一句时,顾况当即改口:"有句如此,居天下有甚难!"

科举之路虽然艰难,但却是寒士改变命运的最公平途径,也是防止社会利益阶层板结,实现阶级流动、下层人士改变身份,上层社会补充人才优渥的生态环境。科举制为促进两千年封建帝制下的社会流动,最大限度地追求实现社会的公平、正义起到了非常重要的作用。

朝为田舍郎,暮登天子堂,将相本无种,男儿当自强。从唐朝开始到 1905 年科举制度废除,总计取进士 10 万,其中过半出自寒门,而宋朝时的各级官吏中,超过 51% 的来自寒门,这在全世界各阶段都是一个相当罕见的比例。

这种"汇天下人才为我所用"的人才培养、选拔、社会流动机制,最大限度地保证了"愚民"的心智开发与贡献。这是同样实行"愚民"政策的中国,却能在秦以后两千年领先欧洲,并把差距越拉越大的核心原因。

▷ 四

现在,我们回到前文的第二个问题:最近 200 年,我们又因何落后如斯?

不是我们变弱小了,而是"敌人"醒过来,巨大的"后发优势",开始变得强大了。

当我们仍陶醉于千年"祖宗之法",并在巨大的惯性中得过且过的时候,欧洲人开始了对过去两千年的清算与自我救赎。这发生在 14 世纪末,也就是欧洲近代史开端时,标志性事件就是文艺复兴、宗教改革与启蒙运动三大开启民智的思想解放运动。

文艺复兴是在 14 世纪城市经济繁荣的意大利最先出现的,借助复兴古代希腊、罗马的思想与文化的形式,来对抗延续整个中世纪"黑暗时代"基督教文化的神权地位及其虚伪,主张个性解放和平等自由,提倡全民科学文化知识教育与普及。

文艺复兴产生了达·芬奇、米开朗基罗等一大批巨匠,为之后的宗教改革奠定了坚实基础,到18世纪则顺理成章发展成为席卷欧洲、声势浩大的"启蒙运动",代表人物包括伏尔泰、卢梭、孟德斯鸠、狄德罗、康德、洛克等,其共同主张,就是反对君主专制,提出"三权分立",主张天赋人权,以及尊重私有财产等。

其中比较著名的,比如"欧洲的良心"伏尔泰提倡天赋人权,认为人生来就是自由和平等的,一切人都具有追求生存、追求幸福的权利,这种权利是天赋的,不能被剥夺。他曾经说过:"我不能同意你说的每一个字,但是我誓死捍卫你说话的权利。"比如卢梭的"主权在民"的主张:他认为一切权利属于人民。政府和官吏是人民委任的,人民有权委任他们,也有权撤换他们,甚至有权举行起义,消灭奴役压迫人民的统治者。再比如洛克,他认为私有财产是人权的基础,没有私有财产无人权可谈,"我的茅屋,风能进、雨能进,国王不能进"就是他的名言。

启蒙运动旗手、"欧洲良心"伏尔泰

文艺复兴、宗教改革与启蒙运动三大开启民智的思想解放运动,彻底解放了笼罩在欧洲人身上近两千年的"愚民"枷锁,随着之后法国大革命颁布《人权与公民权宣言》、美国独立颁布《独立宣言》,天赋人权、三权分立、自由、平等、民主和法制的思想开始以制度形式在欧美牢牢落地生根。

什么是生产力?资源与制度。人是资源的核心变量,制度则是边界。制度边界决定了人的潜能发挥多大。欧洲的学校制度始于中世纪,而全民教育学则开始于启蒙时代。对人性、人的思想的解放,令整个欧洲的创造力勃发,也让他们在短短 200 年内创造了人类数千年都无法创造的财富。

很自然地,天下承平日久,在大国光环里沉醉了太久,仍囿于巨大的思维与认识惯性,"集天下为一人所用",丝毫没有认识到解放"人"这个要素重要性的中国帝国,迅速沦落为一个"一推就倒的泥足巨人"(1793 年英国访清代表团成员日记),也就不足为怪了。

## ▷ 五

我们回到文章开始"三宝太监"郑和的宝船。

罗懋登的《三宝太监西洋记》中说,宝船造价之高,"须支动天下一十三省的钱粮来方才够用"。郑和庞大的船队依靠指南针,从西太平洋穿越印度洋,而直达东非,这种亘古未有的豪华远航,前后总共进行了 7 次,持续了 28 年。如果仅从经济角度来考量,那简直是荒诞透顶的破产举动。据明人王士性记载:"国初,府库充溢,三宝郑太监下西洋,赍银七百余万,费十载,尚剩百余万归。"

"劳民伤财"的郑和舰队成为众矢之的。数年之后,官方保存的郑和航海档案不翼而飞。明人严从简《殊域周咨录》中记载:"三宝下西洋,费银粮数十万,军民死者且万计,纵得其宝而归,于国家何益?……旧案虽有,亦当毁之,以拔其根。"

这个"亦当毁之"的,不单是航海日记,庞大的宝船回国后的命运是:"焚之"。

至于"其宝而归",其实就是世界各地的奇珍异兽而已。永乐十三年(1415 年),麻林国(今海盗出没的索马里)使者随郑和的船队,为永乐皇帝带来一只"麒麟"。如此"祥瑞"给"皇帝新装"的帝国带来莫大的惊喜。其实,这只"麒麟"只是一头长颈鹿而已。

经过 1600 年皇恩浩荡的"愚民"熏陶,帝国精英仅有的进化,只是从秦时的指鹿为马,变成指鹿为"麒麟"。

据记载,这支代表帝国权力的威武之师曾经四次海外用兵:

第一次,在锡兰(斯里兰卡)遭遇 5 万国王军的围攻,郑和船队反击,一举擒获锡兰国王,朱棣"悯其愚无知",又礼送其回国;第二次,苏门答腊王子苏干刺试图谋夺王位,郑和擒获送京伏法;第三次,爪哇西王都马板杀害郑和船队 170 名官兵后,朱棣要他赔款黄金 6 万两,遭到拒绝,经郑和严正交涉,最后以 1 万两成交;第四次,也是唯一一次真正的战争,是遭遇流落海外的中国海盗陈祖义,郑和船队毫不留情,予以全歼。

或许,越洋追剿剪灭那些胆敢入海、背国逃逸的帝国流民才是郑和舰队的真正使命——虽远必诛。从这一点来说,追杀建文帝绝非民间妄语。"洪武二十七年正月命严禁私下诸番互市者",永乐二年(1404年)正月,"下令禁民间海船。所在有司,防其出入"。郑和的航海,其实是对海禁的延伸,此举不仅斩断了陈祖义们的颈项,也斩断了一个海洋中国的梦想。

郑和下西洋如同一场吊诡的梦,很快就被历史所湮没,在以后的几个世纪中,"片板不许入海""删削天下书籍"成为一直举行的国策,以至于大多数中国人对内部世界、外部世界几乎一无所知。他们目力所及的眼前,就是世界的全部。

## ▷ 结语

按照启蒙运动核心人物康德的观点,启蒙运动的核心,其实就是人应该自己独立思考,理性判断,或者更简单地表达:不做"愚民"。

1919年,我们曾经有过一次救赎的机会(五四运动),但因缘际会,草草了之。

无知者不单无畏,更大的悲哀是无能:不会独立思考,无法客观比较,无丝毫创造力可言,唯余喏喏。民国大师辜鸿铭那句"我头上的辫子是有形的,你们心中的辫子却是无形的"——每个中国人心中其实都有一根如绳索一样的辫子。

之所以不能独立思考,非天性使然,而是因为中国前两千年,民众获取知识的视野、宽度与深度被刻意、严格压制。

在格隆看来,民智开启是一个政府唯一需要做的事情,其他任何动作都是多余的越俎代庖:有了心智,民众天然知道该怎么做,不劳政府费神。任何社会或者政权,如果剥夺民众获得知识的权利,就一定是邪恶的。秦如此,明如此,清尤甚。

如果年复一年、代复一代,培养出的都是一群没有任何自我思考能力,没有任何创造性的机器,这个社会又怎么可能不落伍?怎么可能劈波斩浪、一往无前?

蝼蚁再多,也永远做不到两件事:(1)盖不出摩天大厦;(2)弄不清路边疾驶而过的汽车是个什么东西。

心智使然。

1912年6月,就读于湖南省立高等中学的19岁的毛泽东同志,写了一篇名为《商鞅徙木立信论》的作文(《毛泽东早期文稿》,湖南人民出版社,1990年版,第1~2页),全文开篇如下:

"吾读史至商鞅徙木立信一事,而叹吾国国民之愚也,而叹执政者之煞费苦心也,而叹数千年来民智之不开、国几蹈于沦亡之惨也。"

毛泽东同志104年前的忧思,至今仍振聋发聩。

2016年5月29日

# "楢山节考"：国人为何越来越没有底线？

题记：如果一个社会，环顾四周，四处都是荒废的法律、崩塌的道德，几乎没有什么规则和底线可以让大众依凭，剩下的必然只有互相撕咬、互相吞噬，以及无尽头的恐惧。

▷ 一

获戛纳金棕榈大奖的电影，质量往往参差不齐，但1983年获奖的日本电影《楢山节考》，格隆先后看了三遍。

《楢山节考》讲述了一个发生在楢山山脚下贫困山村的凄婉故事：为了节约和留下生存资源，村里所有家庭，唯有长子可以娶亲，其他男性从有能力开始就必须像奴隶一样辛苦劳作，且终生没有接触性的机会，而活到70岁的老人则一律要被长子背到楢山上丢弃（曰"参拜楢山神"）。

所有老人们都自觉维护着这种传统，并视不守规矩者为不道德的人。

在这个荒僻的山村里，无处不在的贫穷似乎是高悬于头上的那柄达摩克利斯之剑，并催生了一套极端异化和残忍的道德标准。所有人都只为生存而挣扎，既没有人争取平等的权利，也没有公权力来维持人性的底线。

在这里，"楢山"不再是一座山，而成了病态社会环境与生态裹挟的一个异常隐晦的代名词。

▷ 二

近日，中国全社会最热门的话题，无疑是王宝强离婚案。这个靠诚实、守信、不抛弃、不放弃而从农村一路打拼上来的老实人，意外地被距离自己、自己的家最近的两个人——妻子与助手——联合算计，并肆意践踏和羞辱了一番。

绝大多数人都对宋、马这对男女充满了愤怒，原因很简单，这两个人突破了几乎所有人内心的道德底线。借用叶璇的那句话：他们吃人的、喝人的、用人的，还偷人，然后这种人还倒打一耙告上法庭要求道歉恢复名誉权！

今天写文章，当然不是来八卦这事的。当今中国，这种破事太多了，只是因为主角是王宝强，所以才引起这么多的讨论。我想探讨的，是这种无底线，而且毫不为耻、肆无忌惮的现象的背后：我们的社会，是否也存在一座类似日本的"楢山"？

事实上，这种无底线行为，在当今中国绝非个案。我们能轻易发现：少数官员会无休止的贪污，肆无忌惮践踏法律，救灾的款物敢贪，救命的钱敢偷，没咽气的人敢埋，无罪的人敢毙，住着人的房子敢拆；企业层面也好不到哪里，"毒奶粉""假疫苗""苏丹红""地沟油""火锅尸油"直至沸沸扬扬的百度与莆田游医事件，也让公众看到，中国哪怕知名的企业，为了经济利益也会随时将所谓的节操、良心和公共责任感踩在脚下；高大上的学术界、科研圈也层出不穷的学术造假，而普通百姓则对"道德、是非"这样的字眼越看越淡，无所畏惧。

如果一个社会，环顾四周，四处都是荒废的法律、崩塌的道德，几乎没有什么规则和底线可以让大众依凭，剩下的必然只有互相撕咬、互相吞噬，以及无尽头的恐惧，因为所有人都会像是在一片沼泽地上前行，没有谁会是安全的。

回到王宝强事件。在我看来，人群的愤怒，与其说是针对宋、马二人的无耻与无底线，毋宁说对这个无底线社会的愤怒与自身无可依俟的恐惧。

相信所有人都在问同一个问题：这个社会，到底是怎么了？

▷ 三

很多人会把这种现状归结为"世风日下，人心不古"，并认为走出这种"囚徒困境"的唯一办法是文化与道德的重建。

这种说法，明显是把"罪责"归到了普通民众头上。

事实当然不是如此，这种说法就如同说"中国普通民众粗鄙，不适合推广民主"一样荒谬。

孟子说：老吾老以及人之老。中国人都相信人性本善。格隆以最大家最不能忍受的"扶老人"为例，来说说底层道德底线是怎样被突破的。

自南京"彭宇案"以后，助人为乐不再是一道简单的道德判断题，而是一道带有法律风险性的社会难题。大家都在责难各地层出不穷的路人见老人摔倒不扶而绕道走的冷血，也在责备少数老人"为老不尊"，故意讹诈，败坏了风气，却没人思考，为何在本应"间接互惠"的道德体系里，中国人却陷入了互相博弈、底层相残的"囚徒困境"？

在任何一个社会，老年人都处于天生的弱势地位。剩余价值的消失，对生存的留恋，对疾病的恐惧，与社会的脱节，使得他们更需要社会的反哺。但是当今

中国日益加重的赡养义务却成为当代年轻人心中的阴影。在一个艰难的时代，老年人们往往会被认定与年轻人争夺着有限的社会资源。这是老年人群体与社会"道德底线"发生冲突的社会大环境。

"苟无恒心，放辟邪侈，无不为己。"在救人困境中，围观者担心的，是老年人可能产生由社会保障体系滞后而来的讹诈心理。这种高风险，正是"老无所养、病无所医"时代孕育的怪胎。利用民众的善意来转嫁自身的负担，利用社会的恻隐来进行讹诈勒索，这正是一个无保障社会下弱势群体追求个人利益最大化的无奈选择。

所以，这不是"老人群体"突破道德底线，也不是"围观群体"突破道德底线，而是大家都生活在"楢山"下，病态社会环境与生态裹挟下的必须生存之道。

而在多起涉及救人困境的案件中的争议判决，则直接将这种病态的博弈固化了：在许云鹤一案中，我们看到媒体对案件调查过程的质疑。但最终法律并未依据事实进行判断，而只是依据想象来进行判决。中国政法大学法学院副院长何兵说，在基层法院，类似彭宇案、许云鹤案这种"和稀泥"的审判方式屡见不鲜，"司法系统往往不是追求一个正确答案，而是各打五十大板，或者按照四六分成"。何兵认为这是一种"墓碑式"的判决，它传递了一个恐怖的信号：原告承担举证责任的原则可以被模糊掉，"没有证人证明我没撞的情况下，就算我撞了"。

法律是道德的最后一道防线，培根说过："一次不公的司法裁判比多次不平的举动为祸尤烈。因为这些不平的举动不过弄脏了水流，而不公的裁判则把水源败坏了。"当人性不可信、当法律不可靠,那么道德的败坏、社会信任危机和信任纽带的断裂,就是不可避免的了。

中国人熟知柏杨,源于20年前那本《丑陋的中国人》。这是柏杨对华人世界最具警醒作用的作品,他说中国人之所以"丑陋",是因为被"千年酱缸"酱成了"干屎橛"。在20世纪80年代的海峡两岸,这种论调太过惊世骇俗——"由于长期的专制封建社会制度斫丧,中国人在这个酱缸里酱得太久,我们的思想和判断,以及视野,都受酱缸的污染。"

这种看法与《晏子春秋》记载的2 500年前的一个故事颇为类似:晏子(晏婴)使楚,吏缚一人诣王曰:"齐人也,坐盗。"王视晏子曰:"齐人固善盗乎?"晏子避席对曰:"婴闻之,橘生淮南则为橘,生于淮北则为枳,叶徒相似,其实味不同。所以然者何?水土异也。"

社会堕落的时候,穷人也会随之而发生堕落,而他们堕落的过程甚至可能会超过整个社会的堕落水平,因为他手里没有资源去抵御这个堕落的过程。

所以然者何?水土异也。

▷ 四

如果说普通民众"突破底线"基本是一种弱势群体的无奈选择,那有气节的知识精英呢?

1916年,梁启超在《袁政府伪造民意密电书后》一文中写道:"盖四年以来,我国士大夫之道德,实已一落千丈,其良心之麻木者什人而七八"。

▷ 五

格隆曾经看过一次电视访谈,主持人抛出了这么一个问题:公权力无底线、企业无底线、民众无底线这三个无底线群体,哪个最可怕?

嘉宾如是回答:应该是公权力无底线。因为他们有权力,可以制定政策,决定发展的方向。如果政府处于无底线的状态,这个社会将会受到非常大的影响。

很明显,嘉宾的观点是清晰的,而"应该是"也非常聪明而委婉地保留了面子。

公权力是挺立社会秩序大厦的支柱。权力失控的直接结果,必然是社会维护公平正义的能力降低,社会法律、规则与道德底线的突破与模糊。按英国史学家艾瑞克·霍布斯鲍姆的解释,当人们缺乏对社会契约的信任时,就会重回"万人对万人的战争"原始状态,在这种相当没有安全感的环境下,他们互相反咬,甚至互相吞噬。

而在传统的中国官本位制下,法制一直都不是社会底线的标杆,官员作为公权力的代表,才是全社会上行下效的表率。"楚王好细腰,宫中多饿死",整个社会,无论士农工商,眼睛都在盯着官员,将他们的言行奉为自己的行为准则,相应的,官员的道德规范,也就对整个社会道德发生剧烈影响。

现在这些表率——官员们——的道德底线在逐渐降低,甚至是失守。少数为官者失德缺德现象日益突出,与民争利,滥用公权到了肆无忌惮的程度、官与民的平衡底线一降再降,老百姓把"不作恶"作为好官的衡量标准——这是一种苦涩的无底线。

层出不穷的坏消息让公众道德阈值不断上升,民众的同情心变得日益稀薄,而道德则日渐麻木,并更加谙熟并践行社会"潜规则"。如果民众觉得公权力宣扬的"法制""规则"只是一块遮羞布,那么这种自幼接受教育时被灌输的"高尚"道德被推倒的疼痛,会让社会各阶层变本加厉突破底线,在"害人+互害"中力图保护自己,其代价,就是整个社会的道德沦丧。

社会的道德沦丧,意味着这个社会的迅速罪犯化。

## ▷ 尾声

现在我们回到文章开始的那部电影《楢山节考》。

这部电影并非告诉我们贫穷是罪恶之源,它其实是在讲述人是如何被病态的环境所绑架与裹挟,最终与那种病态融为一体的。

事实上,身处那样的病态社会,每个人都应当于心有愧。

《荀子·解蔽》:"故以贪鄙、背叛、争权而不危辱灭亡者,自古及今,未尝有也。"

"罗马不是一天建成的",同样,社会道德也不会在一朝一夕中就崩塌的。面对当今的道德崩坏,每个人都在追寻原因:精英责怪民众无素质,民众怨愤精英无脊梁。每个人都在急不可耐地找寻可供批判的标靶,好让自己站在道德制高点上,似乎只有这样才能推卸自身责任,才能与己无关。

其实,这不过是把头埋在沙里的鸵鸟心态罢了,在社会的运转中,没有人可以置身事外,也不存在一个可以让人"不知魏晋"的世外桃源。过去一百年中,尽管有层出不穷的道德规划、马不停蹄的道德驯化和接连不断的社会改造,但中国人的道德素质并未得到实质性提高。毫无疑问的是,社会道德底线的每次向下,都离不开普罗大众对作恶者以及自身或主动或被动的"宽容"。

无底线社会的未来归宿不外乎两种:(1)加速溃败,重新进入一轮新的"打土豪分田地"的暴力轮回;(2)自我救赎,步入一个正常的现代社会。

你争取一些东西,可能会付出很大代价,但你还是要争取。不单是为你,还要为你的孩子与子孙后代。

否则,就不要抱怨这个社会没有底线。

因为"众生皆有罪,你我皆同谋"!

2016 年 8 月 20 日

# 儿子,我为何要求你一定要用功读书?

儿子,过完这个暑假,你就满 14 岁了,然后就要开始初三的新学期了。今年你噌噌往上长个,一年时间蹿得比爸爸还高,弄得我经常有一种恍惚和手足无措感,因为我已不确定我该怎么定位我的角色,以及该用什么口吻和方式与你谈一些所谓的"人生大道理"。正好你的生日,爸爸一直没想出送什么礼物会满意,最后想着不如给你写封信吧,聊聊爸爸一直想和你说,却没机会说的话。

儿子,非常感谢你。你的出生带给了爸爸妈妈无尽的欢乐。因为 14 年前你的到来,我们才算真正在人世间有了一个像模像样的家。已经不记得你什么时间叫第一声爸爸的,但爸爸迄今清楚记得你第一次用稚嫩的童音清楚叫出"爸爸"两个字的时候,爸爸几乎热泪盈眶。你的这声叫唤给了我沉甸甸的生命重量感与满足感,让我心甘情愿用一辈子来回报你。

儿子,你现在在美国估计已经酣然入梦,爸爸则是在咱们深圳的家里给你写这封信。你是在深圳这个家长大的,这里到处都有你的痕迹:你的大大小小的照片、你的城堡高低床、你做的日历画、空调电视上你贴满的超人和五角星、世界地图中你圈的一个个地名、墙上贴满的你小时背诵过的古诗……14 年的点滴,一切恍如眼前。时光如梭,你转眼已经从那个当年骑在爸爸脖子上抓头发指挥方向的小不点,长成今天比父母都高出一截的壮硕小男子汉了。记得那天送你去美国夏令营,爸爸像以往一样想把你抱起来,结果尝试了几次竟然没能把你抱离地面,怅然若失,但很快也就释怀了:哦,我儿子终于长大了!

儿子,知道爸爸为什么要给你取现在这个名字吗?在你还未出生但已得知你是个男孩后,爸爸就类似每一个要做爸爸的人一样,充满幸福但笨拙无比地绞尽脑汁去给你找个响亮大气的名字。找了好多人,甚至付费找所谓专家给你取了一些名字,爸爸都不太满意,最后决定自己来取。我们家来自湖北,古属楚地,自古人杰地灵,有唯楚有才之说,你小时候背过诸多诗篇的作者诸如屈原、项羽都是在那块土地上养育出来的。爸爸现在还记得你小时候背项羽的《垓下歌》，背完问你能否翻译翻译其意义，你的翻译是：我力气大得可以把山拔起来，就是时机不对啊。时机不对，马也不离开。马不离开怎么办？老婆啊老婆啊你说怎么办？把爸爸肚皮都笑破了。

我们家乡土地不算丰沃，但历史积淀厚重，文化源远流长，民风自古推崇男儿能志在四方，建功立业，因此我们那里的人一直就有很强的家乡归属感与家族荣誉感。爸爸也是从那块贫瘠但坚忍的土地上一步一步走出来的，爸爸相信你也能够像楚地的那些优秀儿女一样，仰天大笑出门去，未来有远大前程。

儿子，你自幼聪明伶俐，走到哪里亲戚朋友都夸你，爸爸也一度头脑发热，望子成龙，带你全世界各地走，逼着你做大量课外题、背古诗、学钢琴、拉小提琴、打网球……满心希望能把你培养成咱们家一个多才多艺的神童。但你14年的成长生涯以及有时候我们之间几乎不可调和的冲突，已经明确告诉我，孩子的成长以及未来绝不是家长可以代为设计的。好在爸爸是一个有纠错能力的成年人，我决定未来不再强行为你设定任何框框和路线，我希望由你自己去率性发展。以你之聪慧与善良（儿子，你这点可是100%继承了你妈妈家族的优点。无数小事都显示你是一个特别、特别心地善良的孩子，在这一点上爸爸非常欣慰），爸爸相信你一定会有一个幸福的人生。

但我还是希望在你14岁生日的时候提几点原则性的期望，也是爸爸希望你具备的基本素质，望你谨记。

首先，我希望你一定要用功读书。无论未来你会在哪里，无论你从事什么工作岗位，你有什么梦想与志向，甚至就想不求闻达、平淡一生，你都**必须用功读书**。

用功读书，不是为了面子，不是为了攀比，而是为了将来有能力按自己的想法，或者基本能按自己的想法活着，而不是忍辱负重、苟且求生。

活着，与按自己的想法活着，真的是两种天差地别的活法。

儿子，这个社会生而是不平等的，社会很多时候是坚硬而冰冷的。这个社会上，绝大多数的人，刚刚一出生，就已经输了。这是一个没多少人愿意告诉你，但却无比真实的残酷现实。相信我，在中国这种资源分配极端不平均的地方，考上大学与考不上大学（无论是境内大学，还是境外大学），对我们这种非侯非爵、普通家庭的孩子来说，绝对是一个天堑一样的分水岭。

爸爸儿时的玩伴，现在全部在家乡艰辛务农。只有爸爸一个人幸运地走了出来。他们中的绝大多数人，可能这辈子也没机会去地球另一端看看这个多彩的世界，更罔谈选择生活方式的权利。社会的滚滚变革洪流，他们唯一能做的是被动接受与顺从。

著名作家龙应台给她儿子写过这样一段话，爸爸非常认同，摘录给你：儿子，我要求你读书用功，不是因为我要你跟别人比成就，而是因为，我希望你将来拥有更多选择的权利，选择有意义、有时间的工作，而不是被迫谋生。

之所以你一定要用功读书，只是让你有更多的选择权：在这个世界美好的时候，你有能力拥抱她。在这个世界不堪的时候，你也有能力应对她。

其次，你要有一定的志向并为之去努力。

你妈妈经常对我说的一句话是：我只希望我的儿子能像普通人一样，平平安安幸福过一辈子就满足了。当着你妈妈的面，我会表示完全认可，但私下对你，我会坚决要求你树立一定志向（这个志向可能是长期的，也可以是阶段性的，可以一直走下去，也可以中途修正）并为之奋斗努力。

男儿生在这个世界，就注定是要留下一些足迹和声音的，就如同你最喜欢的民族英雄霍去病一样，纵使生命如流星，也要在夜空留下瞬间的辉煌。我们不讲大道理，更无须去功利性地追求名与利，但在内心一定要有一个空间和一个声音，经常警醒自己做点什么！没有志向的人就不会有动力，没有动力自然懈怠，懈怠者即使追求平庸都会不可得！实际上，自甘平庸是一种比吸毒还无可救药的自我放纵。因为，沦为芸芸众生并不可怕，可怕的是日常生活的琐碎与压力甚至可能会让平庸者丧失生活的起码尊严。

爸爸今日较之普通同龄人来说，貌似小有所成，爸爸自己想了想，原因有三：一是幼时家贫，除了靠自己努力，别无他途；二是爸爸楚人血液，天性不甘平庸，每个阶段都会给自己一个小目标并不达目的不罢休，积少成多乃至今日。还有最关键的第三条，那就是时势。爸爸正好碰上了中国历史上的两个百年不遇并努力参与其中：改革开放，以及中国资本市场的建立与繁荣。

现在回想起来，爸爸只是偶然碰到这种还算优越的历史大环境并幸运地参与其中。相较我们的父辈，我们自身并无任何太多值得夸耀的才智或者禀赋。如果把我的父辈（也就是你爷爷）放在目前这个大环境里，他极有可能比我做得更好。

中华民族一直都是一个强大的民族,中国的GDP在清朝嘉庆年间最高达到全球的1/3(美国在那个时候只占3%)。我们的祖先在过去两千多年的历史里一直都做得很好,只是在最近的200年时间里落后了,现在是在追赶阶段。换句话说,我们还远没有达到我们的祖先曾经达到过的辉煌,未来你奋斗的大环境应该只会更好,机会只会更多——但前提是,你必须做些准备,必须做点什么!

第三,我期望你有责任心,能做到四个大字:俯仰无愧。

男人生出来就注定肩膀上是要担担子的。有责任心意味着勇于承担,无论是生活中还是工作中。你必须:上,能给父母颐养天年;下,能给你的子女撑起一片无雨并尽量优越的成长空间(爸爸深知穷人家的孩子要走出来是多么不容易)。当然,你还必须给和你同甘苦共患难的妻子一个至少算幸福的生活软硬环境。能否100%做到不重要,但心中要始终有这根弦:这个责任天经地义并责无旁贷!

你的爷爷是一个再普通不过的农民,出生刚3岁母亲就去世,靠他哥哥拉扯长大,结婚时基本家徒四壁。靠种地、靠捕鱼、靠做一切他能做的活,把我们6个兄弟姊妹全部拉扯大,再艰苦再累也没见他有丝毫放弃的打算。爷爷把这种责任心一点不漏地遗传给了爸爸,爸爸期望你也一样能继承我们家的这份祖产,如果你认可这是一份财产的话。

最后,我希望你一定要能扛压。这个素质具备与否决定了你未来的人生能走多远、走多高。

生活永远不可能是一帆风顺,大大小小的挫折与打击可能会在你人生的任何一个时点突然冒出来。我们家非富非贵,如果你自己扛不住这些压力,退缩避让甚至颓废沉沦,前进的乐章唯有戛然而止。一路走来,爸爸身边曾有很多同行人,其实他们不可谓不优秀,但很多都在一些所谓的打击或者挫败面前退却了,而今回过头去,我甚至都已看不到他们的身影。所以经常有人说人生的苦难是所学校!虽然并不是所有英雄都一定多磨难,但从来纨绔少伟男却是不争的事实。人生是个长跑!不要畏惧于经常冒出的挫败与打击,更不要沉迷于间或涌现的鲜花与掌声(若干年后,你会发现当年你费尽心机去追求的一些东西,其实远没有你想象的那么重要),重要的是,要让你自己始终保持在跑道上,哪怕你跑得很慢,很慢……

好了儿子,给你唠叨了很多,最后忍不住再唠叨一句:行万里路,读万卷书!

爸爸希望你养成旅游和日常读书这两个好习惯。

旅游是读自然，读书是读人类。书读多了，内心才不会决堤。书读多了，你才会成为一个有温度、懂情趣、会思考的人，才可能在你无依无靠，无所事事，茫然失措的时候，始终有一种严肃的力量推动你往前走。

华人首富李嘉诚有句话：我爱做我自己！爸爸心有戚戚并一直抄录着，今天也把它送给你。

儿子，爸爸不会逼你做李嘉诚或者马化腾或者任何别人，你做好自己就好了。上天在赐予每个人生命的同时，也赋予了每个人雕琢自己生命的责任和权力！爸爸希望在百年之时能够满足地说：这辈子我也许没有任何成就，但我有让我为之自豪的儿子！！！

2016 年 7 月 20 日

# 不为大汉耻：爱国者耿恭与叛国者李陵（上）

**题记**：汉遣军迎校尉耳——七个字，代表的是一个国家的不离、不弃，一个国家的待民之道，一个国家骨髓里的价值观。

▷ 一

格隆酷爱读史，尤其是那些离我们已经很久远的历史。原因很简单，离我们越近的历史，被涂抹、掩盖甚至刻意扭曲的可能性就越大，读之不如不读。但越久远的历史，被涂改的可能性就越小。

这其中，读之总能令格隆动容的，是那个留下"犯我强汉者，虽远必诛"强音的大汉朝。尽管时间离我们已有差不多两千年之久,但有汉一朝,苏武、卫青、霍去病、陈汤、李广、班超、傅介子……群星闪耀,英杰辈出,那种心甘情愿为国驱遣,纵马驰骋,虽九死而未悔的豪气与身影,依然宛在眼前。

有汉一朝,但凡有记载的人物,文臣武将,凡夫俗子,千差万别,但有一个共同的特质:发自肺腑的爱国。

纵然马革裹尸,身首异处,也在所不惜。

我总在想,彼朝彼民,是如何做到的?

这些爱国身影中,最令我印象深刻,也最令我掩卷唏嘘的,是两个人:耿恭与李陵。

▷ 二

有汉一朝,几乎就是为战争而生的,宏大的战争场景,史诗般的远征,残酷的搏杀,坚忍的意志。这其中,立下卓绝战功的将星辈出,多数人会记得横扫匈奴的卫、霍,但极少有人知道弹尽粮绝,凭几百壮士死守西域孤城 300 个日夜之久的耿恭。

但 1900 年前,围绕着他而发生那场令人热泪盈眶的西域孤城防守与救援战,却最深刻阐释了何谓爱国,以及因何爱国。

西汉覆亡后,远遁的匈奴重新挟持汉家战略要地西域。东汉建立后,国力尚弱,但已开始重新谋划经营被匈奴挟持的西域,双方再次开始较量,耿恭就生活在这个特殊时代。

耿恭,字伯宗,扶风茂陵(今陕西兴平东北)人,东汉开国名将耿弇弟弟耿广之子。耿氏家族在东汉初期可谓是群星闪耀,为东汉帝国的建立与崛起立下汗马功劳。耿恭的祖父耿况与其膝下六个儿子,全部成为东汉开国将领,其中耿弇更是成为东汉一代名将。耿恭的父亲耿广很早便已去世,耿恭年少时就成了孤儿,但这并未妨碍他承继家族的强健体魄与军事天赋,以及坚守那种为国宁死不屈,流尽最后一滴血的家族荣耀。

《后汉书》记载,"恭少孤,慷慨多大略,有将帅才。"永平十七年(公元 74 年),耿恭担任司马,跟随骑都尉刘张、奉车都尉窦固、驸马都尉耿秉等远征西域,破降车师(当时车师以天山为分隔,分车师前国与车师后国,国王为父子关系,称为车师前王、车师后王),汉"始置西域都护,乃以恭为戊己校尉,屯后王部金蒲城(今新疆奇台西北,天山北侧)。关宠为戊己校尉,屯前王柳中城(今新疆艾丁湖东北,天山南侧),屯各置数百人。"

这是一次虎头蛇尾的长途征伐。破车师后,窦固大军很快班师。

今天的我们也许永远无法明白,西域离汉本土几千里之遥,而匈奴庞大军力近在咫尺,仅"屯各置数百人",到底是出于一种明知不可而为之的象征性主权宣示,还是一种朝廷"何不食肉糜"官员高高在上的盲目自大。

从窦固大军班师开始,这两支人数少得可怜的汉家兵团,就被置入了万劫不复、羊入虎口的悲壮险境,一场艰苦卓绝的孤城坚守战就此拉开帷幕。

## ▷ 三

永平十八年(公元75年)二月,窦固大军班师,三月匈奴铁骑就兵临城下。北匈奴单于遣左鹿蠡王率二万骑击车师,车师后王安得以弱抵强,亲率大军迎战匈奴骑兵,同时紧急向耿恭屯垦兵团发出求救信。耿恭兵团总共只有数百人,与匈奴的二万铁骑相比,实在少得可怜,但耿恭还是派出三百人驰援:"恭遣司马将兵三百人救之。"

三百勇士出发了,但并没有到达前线。在半途中,遇到了大批匈奴骑兵包围,三百人全部战死。"匈奴遂破杀后王安得",并将耿恭驻守的金蒲城围了个水泄不通。耿恭原本就只有"屯各置数百人",三百前哨已全军覆没,剩余人面对匈奴两万骑兵,摆在耿恭面前的路只有两条:要么降,要么有死无生,来捍卫家族的荣誉与大汉帝国的声威!

耿恭选择了后者。

面对潮水般的匈奴骑兵,耿恭临危不惧,站在城头对匈奴军高喊:"汉家箭神,其中疮者必有异"。

这是一种心理战,告诉对方,咱大汉的箭可不一般,射中你了,让你生不如死。匈奴人悍勇,哪听这一套,加紧攻城,到了射程内,城墙上黑压压一片箭射下来,匈奴人果然鬼哭狼嚎——耿恭让部下在箭头上涂了毒药(恭以毒药傅矢),一被射中,剧痛无比,继而伤口溃烂,"虏中矢者,视创皆沸,遂大惊",那伤口血流不止,到了夜晚,愈发疼痛,整个军营一片哀嚎。

尤其令匈奴人郁闷的是：数百人的大汉守军，居然胆敢趁着当晚暴风雨劫营！毫无防备之下，被耿恭组织的敢死队一个冲锋，砍瓜切菜般蹂躏了一番，"杀伤甚众"。匈奴人撑不住了，"震怖"，哀叹说："汉兵神，真可畏也！"溃败而去。

但耿恭知道，匈奴人迟早要回来，金蒲城无法固守。他当机立断，把部队带到了疏勒城（今新疆奇台县）——"恭以疏勒城傍有涧水可固，五月，乃引兵据之"。

该城依山而筑，地势险要，宜于久守。最关键，疏勒城下有一条溪流经过，是天然的护城河，足以缓解北匈奴骑兵的攻势。而且，有这样一条溪流，士兵的用水问题就能解决，再无用水的后顾之忧。耿恭的想法很好。可是他忽略了一点，这一点，恰恰是致命的，那就是如果北匈奴人控制了这条水源，城里的士兵可能就万劫不复。

**在岁月中静静风化的疏勒城**

匈奴一直都是一个骄傲的民族，数万人灭不了几百人，匈奴人无法咽下这口气。七月，左鹿蠡王的北匈奴军队再次兵临疏勒城下，残酷的攻城战再次开始，匈奴人数占据绝对优势，但死伤无数，就是攻不下来。

失利的北匈奴人这次并不急着退去，因为他们发现了耿恭的那个致命的疏忽。于是，他们在疏勒城溪流的上游扎下营来，堵断了河流。"匈奴遂于城下拥绝涧水"。接下来，是安静等待。他们有理由相信，断绝了水源的疏勒城将会在一个不太长久的时间里出现崩溃。

时间,七月;地点,西域。七月炎热,西域少雨。正如他们所料,疏勒城因为缺水,出现了恐慌。

这一招很毒辣,也非常有效,城内严重缺水。"吏士渴乏,笮马粪汁而饮之",战斗力急剧下降。没有水,即使城不破,将士也唯有死路一条。匈奴人也停止攻城,洋洋得意,静待城破。迫不得已,耿恭下令城内掘井,而这在西域戈壁之城,基本就是徒劳,"恭于城中穿井十五丈不得水",耿恭仰天长叹:"闻昔贰师将军拔佩刀刺山,飞泉涌出;今汉德神明,岂有穷哉?!"乃整衣服向井再拜,为吏士祷。

也许是天不绝英雄路,"有顷,水泉奔出"。

此时耿恭的雄才大略再次显露无遗:他禁止干渴至极的将士喝水,而是令将士将水直接从城头泼向匈奴人,"乃令吏士扬水以示虏":来吧,老子有的是水!

匈奴人彻底傻眼了,"虏出不意,以为神明"。

但匈奴人这次没有撤走的打算:虽然耿恭坚守住了疏勒城,但在匈奴人的威逼利诱下,焉耆国与龟兹国倒向匈奴,共同出兵进攻车师前国。设在车师前国的西域都护陈睦手头上并没有多少军队,很快在焉耆与龟兹军队的联合打击之下,全军覆没。北匈奴趁机大举南下,侵入车师前国,彻底包围了柳中城里汉军另一"数百人"的关宠军团。而八月,汉明帝去世,朝廷正是大丧之机,无暇他顾,更不会在意这孤悬海外数千里的几百名音讯全无、不知生死的士兵。

换句话说,耿恭军团内无粮草,外无救兵,绝望和死亡是可以看到的唯一结果。

但好在没有一个人投降:"恭与士卒推诚同死生,故皆无二心。"

漫长的围城仍在继续。此时这批汉军困守孤城已7个月之久,城中"食尽穷困,乃煮铠弩,食其筋革",把弓弩上用动物筋腱做的弦和盔甲上的皮革等都统统煮了吃了,将士们一个个死去,但疏勒城仍然没有陷落,幸存者宁死不降,汉军大旗高高飘扬。匈奴人也精疲力竭,使出招降一招,"单于知恭已困,欲必降之,遣使招恭曰:'若降者,当封为白屋王。妻以女子。'"

《资治通鉴·卷四十五》是如此记载这件事的:"恭诱其使上城,手击杀之,炙诸城上。"

白话文翻译,耿恭诱匈奴使者入城,抓到城头,一刀斩之,然后用火烧烤——

匈奴使者成了汉军团的粮食。匈奴人见了，跪倒在地，一片哭声。千年之后，岳飞写下慷慨激昂的《满江红》："壮志饥餐胡虏肉，笑谈渴饮匈奴血"，大抵典出于此。

耿恭此举，断掉了匈奴人最后一个幻想，"单于大怒，更益兵围恭"，疯狂攻城，想杀光这些汉人。城里活着的人越来越少，但他们仍在坚持，射杀每一个靠近的敌人。

如果没有救援，这支已寥寥无几、形容枯槁的汉军团，最多只是在死亡的道路上多走几天而已。

▷ 四

此时，经过漫长的信使曲折，关宠军团写给朝廷的求救信终于抵达长安，"时肃宗新即位，乃诏公卿会议"，一场救与不救的争论在朝堂展开。

司空第五伦以为不宜救：信是 8 个月前写的，几万人围困几百人，估计早已城破。况且现在已是冬天，大军行动也不便，为几百个不知道存不存在的将士，兴师动众，数千里劳师袭远，代价巨大，实在不值。

理由非常充分。

但司徒鲍昱给出了更铿锵的理由："今使人于危难之地，急而弃之，外则纵蛮夷之暴，内则伤死难之臣。诚令权时后无边事可也，匈奴如复犯塞为寇，陛下将何以使将？"

危难时驱使将士，紧急时弃之不顾，对外是纵容了蛮夷，对内则伤了忠臣良将之心。战事再起，谁还会为国效命？

国不爱民，民因何爱国？国家不尽自己的本分，民凭何爱国？！

《后汉书》用三个字记载了朝廷的态度："帝然之。"

汉帝国从来不冷却英雄的热血，即使这次救援注定失败，也要向世人宣告汉帝国从来不会放弃为他战斗的勇士！

之后救援行动迅速展开。汉军在风雪中西出玉门关，去找寻那已不足百分之一的希望！秦彭与谒者王蒙、皇甫援发张掖、酒泉、敦煌三郡及鄯善兵，合七千余人，经过昼夜兼程的赶路，于建初元年（公元 76 年）正月抵达天山南边的柳中城。

令大军惊异的是：柳中城并未失陷，一直在关宠军团的坚守中。

汉军遂"击车师，攻交河，斩首三千八百级，北虏惊走，车师复降"。

但这支汉军的军团长、戊己校尉关宠，经过数月艰苦卓绝的守城战，已经心力交瘁，当看到援军终于来到时，几个月来支撑着他的坚强意志，终于不抵身体在饥饿与寒冷中的摧残，一病不起，很快死于军中。

关宠守卫柳中城的经过，任何史书上都没有详细的记载，他坚守了柳中孤城近三百个日夜，可以想象，这是一场不亚于天山北边耿恭的艰巨战事！但关宠如流星一样，历史几乎没有留下他的痕迹。

但天山北边的耿恭，是否还活着？救，还是不救？

《资治通鉴》这样记载的："会关宠已殁，王蒙等欲引兵还；耿恭军吏范羌，时在军中，固请迎恭。"

范羌是耿恭近乎绝望时派去敦煌求救兵的部下，他用行动证明了一个军人的气节与忠诚：战友不知死活，何敢独生！

"诸将不敢前，乃分兵二千人与羌，从山北迎恭，遇大雪丈馀，军仅能至。城中（疏勒城）夜闻兵马声，以为虏来，大惊。"

耿恭的数百守军，在经过缺水、缺粮、缺衣以及夜以继日的战斗后，有的死于饥饿与寒冷，有的死于战场，到现在，一座城池，只剩下最后的二十六人。

城墙上观察哨发现的新"敌情"丝毫没有令守城队伍害怕，他们早习惯了。近三百个日夜的苦战，他们坚守着这弹丸之地，以区区数百人，顽强地顶住匈奴数万大军一波接一波的进攻，疏勒城在战火的洗礼中已经千疮百孔，但仍然坚强地屹立着。

对于耿恭来说，这也许是最后一战了。死不足惜，无缘再报国罢了。他发出了准备战斗的号令，二十六个人的队伍集结完毕，个个衣衫褴褛，但英气逼人。战士们引矢上弩，严阵以待，只等指挥官下达开火的命令。

但城下传来的是熟悉的旧部的声音。羌遥呼曰："我范羌也，汉遣军迎校尉耳。"

汉遣军迎校尉耳——七个字，代表的是一个国家的不离，不弃，一个国家的待民之道，一个国家骨髓里的价值观。

《后汉书》如此描述之后的场景："开门，共相持涕泣。"

## ▷ 五

三月初,这支疲敝却英勇的队伍终于抵达汉帝国的边关:玉门关。守卫疏勒城的二十六名勇士,生还玉门关的,只有十三人,"衣屦穿决,形容枯槁"。其余十三人,或死于阻击匈奴追击的战斗,或是由于体力不支,死于撤退的途中。

油画:十三将士归玉门

中郎将郑众亲自在玉门关迎接英雄的归来,为耿恭接风洗尘,并慨然上书皇帝,极力褒赞耿恭的功勋:"恭以单兵守孤城,当匈奴数万之众,连月逾年,心力困尽,凿山为井,煮弩为粮,出于万死,无一生之望。前后杀伤丑虏数百千计,卒全忠勇,不为大汉耻,恭之节义,古今未有。宜蒙显爵,以厉将帅。"

"及恭至洛阳,鲍昱奏恭节过苏武,宜蒙爵赏。于是拜为骑都尉,以恭司马石修为洛阳市丞,张封为雍营司马,军吏范羌为共丞,余九人皆补羽林。"

《后汉书》的作者范晔,给耿恭守疏勒城给予极高的评价,义薄云天,与前汉的苏武交相辉映,范晔评道:"余初读苏武传,感其茹毛穷海,不为大汉羞。后览耿恭疏勒之事,喟然不觉涕之无从。嗟哉,义重于生,以至是乎!"

不为大汉耻,这可能是对一个爱国者最高的褒奖。

耿恭军团用他们的坚忍忠贞,汉帝国用它的不离不弃,共同阐释了:

到底何谓爱国?!

**因何而爱国？！**

令人唏嘘的是，耿恭后因上书奏事冒犯皇亲国戚马防（伏波将军马援次子，皇太后兄弟，授车骑将军），遭弹劾而被入狱免官，并遣送原籍，最终老死家中。

2016 年 10 月 15 日

# 不为大汉耻：爱国者耿恭与叛国者李陵（下）

**题记**：将军百战身名裂。向河梁、回头万里，故人长绝。——辛弃疾

▷ 一

格隆酷爱读史，尤其是那些离我们已经很久远的历史。原因很简单，离我们越近的历史，被涂抹、掩盖甚至刻意扭曲的可能性就越大，读之不如不读。但越久远的历史，被涂改的可能性就越小。

这其中，读之总能令我动容的，是那个留下"犯我强汉者，虽远必诛"强音的大汉朝。尽管时间已离我们有差不多两千年之久，但有汉一朝，苏武、卫青、霍去病、陈汤、李广、班超、傅介子……群星闪耀，英杰辈出，那种心甘情愿为国驱遣，纵马驰骋，虽九死而未悔的豪气与身影，依然宛在眼前。

有汉一朝，但凡有记载的人物，文臣武将，凡夫俗子，千差万别，但有一个共同的特质：发自肺腑的爱国。

纵然马革裹尸，身首异处，也在所不惜。

我总在想，彼朝彼民，是如何做到的？

这些爱国身影中，最令我印象深刻，也最令我掩卷唏嘘的，是两个人：耿恭与李陵。

## ▷ 二

李陵，可能是中国历史上最清晰也最模糊、最落寞也最令人唏嘘的背影。他背负着"叛国者"的标签，一直伫立在历史的那一端，遥视、拷问着这个称为"大汉"的民族。

我自己每读《汉书》《史记》《资治通鉴》，读到李陵的时候都会不忍卒读，都会刻意翻过去，因为读来备感心酸。

李陵因一战而成名，一战而名灭，其命运连接着汉民族众多重量级人物：汉武帝、李广、卫青、霍去病、李广利、司马迁、苏武，他的身上纠结着太多的大命题：生与死，家与国，背叛和守节，冲锋陷阵的军人和搬弄是非的文臣……他用尽一生的气力，在国家与个人的矛盾冲突中做着艰难的挣扎与选择，但却时运不济、命途多舛，最后功败垂成，徒留此生余恨。

说到李陵，必须先说他的家世。李陵生在陇西李家，一个三代人都出生入死，血战报国的军人世家，但这个家庭始终很诡异地笼罩着一层挥之不去的厚重悲剧色彩。

祖父飞将军李广，身经百战却终身未封侯。李广育三子，长子李当户，李陵之父，李陵出生时已死，李陵作为遗腹子由母亲抚养长大；成长过程中，身为代郡太守的二叔父李椒也死了；之后祖父李广因在公元前119年与匈奴的漠北战役中迷路，被大将军卫青派文书问责，李广因"结发与匈奴大小七十余战，且年六十余，终不能复对刀笔之吏矣！"（《史记·李将军列传》），引刀自刭；此后李陵唯一的直系血亲，因卓越战功封关内侯的小叔李敢，因不忿父亲冤死，殴伤卫青，被卫青外甥霍去病上林苑秋猎时暗箭射杀。当时霍去病正为武帝所宠,武帝辨曰:"鹿触杀之……"

在叔父李敢被射杀44年后,李陵也客死在"胡天玄冰"的异乡。由于此前李家已被汉武帝"族灭",自此中原大地不复再有陇西李家矣。

大汉威震天下,但李家三代大将,却都不是战死在沙场,而是死得莫名其妙,这是陇西李家的诅咒,还是国家的悲哀?汉武帝雄才大略,但雄主往往有刻薄寡恩的一面,这种特质,在对陇西李家身上体现得淋漓尽致。

生于单亲家庭的李陵,他的成长伴随着周围至亲一个一个殒殁,说没有消极影响是不可能的,但虎父无犬子,年少失怙并未影响他对家族善战传统和忠贞报国的完美承继,也阻挡不了血液里天然流淌的建功立业的渴盼。《汉书》是如此评述他的:"陵字少卿,少为侍中建章监。善骑射,爱人,谦让下士,甚得名誉。武帝以为有广之风,使将八百骑,深入匈奴二千余里,过居延视地形。拜为骑都尉,将丹阳楚人五千人,教射酒泉、张掖以屯卫胡。"

彼时李陵有多大,无从得知,但相信不会超过20岁,"善骑射""将八百骑,深入匈奴二千余里",一个霍去病一样追风少年的形象跃然纸上。

**汉将军　李陵**

到李陵时,陇西李家已有超过20年无人封侯,而自公元前119年漠北大战后,匈奴远遁,汉匈之间也几无大战。这就是屯酒泉、张掖边关,日夜训练楚人五千骑射的李陵如此看重天汉二年(公元前99年)那场大战的原因,也能充分解释他降而不死的逻辑:一个把振兴家门、建功立业置于军人死节之上的悲情英雄,除非是"不能战、不善战",否则,作为李广的孙子,不愿因以无寸功之身而死,辱没门庭。苟全性命,只是为了如浞野候赵破奴一般重返大汉,一雪前耻。

但鬼使神差,那场堪称汉家耻辱的大战,不仅重新改变了汉匈的对峙形势,更彻底改变了李陵的人生,也为后人带去了太多的不值和叹息。

▷ 三

李陵因一战而成名,一战而名灭,这一战,发生在天汉二年(公元前99年),距重创匈奴的漠北大战整整20年。

《汉书》如此解释这次战争发生的原因:单于既立六年,而匈奴入上谷、五原,杀掠吏民。其年,匈奴复入五原、酒泉,杀两部都尉。

当年的手下败将,竟敢"杀略吏民",教训是必须的。问题是,"兵者,国之大事,生死之地,存亡之道,不可不察",一将功成万骨枯,谁来领军,无比关键。

汉武帝选了李广利——汉武帝宠姬李夫人(没错,就是那个"北方有佳人,绝世而独立,一顾倾人城,再顾倾人国。宁不知倾城与倾国,佳人难再得!"的李夫人)和宠臣李延年的长兄。李夫人得宠时,李广利获封贰师将军、海西侯。

一个外戚。

最大的问题是:一个完全没有本事的外戚。

李广利数次出征大宛及匈奴等地,战绩平庸得令人愤怒。

刘向是如此刻薄评价他前面远征弹丸小国大宛的:"贰师将军李广利,捐五万之师,靡亿万之费,经四年之劳,而仅获骏马三十匹,虽斩宛王母寡之首,犹不足以复费,其私罪恶甚多。"

但也许卫青、霍去病这两个外戚给汉武帝的印象太好了,汉匈休战20年后的大战,晚年刚愎自用的汉武还是把指挥权交给了李广利。但汉武的运气,在卫、霍身上,真的用完了。

战争的结果并未出人意料:三路大军,李广利领三万主力骑兵出酒泉,击右贤王于天山,未遇单于主力,但李广利军仍被匈奴围困,差点无法逃脱,汉军伤亡极大,死亡率高达十之六七(《汉书》:汉使贰师将军将三万骑出酒泉,击右贤王于天山,得首虏万余级而还。匈奴大围贰师,几不得脱。汉兵物故什六七)。

另外两路大军,因杅将军公孙敖领军出西河,与强弩都尉路博德在涿邪山会合,无所得,返。

唯一可圈可点的是本被视作这次战役点缀的李陵五千步兵,堪称完美的开始和过程,却是一个悲剧的结局:骑都尉李陵自请领五千步兵击匈奴,遇且鞮侯单于主力,兵败,降。

后面的事,大家都知道了:汉武对李陵灭族。司马迁批外戚李广利,并为李陵辩解,汉武帝正因为自己宠妃之兄李广利出师无功而恼怒不已,一怒将其下狱,并施以残忍和羞辱性的宫刑。

汉武帝也许不会想到,9年后,他包庇、宠幸的贰师将军也降了。征和三年(公元前90年),匈奴复侵五原、酒泉,掠杀边民。武帝遣李广利率七万人出五原击匈奴,《汉书》如此记载战事结果:单于自将五万骑遮击贰师,相杀伤甚众。夜堑汉军前,深数尺,从后急击之,汉军大乱败,贰师降。单于素知其汉大将贵臣,以女妻之,尊崇在卫律上。

草包将军李广利以7万汉家儿郎,换取了偷生与苟安,但好景不长,"贰师在匈奴岁余,卫律害其宠,会母阏氏病,律饬胡巫言先单于怒,曰:'胡攻时祠兵,常言得贰师以社,今何故不用?'于是收贰师,贰师(怒)〔骂〕曰:'我死必灭匈奴!'"《汉书》。遂屠贰师以祠。

"遂屠贰师以祠。"大汉的主帅,成了匈奴祠堂的祭品。只是不知他临死前的那句"我死必灭匈奴!",到底有几分发自内心。

▷ 四

现在,我们回到天汉二年(公元前99年)那场改变李陵命运的战争。

选定主帅后,汉武"召陵,欲使为贰师将辎重"。

出身将门世家,渴望建功立业的李陵,对外戚李广利的能力心知肚明,当然不甘为他押运粮草,于是发生了如下这样一场经典对话:

陵叩头自请曰:"臣所将屯边者,皆荆楚勇士奇才剑客也,力扼虎,射命中,愿得自当一队,到阑干山南以分单于兵,毋令专乡贰师军。"

上曰:"将恶相属邪!吾发军多,毋骑予女。"

陵对:"无所事骑,臣愿以少击众,步兵五千人涉单于庭。"

汉武帝说你要打可以,战马全给了其他部队,我一匹战马都没得给你。李陵的回答是,没有骑兵没关系,我训练的荆楚勇士都是神射手,我愿以少击众,率我的五千荆楚步卒远征单于王庭。

今天的我们已经很难知道李陵说这话,到底是将门之后骨子里的自信还是为国效命的急切?大西北戈壁沙漠,一马平川,无遮无拦,易攻难守,一旦敌方发动骑兵攻势,机动快速,剽悍凌厉,步兵几乎没有抵抗的可能,将陷入灭顶之灾。当年卫青、霍去病均是靠比匈奴更强大的骑兵突袭才一战成名的。

李陵作为一名驻守西北边关、熟悉漠边地貌的将领不会不懂这一点。但他还是选择了带领五千步兵出征。

汉武帝同意了李陵的请求。为应不测,命令强弩都尉路博德在其出兵后半道接应。路博德,何许人也?曾为伏波将军,征战南越,一名老将。接到这道命令后,心里一百个不情愿,史书上的记载是"羞为陵后距"。

他也确实是这么做的:李陵军至浚稽山,遇单于8万骑兵主力,且战且退,9天斩杀匈奴近2万人,最终退到距离汉边防守军仅100多里的地方,弹尽粮绝,仍没有任何一支友军来救。

事后,汉武帝称路博德不救李陵是"老将生奸诈",但没做任何处罚。

事实上,李陵这次出击,几乎把步战弓弩战术发挥到了极致。如有援军接应,这次出战本应成为冷兵器史上步兵抗击骑兵的最经典案例。

这次出征的行军路线也是存疑的。最初,李广利向西北方向天山附近进军,李陵本来的目的地是去兰干山南以分单于之兵。兰干山的具体位置,清顾祖禹《读史方舆纪要》说:"山盖近居延塞外",可以肯定的是离居延海汉军的实际控制区域不远。而武帝并没有同意这条路线,而是指定李陵从居延出遮虏障,一路向北,"至东浚稽山南龙勒水上,从浞野侯赵破奴故道抵受降城休士"。

这条路线相比李陵提出的要更加靠北,距离汉军实际控制区也更远。四年前(前103年),汉将赵破奴正是沿着同一条路线北上至浚稽山遭遇匈奴主力,并在向东南受降城方向退兵的途中,被单于八万人围困,最终两万军队全军覆没的。

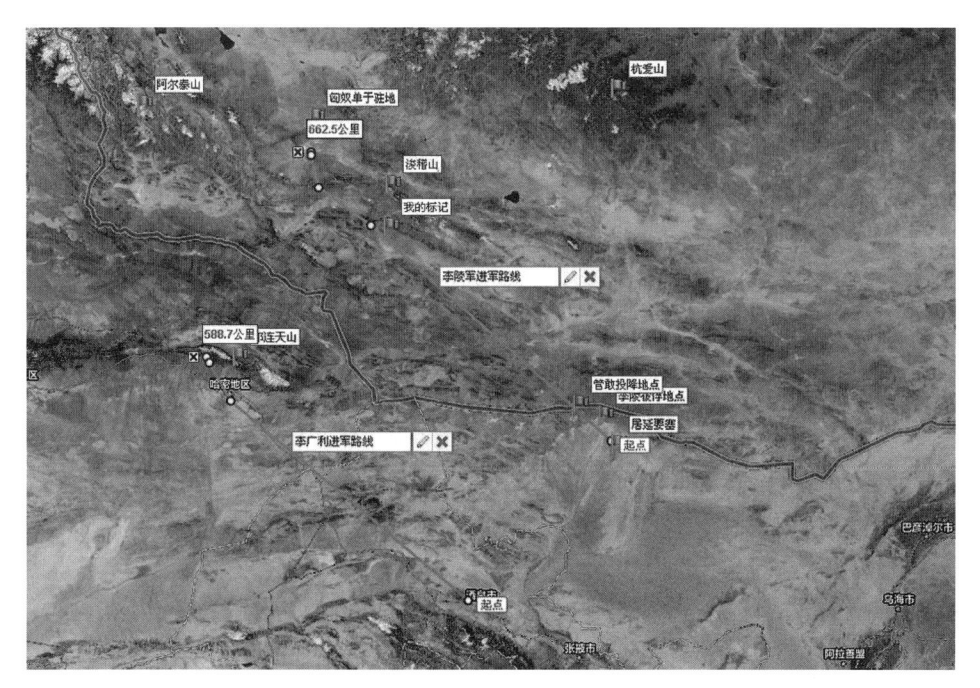

李广利、李陵军队进军路线图

这算不算李陵悲剧的预演？

## ▷ 五

现在，我们来回顾一下李陵军团悲情的始末。

"陵于是将其步卒五千人出居延，北行三十日，至浚稽山止营。"

李陵不会想到，9年后（征和三年，公元前90年），他将第二次率军到这个叫浚稽山的地方作战。只是，这次，他是汉家将领，9年后，他是匈奴的王侯。

李陵军到达浚稽山后，竟与单于遭遇，被三万骑兵包围。李陵此时显出了足够的大将风范，并将步战弓弩战术发挥到了极致：他不慌不忙，将装箭矢的大车环绕起来作为营寨，带领士兵营外列阵，前排持戟、盾、后排持弓弩。匈奴见汉军人少，便直接正面攻击大营，李陵部五千人全是李陵多年训练的射手，弓弩齐发，匈奴应弦而倒，匈奴撤退，汉军追击，杀敌数千。

首战胜得惊人的漂亮！

单于大惊,召集八万多骑围攻。李陵军向南边打边撤数日,到达一山谷中。连续作战后,士兵多有受伤,李陵令三处受伤的躺在车上,两处受伤的驾车,一处受伤的拿兵器作战。李陵发现部队士气低下,查之,发现"始军出时,关东群盗妻子徙边者随军为卒妻妇,大匿车中。"发现原本装载箭矢的随军车辆中有士卒擅带的女子。

"陵搜得,皆剑斩之。"

后面我们会发现,车里如果没有这些女子,而是箭矢,就算没有援军,李陵军团或许也不至覆没。

但历史没有如果。

第二天再战匈奴,汉军又毙敌三千余人,随后引兵向东南沿着龙城旧道行军四五日,来到一片满是芦苇的大沼泽中。匈奴人强攻无效,从上风口方向发动火攻,这一招非常致命,但李陵临危不乱,命令军士也放火,烧出隔离带以自救。这是这种情况下的唯一正确的求生办法。

南行至山下,单于在南山上,派遣其子亲率骑兵攻击李陵。李陵军在树林中步战,又杀死数千敌军,并且用连弩射退单于。由于李陵军逐日南撤,已接近汉家南面边塞,捉到的匈奴俘虏交代说单于担心伏兵,且亲率精锐却拿不下五千步兵,屡被嘲笑,已萌退意:

是日捕得虏,言:"单于曰:'此汉精兵,击之不能下,日夜引吾南近塞,得毋有伏兵乎?'"(《汉书》)

这时,李陵军还有四五十里地就可以走出山谷,匈奴急于在山地消灭这支军队,仗着人多,攻势日急,双方一日交战数十次,李陵军又杀敌二千余人。匈奴出动所有精锐,损伤惨重,还是啃不下这支五千人的汉军硬骨头,绝望之余,正想退兵,但这时一个汉军军侯的叛降,将几乎已经逃生的李陵军团推向了绝境。

这个军侯叫管敢。因为这场战争,这个普通的名字被永远记录在案,并与汉奸画上等号。

管敢因为被校尉所辱,投降了匈奴,同时出卖了李陵军的真实底细:

"陵军无后救,射矢且尽,独将军麾下及成安侯校各八百人为前行,以黄与白为帜,当使精骑射之即破矣。"

两个致命的信息:(1)没有援军;(2)箭也快用尽。

狼狈不堪的单于得知大喜,斗志重燃,放心大胆派出骑兵阻截了汉军后路,仗着山势居高临下四面射击汉军,箭如雨下。李陵部队一边向南撤退,一边苦战,还没到鞮汗山,五十万支箭用尽,只好丢掉军车继续撤退。

《汉书》如此记载此时情况:"士尚三千余人,徒斩车辐而持之,军吏持尺刀,抵山入峡谷。"

我想来重新复盘一下前面的战斗过程:无一匹战马的五千荆楚步卒,用30日行军抵达浚稽山,离本土千里之遥,遇8万敌精骑围攻,9天时间,徒以肉身,日数十战,杀敌逾万,"转斗千里,矢尽道穷(司马迁语)",到达离国门仅有百余里的地方,竟然"士尚三千余人"。

这是一个怎样恐怖的数字?一支怎样恐怖的部队?一个怎样恐怖的将才?

在汉武帝对陇西李家灭族后,李陵曾如此愤怒质问汉使:吾为汉将步卒五千人横行匈奴,以亡救而败,何负于汉而诛吾家?

"吾为汉将步卒五千人横行匈奴",李陵这句话,没有丝毫夸张。

《汉书》记载了这支队伍的最后结局:

单于遮其后,乘隅下垒石,士卒多死,不得行。陵大息曰:"兵败,死矣!"军吏或曰:"将军威震匈奴,天命不遂,后求道径还归,如浞野侯为虏所得,后亡还,天子客遇之,况于将军乎!"陵曰:"公止!吾不死,非壮士也。"于是尽斩旌旗,及珍宝埋地中,陵叹曰:"复得数十矢,足以脱矣。今无兵复战,天明坐受缚矣!各鸟兽散,犹有得脱归报天子者。"

最后突围结果,"军人分散,脱至塞者四百余人"。(《汉书》)

五千汉家男儿出塞,苦战9日,辗转近千里,最终竟得四百余人生还。

"复得数十矢,足以脱矣。"这是李陵拟战死前的最大遗憾。假设那些车上没有士卒藏匿的美女,而是箭矢,结局或许真的会不一样。

他没有抱怨为何没有援兵。

李陵突围,"虏骑数千追之。"陵曰:"无面目报陛下!"遂降。(《汉书》)

匈奴单于如获至宝,封右校王,妻以女儿。

从这一刻开始,心高气傲的李陵,注定成为同样傲骄的大汉的弃儿。

## ▷ 六

如果当年战死,李陵会成为一个千古流芳的英雄。又或者,全心全意归附匈奴,做个名副其实的"汉奸",倒也简单。

但他选择了一条终日承受良心煎熬的不归路。

李陵的投降,至少在灭族前,都只是一个诈降,正如他在《答苏武书》所道:"陵岂偷生之士,而惜死之人哉?宁有背君亲,捐妻子,而反为利者乎?然陵不死,有所为也,故欲如前书之言,报恩於国主耳。"

李陵降后,满朝文武都在落井下石,火上浇油("群臣皆罪陵,上怒甚")。唯一站出来说话的司马迁也遭腐刑。但很快,刚愎的汉武也意识到了错误:久之,上悔陵无救,曰:"陵当发出塞,乃诏强弩都尉令迎军。坐预诏之,得令老将生奸诈。"

但他的补救措施将李陵彻底推向了不归路:"陵在匈奴岁余,上遣因杅将军公孙敖将兵深入匈奴迎陵。"敖军无功还,曰:"捕得生口,言李陵教单于为兵以备汉军,故臣无所得。"(《汉书》)

他派遣了一直依附于外戚李广利,率精骑出战却一无所得的公孙敖去考察和迎接李陵。"敖军无功还",顺便找了个漂亮的借口:李陵在帮匈奴练兵对抗汉军。

"上闻,于是族陵家,母弟妻子皆伏诛。"

史云:自是之后,李氏名败,而陇西之士居门下者皆用为耻焉。

其后,汉遣使者出使匈奴,李陵愤怒责问使者:"吾为汉将步卒五千人横行匈奴,以亡救而败,何负于汉而诛吾家?"

使者回答:"汉闻李少卿教匈奴为兵。"陵答曰:"乃李绪,非我也。"(《汉书·李广苏建传》)

李绪本为汉塞外都尉,居奚侯城,后降匈奴,单于很看重这个李绪,位置还在李陵之上。李陵当晚便派人刺杀了李绪,并因此得罪匈奴大阏氏(单于母亲),单于怜其忠义,将其藏于北方,等大阏氏死才回来。

也是在这个北方躲藏的过程中,李陵有机会接触老友苏武。这是后话。

不难看出,李陵终究是心系故国。无端被"族灭",李陵如果"上念老母,临年被戮;妻子无辜,并为鲸鲵",则实在有千万条理由可以带上匈奴兵马,杀回汉地。然而李陵却没有这么作,反而先是冒着生命危险刺杀了李绪,为自己复仇,也为汉家清除了一大隐患。此后他带着被单于要求而娶之的其女儿,住到偏远的地方,基本和匈奴采取不合作的态度,只有在遇到单于要决大事时,才"入与决":

"陵居外,有大事,乃入议(《汉书》)。"

李陵在匈奴呆了二十五年,和他太太拓跋氏生养了几个儿女,余则基本无所事事,唯苟且其百死之身而已。

这是一个一直生活在煎熬中,极不成功的"汉奸"。他或许心灰意冷,但从未真正叛国。

李陵唯一真正为匈奴"效劳",是在降匈 9 年后(征和三年,公元前 90 年),李陵率三万精骑对战汉军商丘成部。而他和汉军会战的地点,竟正是他手绘地图,最终导致他家破人亡、身败名裂的与匈奴最后一战的战地:浚稽山。

这是否是上天冥冥之中的一种安排?李陵终可借此快意复仇?

我们回到《汉书》对这次大战三路汉军的描述:"贰师将军将七万人出五原,御史大夫商丘成将三万余人出西河,重合侯莽通将四万骑出酒泉。"

主力"贰师将军"李广利的结局,前面已经交代:"单于自将五万骑遮击贰师,夜堑汉军前,深数尺,从后急击之,军大乱败,贰师降"。李广利以七万汉家儿郎换取了苟生,但一年后就被"遂屠贰师以祠。"

大汉主帅成了匈奴祠堂的祭品,这是汉匈对抗史上最惨烈的一次失败。自此后,攻守易势,汉匈基本罢战,开始和亲。

另一路大军,史书的交代极其简单:"重合侯军至天山,匈奴见汉兵强,引去。重合侯无所得失。"

最诡异的,是第三路大军,也就是与李陵在浚稽山会战的商丘成部。《资治通鉴卷二十二》是如此简单记载的:

"御史大夫军至追(斜)〔邪〕径,无所见,还。匈奴使李陵将三万余骑追汉军,至浚稽山合,转战九日,汉兵陷陈却敌,杀伤虏甚众。至蒲奴水,虏不利,还去。"

此事的诡异之处在于:浚稽山正是 9 年前李陵最后一次与匈奴决战之地点,他曾手绘地图,对浚稽山一代的地形,烂熟于心。反观商丘成,"(征和二年)九月,商丘成为御史大夫"(《资治通鉴卷二十二》)。御史大夫之职,不是来带兵打仗的。商丘成军事才能和李陵相比,更有天壤之别,此战后再未见他有任何军事表现。同时,商丘成带兵迎击匈奴,是征和三年五月。换言之,从他新官上任当御史大夫到出兵西河,前后只有半年多一点的时间。这么短的时间要想熟悉兵权军事、上下沟通,困难重重。

又,以兵力计,商丘成所带兵不过三万余,与李陵所带兵持平。然而李陵所引乃匈奴之精锐骑兵,战斗力十分强劲。同时,汉兵乃以劳兵袭远,疲惫已极。面对的是以逸待劳之匈奴军,并被李陵骑兵穷追而仓皇奔逃入浚稽山,其战斗力实在大可值得商榷,却反能"转战九日,汉兵陷陈却敌,杀伤虏甚众"。

一个御史大夫,靠一堆疲兵穷卒,最终反能把由名将所带的骁勇善战以逸待劳、乘胜追击之精锐骑兵打败、最终无获而归,这难道不要让人奇怪的么?

合理的解释或许只有一个:李陵并未真打。

历史就是历史,更多的诠释已全然无益。虽然说如果从纯军事的角度上讲,给出一个可以接受的解释,并非难事,然而这大抵也是毫无必要的。因为无论怎么论道,都属以今人之心,揣古人之意,更无法体味塞外苟活者李陵的悲怆心境。

一死易,不死难!

## ▷ 尾声

大汉其实一直都知道李陵的苦楚,也知道对李陵的亏欠。征和三年(公元前90年)那场耻辱之战结束三年后,李陵与大汉之间再次出现和解契机。

后元二年(前87年)春,雄才大略的汉武帝病逝,8岁幼子刘弗陵继位,是为汉昭帝,大将军霍光、左将军上官桀辅政。这两人都是李陵密友,"素与陵善,遣陵故人陇西任立政等三人俱至匈奴招陵。"在单于置酒赐汉使者宴会上,趁单于、卫律离座更衣时机,《汉书》记载了汉使立政与李陵之间的如下对话:

律起更衣,立政曰:"咄,少卿良苦!霍子孟、上官少叔谢汝。"

陵曰:"霍与上官无恙乎?"

立政曰:"请少卿来归故乡,毋忧富贵。"

陵字立政曰:"少公,归易耳,恐再辱,奈何!"

是的,回去容易,但汉室朝堂反复无常,忧再受辱耳!

一句奈何,道尽李陵渴望归乡,却又难抑"老母临年被戮;妻子无辜,并为鲸鲵"灭族伤痛的满腹凄楚。"陵虽孥怯,令汉且贳陵罪,全其老母,使得奋大辱之积志,庶几乎曹柯之盟,此陵宿昔之所不忘也"!但武帝族灭其全家,对于他来说,在大汉已没有什么需要他证明、需要他守护、需要他奋发的东西了。

立政随谓陵曰:"亦有意乎?"

这次李陵是决绝的语气:"丈夫不能再辱。"

但他内心其实是一直在挣扎,在渴望回去。

在刺杀李绪藏身漠北时,与好友苏武近在咫尺,但一直觉无颜面见。过了很长时间,单于派李陵去看望苏武并做劝降,但在苏武回答:"王必欲降武,请毕今日之欢,效死于前"后,并无真劝降意图的李陵喟然叹曰:"嗟乎,义士!陵与卫律之罪上通于天。"因泣下沾衿,与武决去。

**李陵与苏武**

泣下沾衿,这大抵是李陵内心的真实写照。他是真心羡慕苏武,虽苦,但在外人眼里,气节分明。他可能没有想到,自己的苟活以图后效,会阴差阳错,被推到无法回头的境地。

汉昭帝始元六年(前81年),被匈奴单于扣留了十九年的苏武归汉,在置酒送别故人的凄凉心境中,李陵唱出催人泪下的《别歌》:

"径万里兮度沙幕,为君将兮奋匈奴。路穷绝兮矢刃摧,士众灭兮名已颓。老母已死,虽欲报恩将安归!"

走过万里行程啊穿越了沙漠,为君王带兵啊奋战匈奴。归路断绝啊刀剑毁坏,兵士们全部战死啊我的名声已败坏。老母已死,虽想报恩何处归!

歌毕,陵泣下数行,因与武诀。

他不是不想归,他实在已经是无家可归。

他因一战成名,也因一战而名灭。他自认忠良之后,却做了降将。他一心想要光耀门楣,却害得家人灭族。他在异族过着优裕的生活,却始终难消心中块垒。他寂寞生活在"胡天玄冰"之中,直到公元前74年客死异乡。

千年后,辛弃疾作"将军百战声名裂,向河梁,回头万里,故人长绝"。短短18字,写尽李陵有国难报、有家难归,心中无以复加的悲怆境遇。

好在古人作史者,皆非为朝廷背书之人。就是这样一个有志难酬、有口难辩的"叛国者",太史公司马迁对其的评价是"常思奋不顾身,以殉国家之急。其素所蓄积也,仆以为有国士之风"(《报任安书》)。

"有国士之风",这恐怕是对一个"叛国者"最高的褒奖了吧?

回头万里,故人长绝!

2016年10月22日

# 关于投资，关于江南：
# 投资是一生，苏曼殊，也是一生

偷得浮生半日闲是身处喧嚣浮躁投资领域的人最渴望的享受。除了沉迷西藏，格隆骨子里有股浓厚的江南情节，每年三四月芳菲将尽、龙井吐绿的春末，都会到一枝杨柳一株桃的杭州西子湖畔小住，一是感受南宋江苏如皋人王观"才始送春归，又送君归去。若到江南赶上春，千万和春住"的春去情结，另外也是试图在清净中从投资之外感受一些对投资可能有用的东西。格隆一直坚信，投资如作诗，功夫在诗外。

格隆曾经劝说一个祖籍杭州的好朋友移民海外，他回答：江南好，江南自古繁华，愿世世代代居江南。

在古往今来如恒河沙数般的各式地名中，最奇妙当数"江南"。这个地名早在先秦就已问世，那时它主要指长江中游的今湖南、江西一带。"江南"的现代意义源于唐朝。唐太宗将天下分为十个道，其中就有江南道。力拔山兮气盖世的楚霸王项羽垓下被围，自觉"无颜见江东父老"而自刎乌江，这个"江东"指的其实就是后世的"江南"核心地带，即今以太湖为中心的苏南、浙北区域。自千年前吴越王钱镠之孙裂土归宋始，江南就几无大的战乱，南宋偏安杭州后，江南文化与物质的富庶更是无出其右者，以致后面历朝均有两江膏腴，泽被天下，满朝进士，半出江南之说！

江南最吸引格隆的地方之一是它厚重的人文文化积淀。

**江南花柳从君咏，塞北烟尘我独知**。与大漠孤烟酷寒荒蛮的塞北相比，江南代表的不单是富庶丰足的财富，更是繁荣发达的文化教育。江南的魅力不单是小桥流水，草长莺飞，有活泼俏丽的女子在采莲、在戏水，有结着愁怨丁香一样的姑娘，走在悠长悠长的雨巷，更有无数文人雅士生在江南，逝葬西泠的梦想，以及他们对江南传神的文字记录。

白居易被贬期间曾在江州（今九江）、苏州、杭州都做过官，其经典名句"江南好，风景旧曾谙。日出江花红胜火，春来江水绿如蓝，能不忆江南？"非常直白地表达了他对江南的偏好。五代时睦州新安（今浙江建德）人皇甫松的"闲梦江南梅熟日，夜船吹笛雨潇潇，人语驿边桥"则是无数人梦想中的家乡情景。晚年一直在蜀地为官的韦庄则以"人人尽说江南好，游人只合江南老。未老莫还乡，还乡须断肠"来表述他对江南的思念，这与清朝时娶浙江湖州人沈宛为妻，并长居江南的著名词人纳兰容若在巡视辽东而撰的《长相思》如出一辙："山一程，水一程，身向榆关那畔行，夜深千帐灯。风一更（jing），雪一更（jing），聒碎乡心梦不成，故园无此声。"

但江南更吸引格隆的是它的商业文化。

从明朝开始，中国的首富就都出现在江南这块土地上绝非偶然。早在明朝，资本主义就开始在富庶的江南萌芽，并逐渐在这块土地上形成一种深入骨髓的商业文化——尊重契约，节俭勤勉，对财富的敏锐嗅觉与执着渴求，强烈的乡土社会责任感，百折不回的韧性与勇气。也正是这种文化缔造了明朝首富沈万三、清朝首富胡雪岩、近代的荣毅仁家族，以及几年前的中国首富宗庆后，今日的中国首富马云。

相较于很多地方的企业治理诚信问题，格隆对来自江南的企业有一种天然的信任，根本原因就在于江南的商业文化有严格的行为边界，他们知道什么该做，什么不该做。马云将支付宝从阿里剥离一直被广为诟病，但其行为严格来说是没有突破契约边界的，虽然这其中多少蕴含着一些无奈与狡黠（阿里上市前后，格隆先后写了5篇对阿里的深度分析文章。格隆自信这个资本市场能超过格隆对阿里理解的人会有，但不会多）。

遗憾的是，这种江南商业文化始终没有得到茁壮生长的机会。作为世界上唯一一个延续两千多年的中央集权国家，政权对经济的控制已经形成一种制度与文化的惯性。在中国跌跌撞撞的历史进程中，路径的选择权始终在各种派别的官僚与知识分子之间交替轮转。最为理性、稳健的工商业阶层，始终被排斥在决定历史的权力结构之外。在这种缺乏信用契约的环境中，中国特有的官僚制度，人际关系成为商业生长的必须土壤，而这种土壤注定了建立其上的商业故事最终都将是海市蜃楼。

胡雪岩通过结交权贵显要、纳粟助赈而富可敌国，但最终也因权贵的倒台而一贫如洗。胡雪岩葬在杭州西郊鸬鹚岭下的乱石堆中，他曾经拥有的万贯家财和浮华一生都如浮云般消失。倒是他精心创下的胡庆馀堂，至今仍以其"戒欺"和"真不二价"的契约传统矗立在杭州河坊街上。

崖山之后无中华。格隆经常会有一个很天真的想法：假使一千多年前的宋代，全球遵循的就已是契约文化，而不是兵戈铁马的暴力逻辑，必不至于有落后游牧民族对汉文明的赤裸裸摧毁。假使中国首都能一直是杭州，而不是易守难攻的北京，以中华之文明积淀与创造力，中国早已是万邦来朝的泱泱大国吧？

中国过去改革开放，锻造了30年GDP接近10%增长的经济奇迹，但经济奇迹并未催生任何一家堪称伟大的公司。好在现在来自民间尤其是江南民间的商业力量正在蓬勃而起。如果未来这种中国几千年积淀的江南文化能在经济乃至政治的更大领域壮大,无疑将是国之幸,也是资本市场之幸。

*春雨楼头尺八箫,何时归看浙江潮?*

*芒鞋破钵无人识,踏过樱花第几桥?*

每次格隆去杭州,必然要去拜谒的一个地方就是西泠桥畔孤山北麓的苏曼殊墓,这次也不会例外。墓地很难找,但每次信步由缰最后都会找到。苏曼殊从不容于主流社会价值观,与投资这件事也没有任何关系,磁石一样吸引格隆的,可能恰是他身上的那种不见容于主流的活法:无惧生,无惧死,淡泊名利,恃才放旷,无拘无束。

投资,是一生。苏曼殊,也是一生。

2016 年 3 月 30 日

# 人口雪崩：中国世纪的终结？

**题记**：推动经济增长的要素有很多，从制度经济学角度看，如果没有战争，决定一个国家是长盛不衰还是昙花一现的决定性因素，只有两个核心要素：体制与人口。

▷ 一

中国 2015 年 GDP 增长率破 7（6.9%），创 25 年新低。2016 年前三季度 GDP 增长率异常巧合地都是 6.7%，不出火星撞地球的意外，今年 GDP 增长率将再下台阶，26 年新低没有悬念。

GDP 并不是一个很完美的经济学指标，骗过很多人。它是一个时期指标而不是时点指标，是流量指标而不是存量指标，这注定了它非常粗糙。但如果要找一个基本能反映一个国家综合国力的单一指标，GDP 不是最好的，但仍然是有它的参考性的。

我想和大家探讨一个很严肃的问题：中国到底是在筑底蛰伏？还是流水落花春去也，属于我们的世纪，其实将一去不复返？

如果是前者，没什么好说的，熬就是了。如果是后者，我们该如何面对现实？该做点什么，去延缓以及对冲这种"大国的黄昏"？

特别声明一点：这只是纯学术讨论。

▷ 二

经常有海内外投资者与我探讨中国的问题，大多数人关心的都是短期问题，诸如中国的供给侧压缩得如何，房地产泡沫会不会破裂，地方政府负债到底有多严重,经济会不会"硬着陆"……

其实,从一个国家或者社会的长远生命周期来看,上面这些都是典型战术层面的动态瑕疵,因而也注定了无伤大雅。供给侧压缩收效甚微又如何?地产泡沫破裂又怎样?大不了7年一个经济周期,从头来过。相较于短期的经济繁荣或者衰退,相较于听起来很可怕的"硬着陆",一个国家有远比这些坏得多的选项:比如战争,比如少量利益阶层的固化与社会的故步自封。这些长期的"阿喀琉斯之踵"会导致一个社会长期必然走向衰落。

你能想象第二次世界大战结束后,亚洲人均 GDP 最高的国家是缅甸吗?但第二次世界大战结束 70 年后的今天,这个军政府统治下的国家,几乎沦为亚洲最穷的国家。

换句话说,中国现在到底是在筑底蛰伏?还是属于我们的世纪,其实将一去不返?要回答这个问题,必须要看大国崛起与经济增长的周期因素。

推动经济增长的要素有很多,从制度经济学角度看,如果没有战争,决定一个国家长盛不衰,还是昙花一现的决定性因素,只有两个核心要素:体制与人口。

我们来谈人口。

▷ 三

我们过去 30 年创造的经济奇迹,大多数人都把它归结为所谓的"中国模式",但在我看来,中国过去 30 年的经济增长,与世界上其他国家的增长并无显著特别之处:一言以蔽之,其实就是在体制上松了绑,辅以巨大的人口红利(见下图)。

从下图可以清晰看出,开始全面实行计划生育的 1971 年是中国人口变化的一个明确分水岭。以 1971 年为分隔线,中国人口增长分为截然不同的两个阶段。

全面实行计划生育之前,1959～1961 年是一个极特殊阶段,连续三年灾害,致使人口死亡率突增、出生率锐减。1959 年人口死亡率上升到了 14.6‰,1960 年进一步上升到 25.4‰,而人口出生率只有 20.9‰。人口自然增长率大幅度下降,其中 1960 年、1961 年连续两年人口出现负增长。

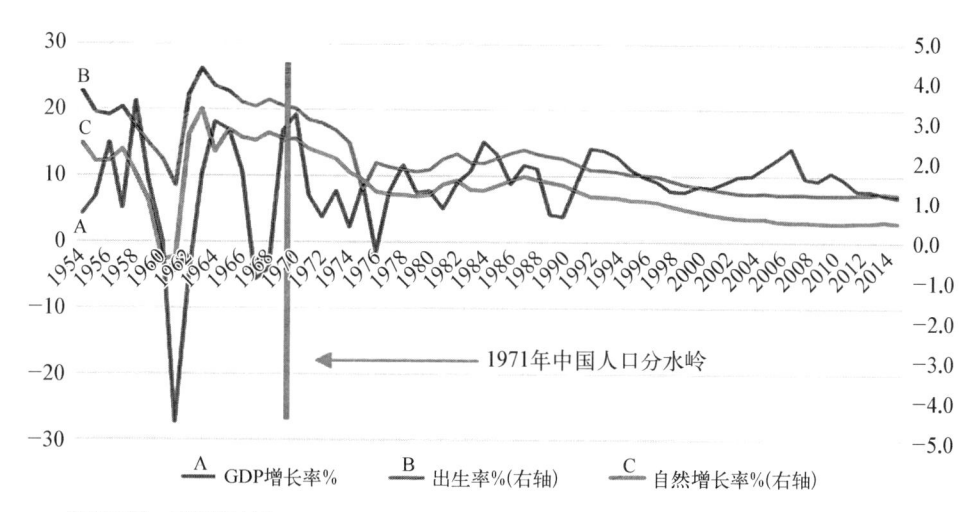

[图表：1954—2014年中国GDP增长率、出生率、自然增长率对比图，标注"1971年中国人口分水岭"。A：GDP增长率%；B：出生率‰（右轴）；C：自然增长率‰（右轴）]

数据来源：国家统计局。

但自1962年开始，中国进入连续8年的人口高增长时期。这8年中，人口出生率最高达到43.6‰，平均水平在36.8‰；人口死亡率重新下降到10‰以下，并逐年稳步下降，1970年降到7.6‰。出生率的上升和死亡率的下降，使这一阶段的人口年均自然增长率达到27.5‰，年均出生人口达到2 688万人，8年时间净增人口1.57亿。

如果给予人口出生与GDP增长17年的周期间隔，中国GDP的高速增长，几乎与中国的人口出生率与人口自然增长率显著正相关：1978年改革开放后经济进入高增长轨道不是偶然的。17年正好是一代人长成的时间，正是因为从1962~1970年连续8年的高人口出生率与增长率，才为后面30年提供了足够的劳动适龄人口——经济增长的秘诀。

对于勤扒苦做的中国人，只要他还年轻，能干得动活，同时放松一些捆绑在他身上的体制束缚，哪怕没有政府，他都能创造出令人满意的GDP——最新的案例是西班牙。这个南欧国家因为议会选举没有任何政党达到多数，导致在过去8个月里是"无政府"的，但其GDP增速却达到了3%，是欧洲平均水平的2倍。7月份最新民调，只有2.3%的西班牙居民认为没有政府会是个问题，西班牙著名经济学家Gabriel Calzada如此评论：2016年上半年，是过去几十年来西班牙最美好的时光……

而所谓的改革开放，只是对束缚在这些人口身上的绳索做了松绑而已。

1971年，中国开始全面计划生育，特别是20世纪70年代后期，是中国人口发展出现根本性转变的时期。中国政府陆续制定和完善了明确的计划生育政策，人口高出生、高增长的势头被迅速控制，人口自然增长率自此一路下滑，从1971年的23.4%，一路不回头地下滑到2015年的4.96%，而生育率（妇女一生生育的子女数量）也从1990年开始连续25年低于种群正常更替水平（保证种群不萎缩的生育率），人口"青黄不接"的直接后果，是劳动适龄人口的不断减少，整体人口的极度老化和急剧萎缩。

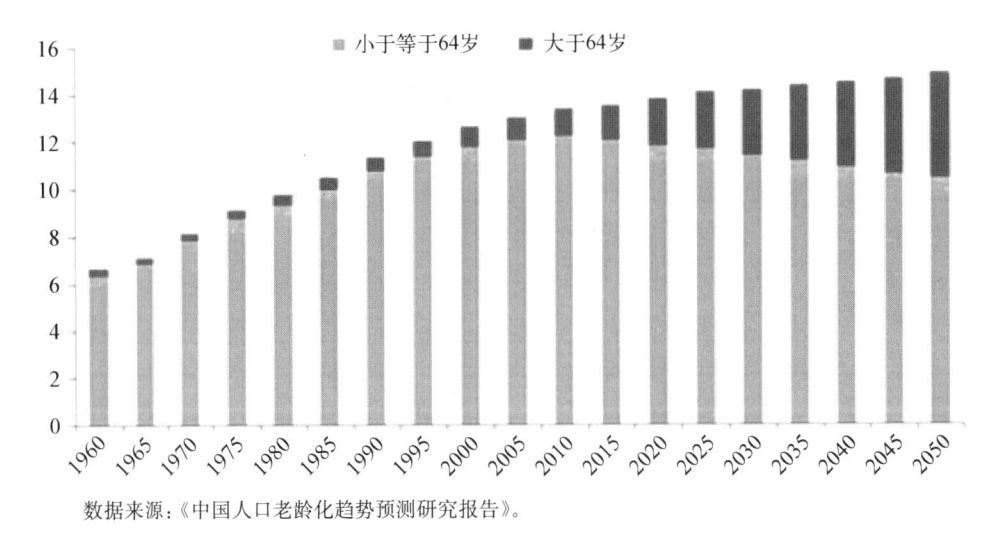

数据来源：《中国人口老龄化趋势预测研究报告》。

而中国的经济开始走下坡路，GDP增速脱离双位数区间，恰好也就是从中国劳动适龄人口开始绝对减少的2012年开始的，这绝非偶然。

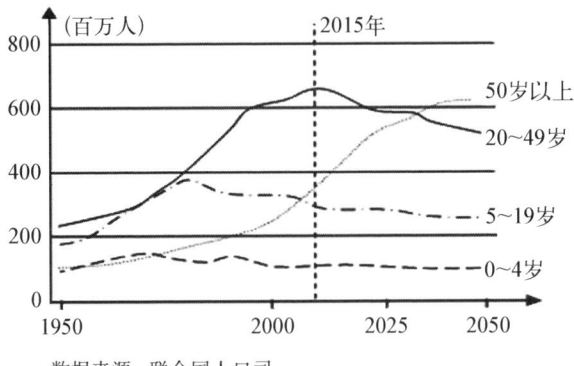

数据来源：联合国人口司。

在经济学上,这被称为"刘易斯拐点"。日本在 1990 年进入这个拐点,从此开始了长达 25 年的衰退与疲软。

## ▷ 四

我们大多数人的思考模式与行为模式,经常会被一些似是而非的惯性思维所笼罩和绑架:多数时候,我们把它称为路径依赖,但其实它的本质就是怠于思考的盲从。

比如,我们认为美国总统候选人互怼是闹剧,代表着这个"帝国的黄昏",因为我们固化的思维是:一国领导人是不能批的,是必然的伟大光荣正确。再比如,中国最不缺的就是人,中国必须控制人口,否则越生越穷,世界上谁也养不活 14 亿中国人,很多人堂而皇之把这称为"人口诅咒",因为我们固化的思维是:人民是靠国家养活的,而不是人民自己养活了自己,并且养活了国家。

如果我告诉你:人口问题将是中国未来面对的最大噩梦,中国人口可能永远也到不了 15 亿,而且在迅速老去,你信吗?

首先是人口绝对数量自然增长的逆转。即使按照 1.8 的生育率来推算,以此推论中国人口也将在 2030 年开始负增长。

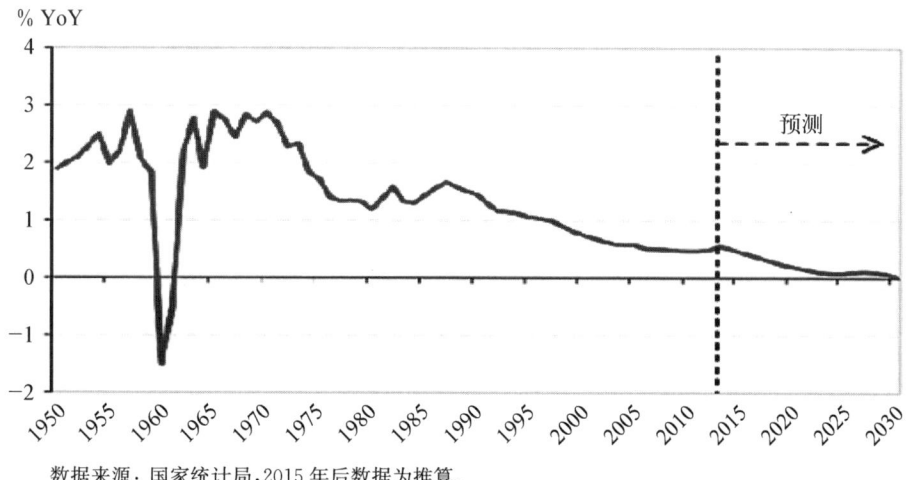

数据来源:国家统计局,2015 年后数据为推算。

如果这种人口负增长叠加快速的人口老化,这种"双杀"的人口结构,对于经济增长就是噩梦。

从六次人口普查的数据来看,中国人口结构最年轻的时候是1964年,当时老年人口占总人口的比例不足4%。而此前的1963年正是中国人口生育率最高的年份,一个妇女平均要生好几个孩子。而1964年开始,中国就进入了持续"变老"的进程中,老龄化曲线一路向上。

2005年,IMF按照1.8的总和生育率(妇女一生所生子女数量)假设,推演出中国100年人口结构触目惊心的变化(见下图):

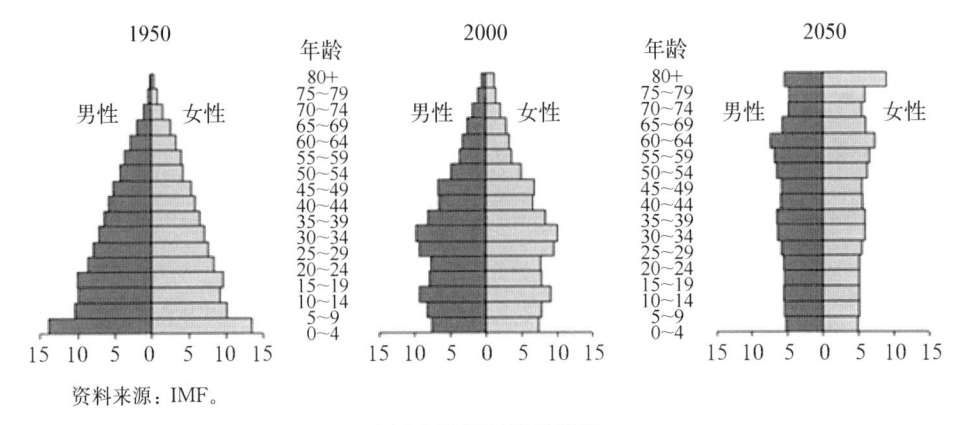

资料来源:IMF。

中国人口年龄结构变化

IMF没有想到的是,他们对中国生育率的假设实在太乐观了:中国总和生育率自1990年开始一路走低,连续25年低于2.2的种群正常更替水平,《中国统计年鉴2016》公布的2015年全国1‰人口抽样调查显示,中国2015年的总和生育率仅为1.05。这个数据低于世界银行最新的2014年的所有其他199个国家和地区的生育率。

这种生育率导致两个直接后果:(1)整体人口的急剧萎缩;(2)整体人口的极度老化。

世界银行对2014年中国人口年龄结构的统计真实反映了这种变化(见下图)。

我们再对照一下GDP增速已经超越中国,未来这种超越将是常态的印度的人口结构(见下图)。典型的金字塔型,堪称完美。

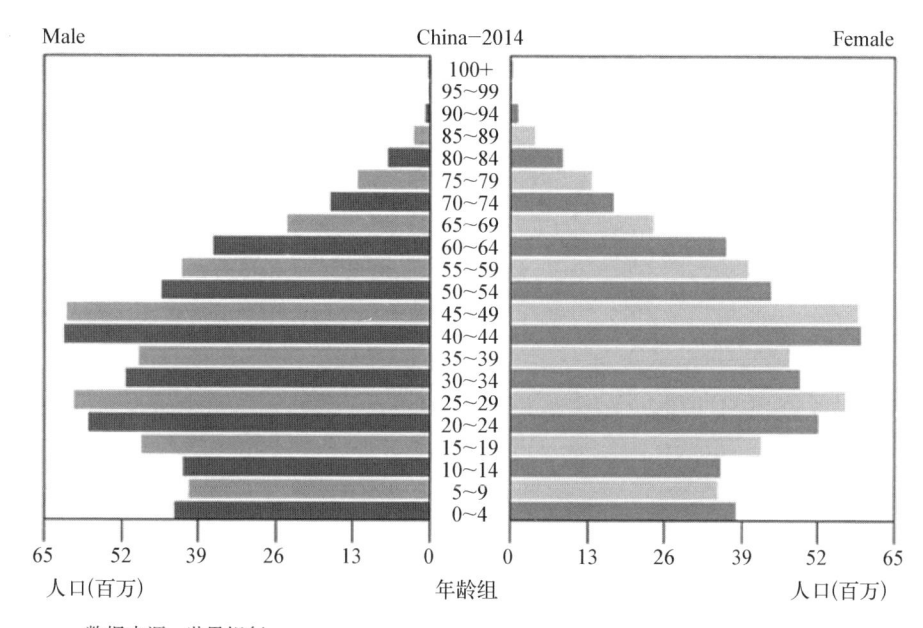

下篇　家国篇

数据来源：世界银行。

**2014 年中国人口年龄分布结构**

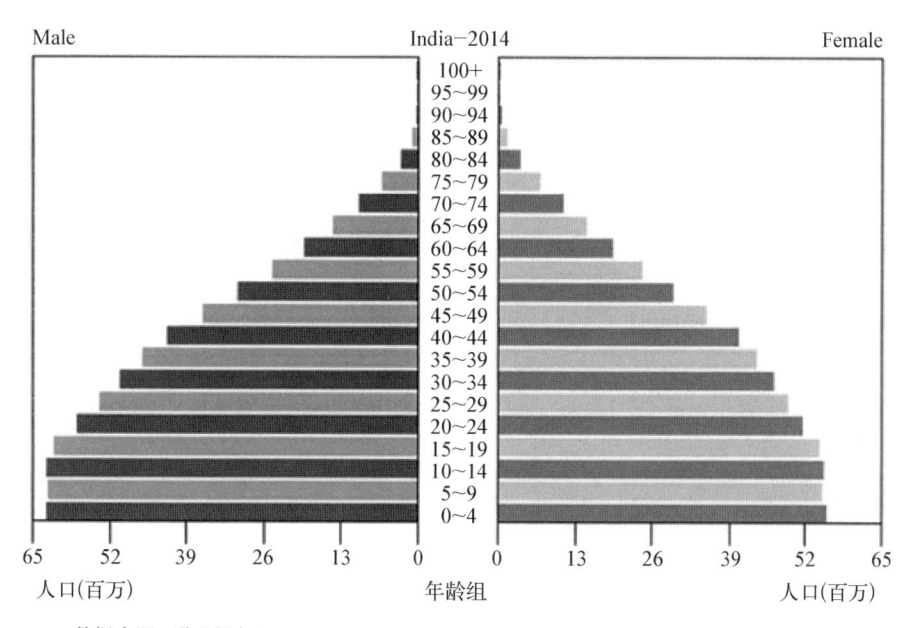

数据来源：世界银行。

**2014 年印度人口年龄分布结构**

按传统惯例，一个国家65岁以上老人占比超过7%，即表明进入了老年社会。国家统计局《2015年国民经济和社会发展统计公报》公布的数据是：2015年中国13.74亿人口中，60岁及以上的老人2.2亿，占总人口比例为16.1%；65岁及以上人口数1.43亿人，占比10.5%。

把时间轴拉长：中国65岁以上人口占总人口比重在1982年仅为4.9%，1990年为5.6%，2000年为7.1%，2010年为8.9%，2014年为10.5%，老龄化呈加速上升状态。中国老龄化包揽两个世界第一：老龄人口数量世界第一；老龄化速度世界第一。

相比日本44.6岁的平均年龄，平均年龄36.7岁的中国也许还不算老气横秋，但相比平均年龄26岁的印度，我们真的还能那么自信：我们只是在蛰伏，21世纪还是我们的？

## ▷ 五

这种状况是不治之症吗？

是，也不完全是。能改善或者延缓这种状况的唯一救星是生育率。

2016年10月刚出版的《中国统计年鉴2016》抽样调查显示：2015年，中国育龄妇女的总和生育率仅为1.047，这一数据不及人口世代更替水平2.1的一半，低于世界银行最新的2014年的所有其他199个国家和地区的生育率。尤其2014年是"单独二孩"政策在全国各省份陆续实施的第一年，2015年是"单独二孩"政策实施的第二年，生育率反而比2014年有所下降。

这个数据是全国1%人口的抽样，也许未见准确，但国家统计局的数据，中国2010~2014年的生育率分别为1.18、1.04、1.26、1.24、1.28，平均生育率仅1.2，即使取最高值也只有1.28。即便国家统计局的数据对这几年的生育率低估了15%，实际生育率也不到1.4；在1.4的生育率水平下，意味着每隔一代人（平均25年左右），年出生人口将减少36.4%，两代人将减少超过60%，总人口也将以每50年减少一半的速度萎缩。

正常来说，中国目前阶段，即使没有大规模战争、瘟疫、自然灾害，每个妇女平均生育2.2个孩子才能保证种群的世代更替，而中国生育率已经25年低于这个更替水平。

之所以上面都用统计局的数据,而不是卫计委的数据,是因为作为计划生育主管部门的卫计委,其生育率数据天然是不可信的。2015 年 11 月 5 日国家卫计委公布的数据依然声称中国实际生育率介于 1.5~1.6。

谁在说谎?事实上,"十五"期间,计生委规划的人口净增量为 6 257 万人,但实际增长仅为 4 013 万人;"十一五"期间,计生委规划的人口增量为 5 244 万人,但实际增长仅为 3 418 万人。两个"五年规划"误差都超过 50%。

这已经不是一般的误差,而是一种"屁股决定脑袋"错误。

能反证这种错误的,是这次《中国统计年鉴 2016》公布的分孩次生育率:没有任何限制的一孩生育率从 2012 年持续下降到触目惊心的 0.56,这已经低于最不愿生孩子的日本东京——日本东京总和生育率多年徘徊在 1.06 左右,一孩生育率徘徊在 0.61 左右。

表 1　2010~2015 年分孩次生育率

| 年　　份 | 2010 | 2011 | 2012 | 2013 | 2014 | 2015 |
| --- | --- | --- | --- | --- | --- | --- |
| 一孩次生育率 | 0.724 6 | 0.675 35 | 0.808 05 | 0.789 15 | 0.734 4 | 0.562 1 |
| 二孩次生育率 | 0.378 35 | 0.317 3 | 0.391 5 | 0.390 2 | 0.459 15 | 0.416 85 |
| 三孩及以上生育率 | 0.078 15 | 0.046 95 | 0.056 6 | 0.056 1 | 0.084 25 | 0.075 35 |
| 总和生育率 | 1.181 1 | 1.039 6 | 1.256 15 | 1.235 45 | 1.277 8 | 1.054 25 |

结论很简单也很冰冷:大家都不愿生了。

而综观世界各国历史,一旦这种生育状态形成,要改变是极其困难的,哪怕完全放开生育,甚至鼓励生育。

原因不复杂,长期生育限制、生育成本高、生育观改变导致的民众整体生育意愿走低,这种低生育意愿和低生育率的现实很难得到逆转。现代化过程中,增加养育孩子的实际成本与养育孩子的机会成本大大提升,养育孩子是一种以自己的艰辛付出来给社会提供公共产品的利他行为,生育率下降是普遍现象。而这种下降抵消养育的规模效应也将不断自我强化,恶性循环。

韩国生育率在 1955~1960 年高达 6 以上。在 1962~1995 年推行小家庭鼓励少生后,韩国生育率从 5.79 降至 1.63。从 1996~2004 年,韩国试图将生育率稳定至替代水平,但生育率依然从 1.58 降至 1.15,并在 2005 年跌至历史最低的

1.08。自2005年韩国开始推出各种政策鼓励生育，自2006年以来，韩国颁布的生育奖励政策就达100余项。2010年9月，韩国总统李明博宣布，投资3.7万亿韩元用于鼓励生育，但韩国生育率却依然徘徊在1.1~1.3。日本、俄罗斯也都出台过类似生育奖励政策，但同样收效甚微。

考虑到中国2016年年初"全面两孩"开始实施，2016年和2017年的生育率应该会有所反弹。但在此之后，由于堆积效应弱化，尤其是中国未来十年育龄高峰期女性萎缩超过40%，加上生育意愿的大幅降低，不出意外，中国未来出生人口将面临雪崩。

扣除技术进步的因素，伴随着这种人口雪崩的，大概率是中国的经济规模将不断萎缩，规模效应持续弱化，最终丧失综合性的产业优势，人均收入下降，国力全面衰退。

属于中国的世纪，可能就此做结。

▷ **尾声**

但并不是所有人都意识到问题的严重性。

起码我们的"单独二孩""全面二孩"的放开，都是扭扭捏捏，更不谈放开三胎、四胎。

现在人口政策仍然在严厉处罚多生。近日推出的《辽宁省社会抚养费征收管理实施办法》（征求意见稿）对超生两个子女以上的，将以5~10倍基数抚养费为标准，按照多生育子女数加倍征收社会抚养费。

比较一下辽宁与韩国的生育政策，就能看出辽宁严惩三孩政策的荒谬。韩国面积约10万平方千米，2015年人口约4 900万，出生43.87万。辽宁面积约15万平方千米，2015年人口4 382多万，但仅出生25.02万人。辽宁的面积是韩国的1.5倍，人口是韩国的89.4%，但新生儿却只有韩国的57.0%。

辽宁的生育率长期处于全国最低水平之一，与人口控制论者宣扬的相反，少生不仅没有带来快富，反而致贫。从1980~2015年，长达35年的时间，虽然辽宁的人口增长显著慢于全国，但辽宁的人均GDP增长速度反而比全国还要低20%以上。而且，到2016年，经济发展水平还显著低于发达经济体的辽宁竟然破天荒地出现了经济负增长。

中国多年的计划生育是一个前无古人的巨大实验,且已经形成了一个强大的生态利益链,养活了一批人,在这部分人眼里,计划生育是一个永远也不能丢的好东西。

至于未来是否会人口极度老化和急剧萎缩,是否会奇迹昙花一现,从此泯然众人,这并不是他们要考虑的问题。

但,这却是一个国家层面必须非常、非常严肃考虑的问题——民族的前途系于此,亡羊补牢,或可未晚。

2016年11月6日

# 仇恨"流行"：
# 愚蠢的底层相残，还是精明的集体错误？

**题记**：破坏性群体在政治家眼里都是只能用来冲锋的炮灰，而非建立秩序的基石。

▷ 一

又到圣诞季节。

美国的圣诞其实是一个悠长的季节：从感恩节（Thanksgiving Day）开始，一直到新年钟声敲响。每年从11月的第四个星期四感恩节开始，全美就开始进入一种温暖、愉悦、兴奋的节日氛围中：亲人团聚，交友派对，疯狂购物，拥抱与亲吻，互赠礼物和祝福……

这种氛围下，你真的会感谢生活，哪怕你只是一个流浪汉，平时过得其实很艰辛。

这个叫美利坚的民族，只有240年的历史，或许是这个星球上历史最短的族群。他们也有过权力不受约束的"类独裁"，也有过野蛮的对外征伐，也有过对土著印第安人的屠杀，也有过严重的种族甚至性别歧视，也有过伤亡惨重的内战与同胞相残……

但短短240年的时间，他们跨越了其他民族几百年，甚至上千年都无法跨越的所有这些阴暗、丑陋的泥沼，同时创造了这个星球上最强大的文明：物质的，以及精神的。

问一个移民美国十多年的朋友，因何如此？他沉思良久，回答说：敬畏和感恩的文化土壤。这是每个美国人一出生就开始接受的教育，它们深入每个人的骨髓。对上帝的敬畏，头顶三尺有神明，让每个人的行事都有明确的底线。对亲朋的感恩,让大多数个体都有反思和纠错的能力,都知道该往哪个大方向走。

他给我发来了特朗普当选美国总统后,耶鲁大学历史学教授斯莱德在脸书上给出的20条关于普通人如何活着的建议——这些建议为大多数美国人所接受:

1. 别望风而降——独裁者的权力往往是免费让渡的,别望风而降。

2. 保卫制度——因为制度本身是靠不住的,它不能保卫自己。

3. 保有职业伦理——政治越荒谬,每个人就越有责任保卫自己的防线。

4. 警惕政治术语——别一听到"恐怖主义""极端主义"就激动。

5. 哪怕极端事件发生,保持冷静——独裁者总是利用极端事件集中权力。

6. 重读经典——读哈维尔的《无权者的权力》、奥威尔的《1984》、加缪的《叛乱者》、哈伦特的《极权的起源》、波莫兰切夫的《一切都是假的,一切都有可能》。

7. 站出来——有些时候,总得有人站出来。

8. 相信事实——放弃事实就是放弃自由。

9. 了解——读长文章,订阅有操守的专业媒体,资助调查报道。

10. 社交——站起来,走出去,到没去过的地方,认识陌生人,交朋友,与他们携手。

11. 聊天——与周围人聊天,看着他们的眼睛,要知道谁可以信任谁不能,如果社会崩坏,一切人彼此攻讦,你得知道社会的心理地图。

12. 做点事——如果看到纳粹标志,把它取下来,别光走开。

13. 投票——不要放弃投票机会。

14. 资助——资助你认同的公民组织。你不资助谁资助。

15. 保护隐私——少发邮件,多当面谈话。

16. 学习别人经验——交海外朋友。现在的挑战不是哪个国家的事,也没有哪个国家会单独拿出答案。

17. 警惕带枪的人——那些带枪的人,长期声称反体制,现在成为体制本身,这可不是好事。

18. 乱命不从——如果你有公职,愿上帝保你的良心,不从乱命。

19. 保有勇气——你如无勇气,谁有勇气?

20. 留下榜样——为后代留下真正爱国者的榜样。

最后他补充了一句:这种底层人敬畏、感恩、思辨、担当的土壤,深厚而坚固,政客和政府都无法改变。所以,大多数美国人其实根本就不担心特朗普会乱来——这块土壤不支撑。

## ▷ 二

一个月前带儿子去了一趟云南腾冲,瞻谒了国殇墓园。回来后,读初中的儿子问我这样一个问题:爸爸,我们为什么没有感恩节?我随口回答:没有就是没有啊。过什么节,是要政府来定的。他耸了耸肩,很明显对我的答案不以为然。

上周吃饭,他很严肃地说了他的答案:我们没有感恩节,是因为我们并不鼓励感恩。所以才有人为了一个"技术比武",不去看病危的妈妈最后一眼。就算鼓励,也都是一种宣教式的,被引导去对那些很容易被证伪的对象感恩。这种做法其实挺笨的,因为你很容易就发现你被教导要感恩的对象,完全不是那么回事。

儿子尚未成年,但我鼓励他全世界走,我很害怕他陷在每天电视里不间断的"手撕敌人"的抗日神剧里,堆积仇恨、傲慢和偏见,更不希望他以为他眼前看到的就是整个世界。所以每个假期,我都是竭尽所能,送他去世界各地走走,看看。

在多次去过英国、美国、日本等国家以后,有一次我问他最大的感受,他想了想,一本正经地回答:我在那些地方没感受到那么多的仇恨。他们都挺普通、挺正常,都在努力过自己的日子,他们并没有关心我们在做什么、在想什么,也根本没想把我们怎么样。我们应该没那么多敌人。

是的,其实我们真没那么多敌人,更无须那么多仇恨。

之所以有,或许只是我们自己需要为自己找一个冠冕的借口,以堂而皇之地去逾越,甚至践踏做人和行事的底线。

## ▷ 三

仇恨在中国如此流行,到底是因为文化、教育使然?还是说我们都是真正的实用主义者:我们每个人都需要一个敌人,哪怕是假想敌?

日本是一个天然的靶子,美国很不幸沦为另外一个。一个很有趣的现象是:3.2亿美国人,至少有 3 亿人在骂自己的国家,而 13.7 亿中国人,至少也有 10 亿人,天天在骂美国。

我穿梭中美多年,看到的是美国政府乃至众多民间智库对中国深入得可怕的研究与了解,而在中国看到的则多是对美国一种并无充足理由与逻辑,条件反射一样的排斥、抵制甚至幸灾乐祸——在2008年全球金融危机以来表现得特别明显:从一些地方官员,到所谓的民间研究智库,都自我感觉良好,觉得美国在衰落,中国在迅速崛起并替代。在特朗普当选后,这种自以为是的一厢情愿再次喧嚣尘上:很多人认为特朗普当选是美国人自作自受,是对我们的"神助攻"。

其实最简单的问题是:不去努力学习其身上的优点,却去嘲笑甚至敌视一个GDP是我们的1.67倍,货币在全球使用比率是我们的差不多20倍的国家,到底是妄自尊大,还是无知无畏?

仇恨流行和泛滥,最终必然反作用于自身。

▷ 四

仇恨流行,说到底,还是与教育以及个体的思辨有关。教育方式塑造人格,人格的扩大就是文化,文化的结果就是文明。这些决定了底层人的思维逻辑与行为模式,自然也决定了社会运行的土壤。

作家李君貌如此评价这种仇恨教育:"它倡导的价值观,是一些反人性、反人类的东西:只讲仇恨、不讲仁爱;以牙还牙,冤冤相报;崇尚武力,打打杀杀;只讲国家利益,轻视个体生命的价值。所有这些,都是与文明社会的价值底线完全不相容。它培养出的,不是有爱心、尊重常识和理性的正常人,而是是非不分、人性泯灭的暴徒和打手。"

社会的轮回也就由此而来。

事实上,无论是慈禧始乱终弃的义和团还是屠杀犹太人的纳粹冲锋队,甚至是南美委内瑞拉福利政治的受益者,最终结局来看,他们不过是一群被无情操纵和玩弄的可怜人,这些破坏性群体在政治家眼里都是只能用来冲锋的炮灰,而非建立秩序的基石。在打垮政敌之后,此类群体要么被铲除,要么被自己营造的环境窒息。

群众都很难意识到自身长远的利益在哪里。全球石油储量最丰富的委内瑞拉是最经典的案例:查维斯用短期的高福利许诺和诱惑,有效激发了民众对政敌的仇恨以及对自己的支持，接受并放纵自己的仇恨与暴力逻辑。

这让这个南美最富有的国家如今濒临破产。

至于这种扭曲生态下，下一个会不会轮到自己，没有人在意。

如果我们内心始终充满的是仇恨，那我们必然会永远陷入互相伤害的囚徒困境，一直轮回，永远也不会有走出来的那一天。

## ▷ 五

我并不怀疑国民心中天然有向善的那一块土壤。我只是担心的是，长期的仇恨文化如鱼得水的示范下，我们会不会明知道这种做法是错的，但出于需要，我们仍很精明、很刻意地去维持它？

错误如果是基于人们的愚蠢，虽然可能造成很大损失，但毕竟还有希望。人是会学习的动物。当他们不再愚蠢时，那些错误就会被调整和改正。

可是，如果错误是建立在人们精明的基础上，那就真的是无计可施、束手无策了。人们越善于学习、越精明、越能干，这些错误就越坚固、越难以撼动。

历史上很多盛极一时文明的衰落，其实都源于此。

12月4日报道，欧盟资深官员Ladenburger的19岁女儿Maria被一名17岁的阿富汗难民奸杀。Ladenburger在欧盟一直致力于帮助难民，女儿Maria生前也相当关注难民议题，常利用课余时间到附近的难民中心提供志愿服务，如今却毁于难民之手。

Ladenburger怎么做的呢？他强调不能把这件事和整个难民挂上钩，他和他的妻子Frederika在当地报纸上发表了一份宣示爱意的通知："19年来，玛丽亚是我们家庭'奇异的阳光'，她将被我们铭记。我们感谢上帝赐予我们这份礼物，我们永远与她同在。"

这，或许是一种真正的强大？

而仇恨的另一面，或许一直都是自卑和软弱。

2016年12月11日

# 勇气和荣誉(Strength and Honor)：
# 端午祭乌里·斯特克
## ——那个和时间比赛的人

**题记**：重要的不是你爬得多快——结果和时间都是相对的，稍纵即逝。反而是在攀登时的专注、冰冷的空气、燃烧到要炸裂的肺和山巅拂过你脸的阳光，才是最私密的体验。这是属于你的印象，你的感官，这些只为你存在。那种感觉无法与任何人分享，也无法被任何人夺走。——乌里·斯特克(Ueli Steck)

▷ 一

今天端午长假，全国都在祭奠一个长达35年时间远离国是、湖畔吟哦的诗人，格隆也终于得闲，写点文字，祭奠一个格隆心目中的英雄。

周五那天，我人还在上海，打了一个长途给藏区好友，原西藏14座8000米探险队副队长旺加，要他无论如何抽出时间，一定要代我去趟洛子峰山脚，备上青稞面、酥油茶、青稞酒，以及热咖啡，祭奠一个已逝去的灵魂。

木讷寡言的旺加只追问了一句：是乌里·斯特克？在得到肯定答复后，他没有任何推托，立即收拾行装赶赴大本营。

今天是乌里·斯特克从努子峰壁滑坠落下的第28天，"四七"日。在中国，一般认为死者魂魄会"逢七"日返家。家人应于魂魄归来前，为死者魂魄预备一顿丰盛饭菜，以助他去往天国。

乌里·斯特克的魂魄会回哪里？

他的祖国瑞士？还是他一直魂牵梦绕的珠峰？如果回珠峰，有没有人会为他准备一瓶好酒，或者一杯热腾腾的咖啡？如果没有这杯热腾腾的咖啡助力，他那颗孤傲的灵魂，是否依然能凭一己之力，去往天国的山巅？

答案应该是肯定的吧？毕竟，从他 12 岁第一次登顶，到上个月 40 岁生命终结，他几乎从不借助任何外力：没有氧气瓶、没有绳索、没有高山协作……

有的，只是他孤独的身影，与绝壁挺立的巨大雪山。

乌里·斯特克攀爬雪山的孤独身影，他手上的工具只有冰镐

▷ 二

除了研究股票，格隆最大的爱好之一就是登雪山。在我眼里，登山人群可以分为两类：乌里·斯特克，乌里·斯特克以外的。

第一次知道乌里·斯特克，是在班夫山地电影节上。第一天，看到片花上有一个人影在雪山上挥着冰镐急速前进，我以为是快进了。直到第二天放《瑞士机器》(*Swiss Machine*)，才知道这不是快进，而是真实的艾格北壁速攀：这座被登山界称为"死亡之墙"，一般登山家需要 2~3 天才有可能（注意，只是有可能）完成的攀登，乌里·斯特克只用了 2 小时 22 分 50 秒完成。

乌里·斯特克在登山界是一个神一样的存在，就如同亚马逊的贝佐斯在商界是完全的"另外一种生物"一样。每当有人炫耀自己背着氧气瓶，在长长的绳索、一堆夏尔巴高山协作的帮助下登顶哪个山峰的时候,如果你问他是否知道乌里·斯特克是谁,他会立即自觉闭上他的嘴。

当法新社记者采访人类首次攀顶珠峰的新西兰人希拉里时,他的回答是:自己当年能够书写登顶的历史,依靠的无非是"实用的技巧和足够多的绳索"。

**1953 年 5 月 29 日中午 11 时 30 分左右,
希拉里和夏尔巴向导丹增·诺尔盖成功站上世界之巅**

这是希拉里的谦逊,但也是事实。希拉里后来在传记中描述登顶情形时写道:"我摘下氧气面罩,开始拍照。我们必须带着证据返回。15 分钟后,我们开始下撤。"

注意这里的关键词:"氧气面罩"。

从那时起,充足的氧气瓶、足够多的绳索、庞大的高山协作队伍,这些都成为登顶(征服)雪山的必须要件:既要征服,也要安全。

从没有人觉得这有什么不妥。

但乌里·斯特克不。

生于 1976 年 10 月 4 日,素有"瑞士机器"之称的乌里·斯特克是阿尔卑斯式攀登的坚定信仰与执行者,完全不使用绳子保护的徒手攀登和极端困难的混合路线是他的最爱。阿尔卑斯式攀登,简称阿式攀登,是指在高山环境下,个人或两三人的小队,以最轻便的装备快速攀登,在中途不靠外界补给,不借助氧气瓶,也不架设固定绳索(方便反复地上升下降来适应高度与紧急折返),往往需要攀登者在最短时间内，一鼓作气爬上山顶并且平安回来，若是不能登顶就坚决折返。

这极类似于中世纪骑士的做派与风度：纯粹是人与山的对话，人与山的较量，不掺杂任何其他杂音。

阿尔卑斯攀登倡导"公平、自主、快速"——"人与雪山平等的对视"——完全依赖人类自身的能力、判断、技巧以及运气，来应对高山上的任何障碍。在乌里·斯特克看来，依靠氧气瓶与绳索登顶雪山，与坐直升机直接登顶没有区别：那是对雪山的一种亵渎。

乌里·斯特克攀登雪山的孤独身影，伴随他的仍只有冰镐

乌里·斯特克被称为"这个星球上最会登山的人"，也是两次金冰镐奖（被称作"登山界的奥斯卡"）获得者，徒手征服过无数世界知名的高峰。最近一次记录在案的，是他在 2015 年用 61 天就完成了对 82 座海拔超过 4 000 米阿尔卑斯山峰的连攀。

2012 年 5 月 18 日，乌里·斯特克成功登顶珠穆朗玛峰，全程无吸氧——在整个攀爬过程中，他依靠的仅仅是最简单的工具、最坚韧的意志力和最天然的技巧。在登山日志中，他这样写道："我理解为什么人们想要登上珠峰之巅，也知道最简单的方法就是带足氧气补给。这不是我所追求的，但可能恰恰是别人所想要的。我不必担心这些,也确实不担心。这个世界上有许许多多的山峰,每个人都可以找到自己的那一座——每个人都会找到属于自己的珠穆朗玛峰。"

他享受的,就是那种人和高山的正面相对,他享受独自一人的探索,享受和自己、和雪山长时间的独处。

在登山界,能与攀登珠峰相提并论的山体鲜少,其中海拔仅有 3 970 米的艾格峰绝对是个另类的存在。其正面(北壁)有如刀削般的绝壁,平均坡度 70°,垂直落差 1 830 米,几乎找不到能够直立站脚的地方,山体全是易碎的石灰石,所以被称为"死亡之墙"——越是这种挑战重重的地方,越是能吸引乌里的斗志。2015 年 11 月 16 日,乌里,以 2 小时 22 分 50 秒的恐怖世界纪录重登艾格峰。

通过这段对是次攀登的记录视频,可以让你了解惊心动魄的阿式攀登以及乌里非凡的阿式演绎。

▷ 三

乌里的意外离世,源自他的一次最新的大胆尝试与冒险:**珠峰—洛子峰双峰阿式连穿**。

这是人类从未有过的壮举:一次性完成两座 8 500 米以上的山峰的连穿,阿尔卑斯式,而且整条线路从未打通。

为了这次攀越,乌里在昆布呆了 13 天,花了大量的时间做适应性训练。在这 13 天里,他和他的搭档在海拔 4 700 米到 6 200 米之间往返数次跑步到山顶,基础训练量达到 240 千米,累计海拔爬升 16 000 米。

在出发前的视频里,乌里谈到自己对这次攀登的看法,他很平静地说:"我不会对成功下任何定义,因为我认为,不能简单地以完成来定义成功,攀登过程中的学习和体验,同样是种成功。当然不成功的定义很简单:遇到意外,甚至离世。"

一语成谶。

对于每一个时刻以生命为挑战代价的高海拔登山者,从迈出第一步起,死亡就近在咫尺。对于被誉为"登山机器"的乌里来说,也别无二致。作为顶级登山高手,虽然拥有更好的先天条件后天技术,但一旦步入深山,一个小小的失误就可能带来致命的后果。

两个最高点之间的连线就是乌里·斯特克此次穿越的大体线路

  这不是乌里第一次遇险。几年前，乌里就曾在一次攀登中遭遇陷阱险些丧生，爬到6 000米高度的时候，一块石头掉落击中了他的头部，他滚到下面的冰川上，却奇迹生还。2015年7月22日，在乌里的82座阿尔卑斯山峰连攀计划进行到海拔4 208米的大乔拉斯峰（Grandes Jorasses）时，与他搭档的丹麦登山者Martijn Seuren不慎发生滑坠，跌进冰裂缝身亡。在深切的悼念之后，乌里毅然决然独自出发，坚持完成了整个计划。

  然而这次，幸运没能眷顾那个被认为是"神一样的人"。2017年4月30日，在尝试珠峰和洛子峰横跨时，这个星球上最会登山的人类，从努子峰壁滑坠至二号营地，摔成了碎片。

  他长期挑战最险峻的路线，却连防止坠落的绳索和设备都不带。

  永远安歇在这座对他有着致命吸引的雪山深处，或许这是他最好的归宿，也是大自然给他的最好奖赏。我们很难想象他这样的传奇登山家会有一天老死在街巷和床帏之间。

世上再无瑞士机器

就像他自己说的:"这个世界上有许许多多的山峰,每个人都可以找到自己的那一座。我梦想这样的生活:在经历了一天漫长的攀登后,搓着我冻僵的手指,筋疲力尽地睡死在我的睡袋里。我期待用冰冷空气燃烧我的肺,然后用一杯滚烫的咖啡唤醒我的身体,感受亮得睁不开眼的骄阳,感受在极寒之地睡了一夜后醒来时冰冷的脚丫子。"

"为什么我要挑战珠穆朗玛峰和洛子峰?再一次,答案很简单:我想在山上停留更长的时间。"

求仁得仁。这一次,他可以得偿所愿,永远安歇在那片洁白的雪山上了。

▷ 尾声

乌里·斯特克只活了 40 年。或许,他原本就没有期待活得太久,也从未在乎生命的长短,所以他从不停歇,如饥似渴寻找着生命中的每一座山峰,体验着那种"天地之间,唯余我与岩石、坚冰和亘古不变的高山。即使感知到自己的渺小和微不足道,我仍然像孩童一样,肆意享受生活"(乌里·斯特克,2017)的感受。

人生的评价标准或许本就不应囿于时间的长短,甚至对于很多人来说,时间的长短本身自有其不同的度量尺度,就像生命各有其深度和广度。对于乌里,找到自己所爱所擅长,然后一步一步去攀登,永远向前。从12岁第一次登顶,到40岁生命的终点,从未停歇。

他说,这个世界上有许许多多的山峰,每个人都可以找到自己的那一座。"重要的不是你爬得多快——结果和时间都是相对的,稍纵即逝。反而是在攀登时的专注、冰冷的空气、燃烧到要炸裂的肺和山巅拂过你脸的阳光,才是最私密的体验。这是属于你的印象,你的感官,这些只为你存在。那种感觉无法与任何人分享,也无法被任何人夺走。"

他像一个独自冲锋的将军,从不管身后的士兵跟上来没有,从不管前路有多艰险,他以他全部的力量,维护着生命的荣誉。

这像极了格隆最喜欢的《角斗士》中马克西默斯率军冲锋前的动员令:

"想象你要去的地方,愿望就快实现了,保持队形,跟着我冲!如果发现自己落单了,迎着阳光独自驰骋在草原上时,不用担心,那是因为你在天堂,而且你已

**勇气和荣誉**

经阵亡了！兄弟们,我们生平的事迹将永垂不朽!"

"勇气和荣誉"(Strength and Honor)!

今天,再次重温了乌里的速攀,重温他的那些话语:"登山的纪录会一次次地被打破和刷新,生活也会不断继续。你不断地变老,然后终有一天,你必须根据自己的年龄去调整自己的目标。"

"所以,我勇往直前,从不回头。"

"现在我将要出发,我只担心接下来要发生的事。未来的每件事都充满变数,一天一天,一年一年,唯有此时此刻才最重要。"

将军百战声名裂。向河梁、回头万里,故人长绝。

谨以此文,献给乌里·斯特克——那个从不走寻常路,从不借助外力,从不停歇,一直和时间比赛的人。

2017 年 5 月 30 日

# 儒教的表里与文明的盛衰

**题记**：文明衰落，有两种方式：基于愚蠢的错误，基于精明的错误。如果错误建立在人们精明的基础上，那就真的是无计可施了。人们越善于学习越精明、越能干，这些错误就越坚固、越难以撼动。历史上很多盛极一时文明的衰落，皆源于此。

▷ 一

从没有追星和追剧的习惯。今天是联合国世界新闻自由日，也是香港佛诞假期，忙里偷闲，追看了火遍中国的《人民的名义》，竟一口气看到了祁同伟吞枪自杀才停下——后面的我也不准备再看下去了，在我看来，祁同伟自杀，这部片子也就结束了。

吸引我一直看的，不是反腐，而是过往从来都列作宫闱家事、秘不示人的政坛权斗，以及围绕进出这个权力之门的人性纠葛。

看完后两个最大的人物感受：

1. 对正面男一号侯亮平，没来由的反感。衔玉而生，伟大光明正确。高高在上，睥睨众生。我来，只是看你们这些芸芸众生怎样表演，怎样挣扎。

2. 对反面男一号祁同伟，鄙薄其不择手段，但对他更多的是感同身受的唏嘘、惋惜与同情。他非常清楚自己卑微的出身，以及这种出身在现实环境里的渺小与脆弱。这个坚持"胜天半子"雄心的男人非常清楚，根本没有什么"老天"。所谓的"天"，就是那个被部分人把持的权力大门，而对他这个没有任何背景的布衣，如果想进入这个权利大门，他就只能跪着进去，也必须做好随时被踢出来的准备。

而他内心是孤傲的，对把持着权力大门的那些人是鄙视的：你们在人格上并不比我高哪怕一毫米,既然权力是私相授受的,那么你们只是比我更幸运而已,只是比我更早坐到了这个门里面。这也是为何在死前祁同伟要重复喊两遍"这世界上没有人可以制裁我"的原因,也是他宁可选择去自己曾经身中两枪、舍命缉毒的孤鹰岭吞枪自杀,也不愿俯首就擒的原因。

他的膝盖或许很脏,但他一定自认内心是干净的。所以他没有在唾手可得的机会面前击毙把自己逼上绝路的正义化身侯亮平,也用自己的命还了陈海的命。

他的败,不是败于命,而只是他与门里面人的力量的过于悬殊与不对等,所以他才在吞枪前狂喊出了那句"去你的老天爷"。

▷ 二

儒学算是半个宗教,被历届朝廷奉为圭臬,捧了两千年:这种君权与神权和谐共生两千年的现象,唯有中国。

从正面看,"仁义礼智信",怎么看怎么舒适。但换个角度呢?孔雀屁股是个什么样子?

事实上,儒教并非开始就成为中国国教的。秦时以法家思想治国,汉初为了休养生息,发展经济,以黄老道家思想治国,文帝皇后窦漪房对《老子》颇有心得,并将儒家诗书视作是驯化管制犯人用的("安得司空城旦书乎!")。她认为,世间之事均应顺其自然、水到渠成,治国也是,当官的做好分内事,哪怕回家卖红薯都没啥,只要有事没事别去骚扰百姓("宽政待民"),则天下必定太平。也正是这种政策成就了中国历史上著名的"文景之治"。

这种情况从汉武帝时期发生了变化。文景之治后国库殷实的汉武帝为了实现真正"家天下"的集权,急需一种新的思想(教义)做支撑,而董仲舒依据孔子的思想,保留伦理上"仁义礼智信"的外衣,对儒家重新做了政治上"三纲五常"、哲学上"天人三策"的重新解说,其中"天人三策"核心内容就是"天人感应,君权神授",而"三纲五常"的核心就是"君为臣纲"的绝对服从,这从根本上适应了"家天下"封建专制统治的需要,也正是汉武帝"罢黜百家,独尊儒术"政策开始大力推行的内核。

**把儒教推上国教的改革者董仲舒**

这就是儒家自汉武开始成为国教,并与皇权和谐伴生两千年的真实原因:在儒教那里,从来没有一个高于世俗皇权的神权,更不会去与皇权争夺权力。儒教存在的核心价值,恰恰是用"杀身成仁,舍生取义,饿死事小,失节事大"等各种道德桂冠(枷锁?),去维护皇权,庇佑帝王的家天下。

从这时开始,中国人头上,就不再有"天"了,而只有垄断权力于一家的"天子"。

这种准宗教道德桂冠,到了宋代,经过程颢、程颐兄弟和他们的后继者,尤其是朱熹的努力,被彻底强化与固化。而无数的道德丰碑,则让这种在"家天下"的皇权门口终身跪下,成为一种民族根深蒂固的强大惯性与挣脱不去的道德绑架。

尤其是这种行为被直接与爱国画上等号时。

南宋宝祐四年(1256年),状元文天祥坚决不降,被元王朝杀害前,留下一首"衣带铭":"孔曰成仁,孟曰取义,惟其义尽,所以仁至。读圣贤书,所学何事?而今而后,庶几无愧!"这是文天祥的道德自白,也是儒教意识形态下正统读书人的精神写照。他们前仆后继,为一家一姓之天下的权力大门看守,鞠躬尽瘁,死而后已。

如果文天祥能知道一千年后的历史书籍将元王朝视作我们自家人历史不可分割的一部分时,不知道他是否还会把守节与看护帝王家门画上等号?是否还会那么断然和决绝?

## ▷ 三

历代皇权的拥有者会不遗余力去宣扬那些"舍身取义"的尽节者,哪怕这些尽节者动作多少已有些"走火入魔"。

南宋宝祐四年(1256年)文天祥被杀后,陆秀夫与张世杰一同共撑危局。1279年3月,南宋小朝廷与元军在广东崖山海面决战,宋军败,陆秀夫自觉无力护驾,决心以身殉国,乃先驱妻子入海,哭拜幼帝:"国事至此,陛下当为国死。"然后抱起9岁的小皇帝,以匹练束在一起,从容投海,完成了舍生取义的最后一个动作。

对陆秀夫而言,他的死成全了自己当为千古忠名。如果他是孤身蹈海,我会对他保持完整的崇敬。但他的妻儿,非死于虏手,而是被丈夫驱逐入海,还有一个不谙世事的9岁小皇帝,也稀里糊涂"蹈海"而去。

如果说陆秀夫多少还算是在抵抗"外族",那方孝孺对皇权大门的看守,则已到了一种无法用常理解释的程度。

有明一代,方孝孺是唯一一个被称为"读书种子"的人。朱棣起兵时,高参姚广孝拉住朱棣的马首,说如下南京,方孝孺必不肯降,但也请一定不要杀他:"杀孝孺,天下读书种子绝矣。"朱棣答应了他。

1402年7月13日,燕王朱棣率军攻破南京金川门,召方孝孺起草登基诏书,方坚拒,再迫之,乃书"燕贼篡位"四字。朱棣大怒:"汝独不顾九族乎?"

方答:"便十族,奈我何?"

便十族,奈我何?

肃然起敬,还是不寒而栗?

朱棣满足了他的愿望。方孝孺是历史上有记载的两个被夷十族的人之一。除了九代血亲,其学生、朋友亦全部受牵连。总计有873人被凌迟处死,另有入狱及充军流放者达数千人。方孝孺是最后一个死的。八百多人杀完,才轮到方孝孺。他被凌迟处死,其骨骸亦被拆散,并弃之。

《明史·方孝孺传》详细记载了朱棣破城后与方孝孺的对话。成祖(朱棣)降榻,劳曰:"先生毋自苦,予欲法周公辅成王耳。"孝孺曰:"成王安在?"成祖曰:"彼自焚死。"孝孺曰:"何不立成王之子?"成祖曰:"国赖长君。"孝孺曰:"何不立成王之弟?"成祖曰:"此朕家事。"

这句大白话已经说得再清楚不过了:这是我们自家的家事,你个看门的,就别掺和了。

但方孝孺不。对方孝孺而言,哪怕你朱棣和朱允炆都是皇家,你朱棣再有才有德,这天下也不是你的。朱允炆再昏聩再平庸,天下也是他的。"殉于一家一姓"的儒教教育深入方孝孺的骨髓,哪怕为此株连十族、873人的性命。

"效忠尽节"到如此份上,也没有让朱棣这个皇权争夺者产生丝毫赞赏,夺权路上,神挡杀神,鬼挡杀鬼。

但一旦夺权成功,这种誓死维护家天下的儒教思想,又会转而为皇权所刻意包装和推举。方孝孺死后,天启二年,朱明皇帝录方氏遗嗣,给予隆重祭葬及谥号。

皇上非常清楚:奖励子民尽忠(哪怕是愚忠),就是在维护自个儿的江山。

历史上历来对方孝孺的行为褒贬不一,但绝大多数读圣贤书的人都是赞许的。比如对方孝孺赞赏有加的大儒钱谦益,在明亡时与秦淮名妓柳如是相约一同投湖殉国,结果从日上三竿一直磨蹭到夕阳西下,钱谦益以手试水,说"水太凉了",终究没有投湖。反倒是柳如是,不惜一死,纵身跃入水中。

而对于试图戳穿这层伪装幔布者,皇家从不手软。中国封建史上最大的"思想犯"无疑是李贽,他以孔孟传统儒学的"异端"自居,蔑视权威,"庶人非下,侯王非高",对儒家的男尊女卑、重农抑商、忠君、假道学,大加痛斥批判,主张"革故鼎新",反对愚忠与思想禁锢。这种"异端""邪说"广为传播,引起朝廷极大惊恐。

万历三十年(1602年),礼部给事中张问达秉承首辅沈一贯的旨意上奏神宗,以"敢倡乱道,惑世诬民"的罪名在通州逮捕李贽,并焚其著作。听说朝廷要押解他回福建原籍,他感慨地说:"我年七十有六,死以归为?"以剃发为名,夺下理发师的剃刀,割断自己的喉咙而死。

享年76岁。

明朝最大思想犯李贽

▷ 四

但忠君死节的儒教其实看不住一家一姓之大门:既然权力属私,你可觊觎,我不可觊觎?

儒教是在南宋朱熹时期被彻底强化与固化的——但这依然没能摆脱其败亡的命运。

1267～1273年,在大宋西北边界爆发了一场旷日持久的会战。这场会战令中国的历史车轮倒退和耽搁了数百年之久——史书上称其为襄阳会战。

1273年初春的一天,已经完全没得选择的南宋京西安抚副使兼襄阳知府吕文焕献出了襄阳城的"钥匙"。随着城门的缓缓开启,蒙古军队以征服者的姿态进入了襄阳城。在此之前,他们刚刚攻破了一江之隔的樊城,并进行了血腥的屠城,作为拒不投降的惩罚。

那一天,吕文焕看着苦守六年之久的襄阳城,痛苦、无奈、凄凉,或许还有一丝轻松,同时涌上心头。那是一个命运转折的时刻,无论对于南宋王朝还是吕文焕本人:南宋输掉了这场旷日持久的会战,基本上等于输掉了整个国家。"无襄

见证了襄阳会战的汉江

则无淮,无淮则江南唾手可下",最重要的北部屏障瓦解,元兵"浮汉入江",南下的步伐骤然提速。六年之后,宋亡。

而血战六年的吕文焕自己也从此背上了叛臣的千古骂名。

1275年的时候,南宋谢太皇太后下诏,祈望吕文焕等降将能够念及旧情,为宋元两方协调,息战通好。在给谢太皇太后的回书中,吕文焕详细描述了自己投降元朝的心路历程:"报国尽忠,自揣初心之无愧,居危守难,岂知末路之多艰?……因念张巡之死,无救于前;尚效李陵之生,冀图于后……"

降元两年之后,已经身居高位的吕文焕依然在以儒家效忠死节的名义为自己的投降辩护,将自己比作西汉被迫投降匈奴的李陵[参见格隆拙文《不为大汉耻:爱国者耿恭与叛国者李陵》(下)],声泪俱下,痛彻肺腑。我完全相信它是吕文焕内心的真实写照——非吕文焕不战,而是他的萤火,根本不可能刺破垂死腐朽南宋的黑暗。

至今,仍有诸多人将南宋败亡的原因归结为蒙古军队太强大、南宋太弱小。但还原那段历史的诸多细节,我们不难发现,败亡原因虽千丝万缕、扑朔迷离,但答案却简单得令人绝望。

非元亡宋，乃自亡也。

南宋在襄樊的失败和它六年后的灭亡一样，都不是某几个人或某几件事导致的结果，而是因为南宋这个"家天下"王朝天生的"病毒"及"病变"。在年深日久的累积中，"病毒"已侵蚀这个国家肌体的每个部分，并使它最终崩塌，蒙古军队不过是加速了这个崩塌的过程。

很遗憾，这种病，无药可医。

严格世袭的皇权体系，意味着权力私有的"家天下"，必定有许多庸才坐到皇帝的宝座上，比如赵孟启；庸才缺乏辨别贤愚的眼光，更无治国理家的能力，当然要依赖亲信之臣，贾似道之类依靠裙带关系，攀上高位之权臣的出现，实属必然；权臣又要维持自己的权势，而且处心积虑阻碍有才华的人上位，于是派系之争出现，阿谀奉承的小人被提拔，心有不满者遭排挤，襄阳之战中临阵脱逃的殿前副都指挥使范文虎是前者，投降献出泸州前哨的潼川路安抚副使、悍将刘整是后者；及至强敌来犯，当为国效力之时，各方利益的纠葛也趋于高潮，于是名将李庭芝遭遇掣肘，与贾似道素来不和的高达被摁在了后方；最终，吕文焕被逼上了绝路。

1279年，襄樊之战结束后六年，宋亡。在这六年间，元军势如破竹，而大批南宋将士则纷纷投降，而他们几乎无一例外，都饱读孔孟儒教之书。

## ▷ 尾声

文明衰落，有两种方式：基于愚蠢的错误，基于精明的错误。前者是囿于认知，并不知道自己错了。而后者是非常清楚自己这么做是错的，是逆历史潮流而动的，但坚决执行。

元朝属于前者。明、清属于后者。

错误如果是基于人们的愚蠢，虽然可能造成很大损失，但毕竟还有希望。人是会学习的动物。当他们不再愚蠢时，那些错误就会被调整和改正。

可是，如果错误建立在人们精明的基础上，那就真的是无计可施、束手无策了。人们越善于学习、越精明、越能干，这些错误就越坚固、越难以撼动。

历史上很多盛极一时文明（比如罗马文明）的衰落，其实都源于此。

2017年5月3日

# 借江山一用,转回身百年
## ——在时代窗口与经济周期的轮回里

**题记**：我完全不相信任何一块江山，以及江山上那些自以为是表演的英雄，但我仍然相信全人类的进化力量。

▷ 一

感谢有此机会，在八百里秦川与大家沟通海外投资。这题目听起来很高大上，因为有海外两个字，是 global 的概念，但其实如果我们眼界在岁月的历史长河里，哪怕只稍微放久一点，就会发现，其实 global 什么也不算。

我今天更多的，会聊一些我在投资之外的胡思乱想，多与历史相关。或很零碎，甚至不成逻辑，愿有缘人得之。

在陕西讲历史，再合适不过了。中国最强大的三个王朝——秦、汉、唐——均定都于此。本地朋友告诉格隆，概括这片神奇的土地，就八个字：一山一水，一男一女。山水好猜，秦岭、渭河无疑。男人也好猜，千古一帝秦始皇。百代皆行秦政制，时至今日，我们仍一直都在轮回，依然未走出这个男人两千年前一手划定的政制路径与投下的人性阴霾。女人我没猜对，开始以为是武则天，后被告知是杨玉环，恍然大悟：如果两千年的祖先历史，触目所及，皆是冷冰冰的权斗与杀戮，未免太过血腥甚至猥琐。有了杨玉环的千娇百媚，多少能让这块土地上的血腥杀伐，有些柔软的对冲与遮掩。

但如果要我选，我会弃杨玉环，选武则天。作为中国历史上第一个君临天下的女皇帝，是她让普罗大众都意识到："家国"外衣之下，所谓"江山"，所谓"天下"，其实是一个人人皆可交易、争夺甚至问鼎的"私家商品"。

公元684年，武则天废李唐中宗自立。同年九月，徐敬业（唐开国功臣徐勣长孙）在扬州起兵反武。时为徐府属的骆宾王起草了著名的《为徐敬业讨武曌橄》，橄文最后是这样结尾的："请看今日之域中，竟是谁家之天下！"

徐敬业反唐，本身是一场闹剧，没几个月就事败身死了。那场一千三百多年前的权斗征伐，几乎没有为我们留下任何值得记忆的细节，除了书生骆宾王起草的那篇气吞山河的《为徐敬业讨武曌橄》。甚至对手武则天第一次看这篇橄文，读至"一抔之土未干，六尺之孤何托"，皇然问："谁为之？"或以宾王对，武则天感叹曰："宰相安得失此人？"(《新唐书》)

有唐一代，才华横溢者辈出，但能配得上"才子"称呼的，七岁就作《咏鹅》的骆宾王必算一个，但这并未能阻止他在这场权谋的倾轧与角力中人头落地。

## ▷ 二

我们把视角切换到眼前。

我相信，哪怕再过去多年，多数人都还是会记得2017年的这个夏天：没有什么特别突兀的地方，不外乎就是北方城市不寻常高温，南方城市多了点雨水与洪灾。

但商界风云变幻，发生了很多事，无人知道这只是个开始，还是一个结束。

叱咤地产风云的万科王朝在它第33个年头，终于结束了它在"国有民营"灰色地带的长期挣扎。

6月13日，安邦集团公告其董事长因个人原因暂不能履职。仅仅一年前，主要依靠万能险的狂飙突进，安邦人寿的总保费规模甚至超越平安人寿，位居寿险行业第二。短短一年后，安邦的原保险合同保费收入，从1月的852.58亿元狂跌至5 600多万元。

7月19日，万达商业、融创集团、富力地产签订战略合作协议，万达将77个酒店转让给富力，将13个文旅项目转让给融创。在637.5亿元的资产大出让之后，曾经的中国首富王健林表态，要积极响应国家号召，把主要投资放在国内。

贾跃亭则辞去了乐视网一切职务并去往了美国，一个2007年离开腾讯开始自己做投资的叫曾李青的人绝非巧合地选择了此时怒怼，狠狠踩了乐视一把。7月21日，在以电话会议形式召开的乐视网董事会上，融创的孙宏斌当选为新任乐视网董事长，弄得整个市场都在问同一个问题：融创的钱从哪里来？

7月22日，复星郭广昌在南美圣保罗飞往福塔莱萨的飞机上隔空喊话，呼吁大家不造谣传谣，要传播正能量。

这都是在最近短短 2 个月内发生的,时间很短,但貌似已天翻地覆,沧海桑田。

从 1989 年下海经商,28 年间,王健林主要都在买,在全国乃至全球买土地、买资产。但这一次,他是大卖家,且堪称甩卖。卖的规模之大、速度之快、态度之坚决,这大概率意味着这个曾经的首富与他的商业帝国,将以一种无比诡异的方式,突然消失在时光隧道中,快到我们甚至来不及询问王思聪走丢的那条狗,王可可,找到了吗?

没有人知道发生了什么。王健林的商业帝国从初创满打满算,只有 28 年光阴,而真正辉煌,其实还不到十年,就已物是人非。

而十年,乃至三十年,在人类历史长河中,其实短到可以忽略。

这颇类似唐相张说在《邺都引》中对东汉末年群雄并起的生动描述:君不见魏武草创争天禄,群雄睚眦相驰逐。昼携壮士破坚阵,夜接词人赋华屋。但转瞬,"城郭为墟人代改,但见西园明月在。邺旁高冢多贵臣,蛾眉曼睩共灰尘。试上铜台歌舞处,惟有秋风愁杀人。"

于王健林而言,江湖已远!江山何用?他是群雄"草创争天禄"中最近一个离去的,但一定不是最后一个。

融创是乐视与万达的接手方,但它选择的商业路径与前两者并无本质区别,这注定了它的"争天禄"故事,也可能会在某个瞬间戛然而止,周期比他的前辈,或只会更短:因为轮回在自我加速。

沉舟侧畔千帆过,更多光鲜的商业故事依然在诞生和演绎。犹记得 1999 年,阿里、携程诞生,腾讯、新浪、百度也都在这年之前或之后的一两个月内诞生,而今年,阿里和腾讯的市值必定会冲击 4 000 亿美元,它们都已成为世界十大市值公司——呈现在我们眼前的,是两个庞然商业帝国,一片热土河山。

但你依然不那么敢确信对他们的投资:毕竟,他们才 18 年。我们甚至不知道,哪怕强如腾讯、阿里,是否其实也战战兢兢、如履薄冰?我们不知道,哪怕只是下一个 5 年,他们还在不在?

7 月 14 日,在人民网五评"王者荣耀"后,马化腾出现在了人民网办公大楼里,楼里的大屏幕上打着"热烈欢迎腾讯公司董事会主席兼首席执行官马化腾一行做客人民网"。

正始十年正月(公元 249 年),魏帝(少帝曹芳)谒高平陵(魏明帝之墓),大将军爽与弟中领军羲、武卫将军训、散骑常侍彦皆从。太傅懿(司马懿)以皇太后令,闭诸城门,勒兵据武库,授兵出屯洛水浮桥。

史称"高平陵之变"。

《资治通鉴》如是记载了大将军曹爽的反应：自甲夜至五鼓，爽乃投刀于地曰：我亦不失作富家翁！

雄才大略如魏武，耗尽一生"争天禄"辛苦打下的江山，一夜尽失。

谁家的江山，不是借的？

▷ 三

我们把视角再换一换，视野再扩大一点，延展到过去一千年中国与欧洲的变迁对比。

最近著名的《经济学人》杂志刊登了一张图，说的是过去一千年中，不同国家用 1990 年价格计算的人均 GDP 对比。看人均 GDP 的好处，是可以把"江山"与"民众"真正关联起来，人均 GDP 关注点，不在国家整体或者说君王的荣耀，而是每一个普通百姓的生存状况。

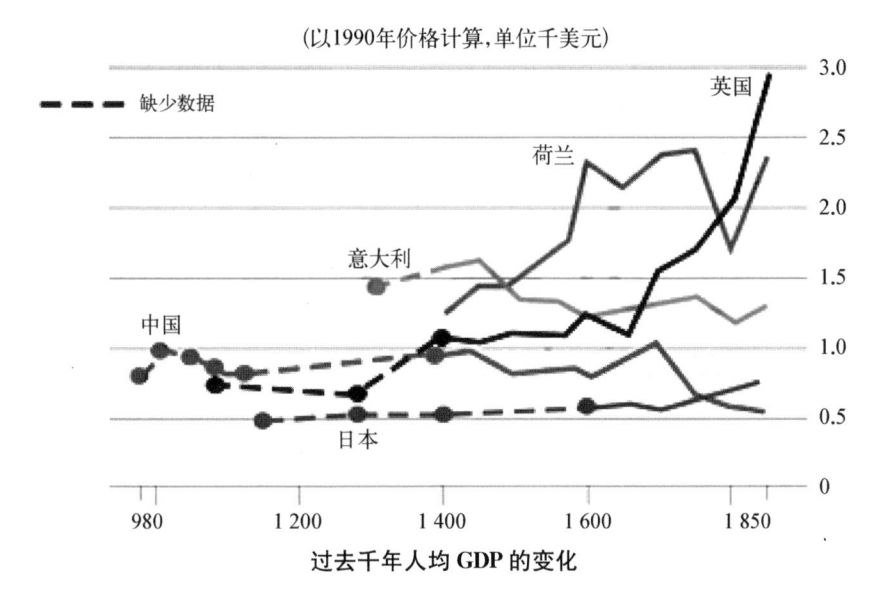

(以1990年价格计算，单位千美元)

过去千年人均 GDP 的变化

从上面的图不难看出：

第一，欧洲从 13 世纪到 19 世纪，人均 GDP，意大利、荷兰、英国依次登顶。其中意大利在公元 1300 年左右曾经是欧洲最富有的国家，人均收入大概

1 500美元(按1990年价格计算),已经超过了中国(中国当时约1 000美元),但是意大利在15世纪就开始衰落了,后面几百年人均GDP越来越低,怪不得从《威尼斯商人》之后再也不大听说这个国家。从意大利、荷兰到英国,分别依靠的是地中海贸易、远洋贸易和工业革命。今天我们只记得英国的繁荣和相对没落,其实在时光之河中,英国相比意大利和荷兰,曾经那般落后。

第二,中国宋朝、元朝、明朝和清朝早期,将近600年的时间里,人均GDP基本停滞,波动幅度也很小,一直在1 000美元下方徘徊。换句话说,很难说宋朝、明朝、清朝早期哪个朝代老百姓更富足快乐。

第三,欧洲在15世纪已全面超越中国,并将差距越拉越大,19世纪八国联军面对的,其实是一个与自己完全不在同一层级的羸弱对手,足以予取予夺。

第四,中国过去一千年中最糟糕的时代不是明朝,而是清初之后的清朝,人均GDP越来越低,到19世纪后期已经远远低于一千年以前,跌到600美元的低位。我们应该庆幸没有生活在那个时代。

第五,日本在1840年左右首次超越中国,早于明治维新。这个超越最主要的原因并不是日本的进步,而是清朝自己的衰败。到明治维新之后,日本全面引入西方的制度,一路向上,中国则一路向下,双方差距日益扩大。到19世纪末,战争的结局早已注定。

第六,20世纪70年代末改革开放刚开始的时候,中国人均GDP200多美元,经过30多年的"经济奇迹",2016年人均GDP约8 123美元,按CPI折回1990年是2 808美元,大致相当于英国1850年的水平。

看完这个千年跨度的对比,你会如何理解"江山"与"家国"?

你如何看待30年的经济奇迹与它的可复制性?

给你选择生活朝代的权利,早生千年,或晚生千年,于你是否真有意义?

这一生的存在,借江山一用,可曾、可愿留下什么痕迹?

▷ 四

我们把视野稍微扩得再大一点。

我们来看一张著名的照片。

1990年,旅行者1号探测器即将飞出太阳系的时候,在距离地球60亿千米的地方，美国国家航空航天局命令它回头再看一眼，拍摄了60张照片，其中一张，正好包括了地球——图中那个亮点。

天体物理学家、著名科学作家卡尔·萨根就此说了一段著名的话：

在这个小点上，每个你爱的人、每个你认识的人、每个你曾经听过的人，以及每个曾经存在的人，都在那里过完一生。

这里集合了一切的欢喜与苦难，数千个自信的宗教、意识形态以及经济学说，每个猎人和搜寻者、每个英雄和懦夫、每个文明的创造者与毁灭者、每个国王与农夫、每对相恋中的年轻爱侣、每个充满希望的孩子、每对父母、发明家和探险家、每个教授道德的老师、每个贪污政客、每个超级巨星、每个至高无上的领袖、每个人类历史上的圣人与罪人，都住在这里——一粒悬浮在阳光下的微尘。

想想从那些将领和帝王们征伐出的血河，他们的光荣与胜利只为了让他们成为这一点上一小部分的短暂主宰。想想栖身在这点上一个角落的人正受着万般苦楚,而在几乎不能区分的同一点上的另外一个角落里也同时栖身了另一批人。他们有多常发生误解?他们有多渴望杀了对方?他们的敌意有多强烈?

我们的装模作样,我们的自以为是,我们的错觉以为自己在宇宙里的位置有多优越,都被这暗淡的光点所挑战。我们的星球只是在这被漆黑包裹的宇宙里一粒孤单的微粒而已。

我们是如此的不起眼。在这浩瀚之中,我们不会从任何地方得到提示去拯救我们自身。

事实上,在历史的通道上,每个人的命运都是随机的。如果你生在12世纪蒙古人的通道上,女人不是被奸杀就是被卖成奴隶,男人活过25岁的概率小于10%;如果你生在20世纪初中叶的德国,而你又碰巧是个犹太人,那么,你寿终正寝的概率不会超过30%;即使你在沙俄时代飞黄腾达,建功立业,在1917年之后,你能活下来的概率不会比刚才说的犹太人更高;如果幸亏你站在沙俄的对立面享受了成功的果实,在接下来的无数政治清洗中,你能保个全尸的概率也不会过半……

世界没有大战已经有70年,现在只是一个假期而已。我只晓得,人会自己把事情搞砸。

1916年6月6日上午10时,一代枭雄——58岁的袁世凯结束了他"收天下于囊中"的跌宕一生。临终前,以手指天的袁,留下的最后遗言是"ta害了我"。至于ta,到底是袁克定还是杨度,抑或另有所指,则永远无人知晓了。

江山终究是拿不走的。青山依旧在,几度夕阳红!

▷ 尾声

回到当下,回到投资。

事实上,我已很久不分析公司了,不是懒,是没法分析:几乎身边所有的商业故事都已无法自圆其说。万科、万达、乐视、安邦……如此之多我们耳熟能详,曾经看似光鲜的商业故事、商业逻辑与商业帝国,都那么轻而易举垮塌,被证伪,以致令你一身冷汗与后怕。当初我们差点信了,甚至据此做出了投资决策。

这种世事变迁,于经济周期、于岁月、于国家,可能都只是一段小的回旋,一小段毫不起眼的弯路。

于我，却极可能是一生。

从这个角度，对于普通个体，任何一次试错的机会成本，会有多高？！

但我依然会下注。

我会买亚马逊、买脸书、买谷歌、买苹果、买阿里、买腾讯——买这些代表着全人类进化方向的企业。我完全不相信任何一块江山，以及江山上那些自以为是表演的英雄，但我仍然相信全人类的进化力量。

这世界上只有一种真正的英雄主义：那就是，在看清生活的真相之后，依然热爱生活。

我就讲这些，谢谢大家。

2017 年 7 月 28 日

# 若我会见到你，事隔经年
## ——祭父亲

**题记**：若我会见到你，事隔经年。我如何和你招呼，以眼泪？以沉默？——拜伦

▷ 一

二姐从老家打来电话，说，老幺，别忘了今天是爸的七七，记得给爸烧点纸。

我不是不记得，而是不敢去记。

在江汉平原我的老家，死以七日为忌，一忌而一魄散，七七四十九日而七魄散。我很莫名恐惧，害怕这些风俗讲的都是真的。因为这意味着，七七之前，父亲其实并未真离开我们，魂魄依然还在，或许我们依然可以在梦里见到对方，依然能像过去一样，促膝而谈。而七七之后，他或许就真的、真的离开我们了。

母亲去世早，兄弟姐妹几个中，我和二姐读书最多，所以交流得也最多，也最亲近。大学一毕业我就去了深圳。这些年来天各一方，而父亲寡言少语，耳朵也越来越背，所以我养成了习惯，隔三岔五会给二姐打电话，聊聊家乡亲人的家长里短，电话最后，一般都会以一句我的惯常问句结尾：家里头没什么事吧？

这已形成了默契，二姐非常清楚我这句问话的真正关切是什么，所以她都会直截了当回答："爸挺好的，你放心吧。"

父亲是在10月21日突然病危去世的。记得安排完父亲后事，匆匆赶回深圳的那个周末，我习惯性给二姐打电话聊家常，电话末尾又条件反射地问二姐："家里没什么事吧？"

二姐显然是怔住了，电话里先是死一般的沉寂，然后就听到二姐忍不住的低声啜泣。

我才突然回过神来："当然不会有什么事了。"

还能有什么事呢?那个给予了我生命,木讷寡言却又厚重坚强,这么多年支撑我精神从来不垮,支撑我在他乡异地咬牙闯荡的男人,已经永远离我而去了。

挂了电话,我一个人躲到书房,号啕大哭。

## ▷ 二

曾经很长、很长时间,都没觉得父亲有多亲近和重要。

我读小学时,为了养活我们兄弟姊妹6个,已经退休的父母亲开始离家,驾着一叶扁舟四处江河湖汊捕鱼为生,一年到头都很难见到父母一面。留在我记忆里的,是父母尚未离家前,母亲给我的各式宠爱与温存。我读高一那年,辛劳的母亲为了一家人的吃食,耗尽了生命。在母亲葬礼上,小舅满怀怨气地把我拉到一边,说你知道你爸脾气有多耿直、有多暴烈吗?当干部时因为这个得罪不少人,自己讨业事(家乡话,指捕鱼)最难的那阵子,也好几次狠打你母亲,拉都拉不住。

那一刻,我甚至开始恨这个独自一人埋着头,坐在角落低声饮泣的瘦弱男人。潜意识里,我觉得是他害得母亲过早离开了我们。

只是在后来自己离家打拼,也有了自己的家庭和孩子需要抚养的压力,时间渐渐磨去了年少轻狂,也渐渐沉淀了冷暖自知,我才发现,如果没有这个男人无论高峰低谷,从不言弃的咬牙坚持,我们这个家可能早已分崩离析。我才发现,其实我和他是多么相像,身上有多么厚重的、完全属于他的烙印。没有他遗传的这些质素,我是否能扛住这些年的风雨兼程,殊未可知。

父亲是那个年代极少数读完了初小的人,这在50年代初的江汉平原凤毛麟角。他先后担任民兵连长、养殖场场长、公社书记,每任上都殚精竭虑、成绩斐然、屡获表彰。大妈曾经这么描述父亲那时的风光:大家在田地里劳动,远远地看着一个青年男子骑着崭新自行车一路叮零而来,洁白的衬衣衣裾在风中上下飘舞。然后大家都在嘀咕,这是哪个泡皮(家乡话,炫耀的意思)的短命鬼?走近了,才发现,哦,是你爸。按大哥大姐的说法,那时咱家风光无限。

但中华人民共和国成立后持续的折腾几乎裹挟和冲击了这块土地上的每一个人,父亲也未能例外。他的耿直不阿与仗义执言让他尝到了大苦头:1957年反运动中受到冲击一只眼睛彻底打瞎了,但换来的依然是父亲的怒吼。

"你爸就是倔,宁可扑河(家乡话,跳河的意思),也不肯低个头、认个错",大伯说了这事最后的解决过程：父亲趁民兵看管松懈，半夜跳进河里泅渡，而大伯则划船在几里外的下游接。

"逃亡"方案是父亲策划的。大伯对这个看似惊险的过程很是轻描淡写：再不跑，肯定被打死。你爸不是怕死。他是担心死了后，你妈和一双儿女怎么办？

在这个看似风光、倔强的男人内心里，最在乎的，其实是他的妻子与儿女。

母亲曾经说过这样一件事：家里孩子多，三年自然灾害期间，另外一对没有孩子的夫妻找上门，想让父母把当时最小的二哥送给他们。父亲很愤怒地把他们赶了出去，说的是一句很硬气的话：我自己的孩子，我讨米（家乡话，流浪乞讨的意思）也会把他们养活。

这个男人确实不折不扣地做到了这点。

反右之后，全家颠沛流离，之后虽然很快宣布对父亲的批斗是错误的，要给他恢复为公社副书记，但父亲拒绝了：高傲的他不愿"给人当过爹爹，回头还去当婆婆"。很多年后，姨妈还对这个决定耿耿于怀：你爸那根骨头，哪怕稍微软一次吧。你看，当年他的副手，后来都是地区行署专员了。

但至少，他在养活孩子这点上没有半点食言——后来经历了举家搬迁、重新当公社队长、遭排挤提前退休、50多岁了开始驾一叶扁舟江河湖汊四处捕鱼，做一切他能做的活，为6个孩子艰辛谋食，最后，我们兄弟姊妹6个，没有一个人辍学，全部平安长大成人。

而父亲这次去世，正是因为在江汉平原上渔民特有的一种职业病：常年江河捕鱼，反复感染血吸虫导致的肝腹水。

这个沉默寡言的高傲男人，用他的生命践行了养活孩子、养活家的承诺——这个家，是个大家，包括了我的堂兄、我的表姐，20世纪60年代最艰难的时候，他们都是在我们家吃住的。

很多年后，我才知道，他一直站在我身后。潜移默化中，我其实一直在以他为模子去做事，我一直在试着做得更好。我想做给他看：他的儿子，也是一个敢担当、能担当的男人。

▷ 三

但现实生活中，我和父亲的交集、对话都堪称稀少。父亲生性寡言少语，也不善表达感情，而我从初中开始就一直住校，所以长这么大，我和父亲的深入交流其实屈指可数。我和父亲之间一直是那种淡淡的关系，甚至略显生疏和隔膜，这一度让我觉得父亲是那种"硬"心肠的粗人。

10月1日国庆假期，我特意带着儿子回去看望父亲，父亲显出了由衷的兴奋，但也只是反复叮嘱我一个人在外，要多注意身体，叮嘱我儿子一定要好好学习。翻来覆去，就是重复这两句话，以致儿子觉得百无聊赖，不愿陪坐在爷爷的房里，自己出去找乐去了。问他有什么需要的，他都是一个回答：没有，没有什么要的。假期后返回深圳，二姐给我电话，说我走了后，爸呆坐了一整天，不说话，也不吃东西。

大大咧咧的我没觉得什么。只是在20天后他遽然去世，才回想起国庆假期我临走前，他几次的欲言又止，最后却什么也没说。

"他肯定是预感到什么，想你多留一天，但又怕耽误你工作，说不出口。你家的那个死老头，你还不知道。一生不愿给任何人添麻烦，一生不愿求任何人"。葬完父亲后，二姐一边泪流满面，一边恨恨地解读。

回想起来，确实如此。

但我至少看过他两次求人：一次是我读高中因为营养严重不良住院做手术，他抛下渔船上的所有活计，也抛下做公社书记养下的从不求人的自傲，带着从湖北长江鄂州段辛苦捕捞的活蹦乱跳鳊鱼，低声下气地送给主刀医生。另一次是那次母亲生病住院，我亲眼见他近乎卑微地哀求医生全力诊治她的病。

为我的求人生效了，我活下来了。但母亲没有。

而身高177，身形魁伟的父亲，也是从母亲离世后，开始佝偻下腰身的——岁月终究还是打败了他。

父亲离世后，二姐交给我一个上锁的铁盒，说是父亲特意交代留给我的。打开后，里面除了他的党费证、工作证、结婚证，接近2万元的现金，竟然还有我初中时的学生证，以及我工作后的第一张名片。在他心目中，这个儿子，一直都是他的骄傲。

这么多年四处搬迁、颠沛流离，他竟然把这些当宝贝一样一直精心藏在身边。

而他的儿子，什么也没为他珍藏，甚至不知道他内心在想什么，想要些什么。

念及此，在南国冬日煦暖的阳光里，忍不住就潸然泪下。

## ▷ 尾声

我知道，父亲只是一个很普通的男人，虽然在我眼里，堪称伟岸。

一如故乡江汉平原。故乡的小城确实没有给有我太多现代的知识，但是给了我一种能力，坚持不弃的能力，悲悯同情的能力，使我在日后面对权力的傲慢、欲望的嚣张和种种时代的虚妄和艰难时，仍得以穿透，看见生命的核心所在。

我也知道，如果我不为父亲写点什么，在这个世上，他真的可能永远消失——就像电影《寻梦环游记》里的那种情形：如果人世间再也没有人记起你了，你才是真正的死去。

在埋头准备下周三"决战港股"北京场的演讲PPT时，看到了公司员工分享的二十四节气之大雪的美丽图片，感慨万千。犹记得去年底做决战港股巡回，恒指只有18 000点，一年后的今天，恒指29 000点。去年格隆汇做A轮融资预沟通时，估值只有5亿元，今年已经高出4倍有余。去年老父还在反复叮嘱我同一件事，一个人在外地，一定要自己多保重，今年已再也听不到这个曾支撑我精神多年的厚重声音。

时光如同一个任性的魔术师，有时会送你一些意外惊喜，有时又会夺去一些你毕生的珍藏。我知道我永远也较量不过时间，在它面前，我注定只是一个匆匆过客。我能做的，只是尽量珍惜我的这趟至短至暂的人生旅程，去努力、去包容、去关爱、去感恩，去告诉我的太太和孩子，名利于我皆为粪土，我是为她们而生，最后以一种坦然从容的姿态，魂归江汉平原那块生我养我的家乡故土。

一如父亲。

2017年12月8日

# 日暮炊烟　乡关何处

题记：这是什么地方/依然是如此的荒凉/那无尽的旅程/如此漫长

——许巍《故乡》

▷ 一

很高兴能有机会在吴文化的发源地苏州与长江商学院的同学们做个交流。

在当下这个严峻环境，讲细枝末节的上市、融资已无意义，我会更聚焦家国方向。在我们这样一个资源被高度集中、板结、固化的环境里，在家国、时代大潮流的裹挟之下，任何个体，能动的空间其实是微乎其微的。

家国大方向的错位和折腾，于历史、于国家，或许只是一个微小的转身，但于社会、于家庭，则极可能是一代乃至几代人的不堪与不归。

姑苏本无城，永嘉之乱晋室衣冠南渡后方始兴盛。魏晋南北朝，是中国历史上最可悲的一段时期：山河破碎、战乱不止，汉人如同鼠豚，被大肆驱赶屠杀，整个汉民族在长达300多年的时间里，被迫在自己祖先的土地上颠沛流离。作为承接汉民族重新繁衍生息核心要地的姑苏，至今一脉相承，只有发展，从无中断，看似吴侬软语，但骨子里其实一直斧钺铿锵，从来就不乏胸怀天下，自荐轩辕者。在此闲话商旅国是，再合适不过。

姑苏这块土地上最著名，也饱受争议的人，非伍子胥莫属。

他是从楚都逃亡至此，和屈原都因爱国，一并被后人在端午节祭奠。但他与屈原骨子里其实是两类人。屈原这种人是统治者最钟爱的类型。他们有才能，需要的时候随时可用；他们又有与生俱来的斯德哥尔摩综合征，无论怎么虐，都永远爱着君王。挥之即去，召之即来，来则能用，用完随时可弃。这样的人才，谁不喜欢呢？

同样面对昏君，同样面对国事飘零，伍子胥截然不同。

　　他既不盲从，更不旁观，攘臂以上，"生能酬楚怨，死可报吴恩（范仲淹）"。在其父兄被昏聩的楚平王无端杀害后，伍子胥从楚逃亡到吴，成为吴王阖闾重臣。公元前506年，伍子胥借兵攻入楚都，掘平王墓，鞭尸三百，报父兄之仇。吴国则倚重子胥之谋，西破强楚、北败徐、鲁、齐，成诸侯一霸。

　　伍子胥和屈原都不是儒生，在他们的时代里，儒家的影响力还极小，所以不能将他们的忠孝节义观念归结于儒家学说。他们的行为意识里，反映的都是人类天性里永恒的孤独感以及对终极归宿的寻觅。

　　在屈原时代，战国乱世已经近尾声，而国家观念则刚刚萌芽。他有朴素的国家主义情结，但囿于历史局限性，他并不清楚国家这个组织的利弊。屈原情感充沛，但个性上并不刚强，他没有韩非、伍子胥那样的决绝与勇气，所以即便被楚怀王父子反复蹂躏，也无法选择弃国他投。一方面，帝室贵胄的血统是他所引以为傲的，楚国是他的精神家园，离开楚地他就无所适从；另一方面，他为楚国朝堂主流所不容，楚国又是他的痛苦之源，留在楚地他又痛苦万分。

去留两难，来往皆苦，是为无间。

《涅槃经》有云：受身无间者不死，寿长乃无间地狱中之大劫。62岁的屈原在那个时代里就是长寿之人，而长寿对他来说，就是一场大劫。

至于伍子胥，他虽然比屈原决绝果敢，但实际上也是无间地狱里备受煎熬的幽魂。

伍子胥从楚地逃亡，追随的是太子建，他依然期盼太子建能重返故国，为他昭雪沉冤，然而太子建的人品也不过如此。阖闾固然助他复仇，但阖闾也是在利用他的才华去征服楚地。在吴国君主的内心，伍子胥始终不过一流浪客卿。到了夫差时代，这位流浪者的存在感就越来越低，毕竟吴地不是他的故乡。夫差要杀他，这一次他已经没有了逃跑的心境。

跑出去又如何？难道再借一次兵来灭吴？灭了又如何？周而复始，何时可休？

不如归去。

在自刎之前，伍子胥已经将儿子送到齐国，但他没有嘱托他的儿子将来要复仇。假如他真的对那个孩子有所训诫的话，我宁可相信他是嘱托他以后在齐国平静终老，无涉家国。

对楚国深沉的爱，成了屈原一生的羁绊，而对楚国刻骨的恨，则成了伍子胥一生的梦魇。恨与爱是硬币的两面，它们都是桎梏这两类幽魂的锁链。

中国人对祖国的情感，就像是屈原和伍子胥的复合体：去留两难，来往皆苦，只得在数千年漫长的岁月中反复煎熬、流浪。

相对伍子胥的冰冷杀伐，姑苏留给格隆印象更深的，其实是在"姑苏城外一茅屋，万树桃花月满天"处终老的北宋词人贺铸。

北宋词人大多儿女情长，英雄气短，唯贺铸，家国豪迈与儿女柔情并存。唐宋诗词里，被后人模仿最多的，大概就是贺铸写就的那首《青玉案·凌波不过横塘路》了："试问闲愁都几许？一川烟雨，满城风絮，梅子黄时雨"。后人多以为反映的只是诗人路遇佳人而不知所往的怅惘，极少有人能体味到其中对家国、民族命运满腹的忧虑乃至绝望。

贺铸是宋太祖皇后族孙，生活在看似歌舞升平，实则已风雨交加、大厦将倾的北宋后期，少时就有戍边卫国、建立军功，"金印锦衣耀闾里"的雄心壮志，但朝堂肉食者鄙，魑魅充盈，英雄豪侠不为世用，国土涂炭而无路请缨，人到中年，仍遭朝堂庸碌排挤，沉沦下僚报国无门，晚年愤而退隐姑苏，于城南十里横塘筑企鸿居，藏书万卷，手自校雠，以此终老。

藏书校书，是无力回天的绝望后做的最后挣扎：纵使国亡了，文化还在。

五百年后，另一个名叫顾炎武的苏州人，在同样经历改朝换代的乱世磨难后，用一段传世文字表达了这种无力存国，唯有保书籍以存天下的救亡情怀："有亡国，有亡天下。亡国与亡天下奚辨？曰："易姓改号，谓之亡国；仁义充塞，而至于率兽食人，人将相食，谓之亡天下。是故知保天下，然后知保其国。保国者，其君其臣肉食者谋之；保天下者，匹夫之贱与有责焉。"（《日知录》卷十三）

近代人梁启超用白话文对上文做了诠释：

天下兴亡，匹夫有责。

国家兴亡，匹夫无罪。

▷ 二

我们回到当下。

在座诸位都是商界巨擘,课前统计,你们名下合计超过了40家上市公司,你们最能感受到经济的冷暖与核心症结。我这有两个词:焦虑与恐慌,你们选谁?

嗯,绝大多数人选的是恐慌。

7个月前我给中欧商学院讲课,学员同样是企业家,给出的也是这两个选项,多数人选的是焦虑。

7个月不算长,却已沧海桑田。

焦虑与恐慌,是两个截然不同的词。焦虑,只是感受到了压力,感觉力有不逮,但整体尚可掌控,仍可作为。恐慌则不然,恐慌是根本无能为力,要么徒劳挣扎,静候时运的摆布,要么逃亡。

这种绝望的窒息感,很多人会想当然归结为外部,也就是美国人贸易战的逼压,但事实上不是。十年前我们对出口的依存度接近70%,但去年这个数据已经降到了10%。去年我们的GDP总量是82万亿,出口贡献8万亿,10%不到。

根本原因,是国内的抽紧。

……

这并不令人吃惊。过去三年中,各地方政府在经济层面主要做了两件事:

1. 一是通过所谓的供给侧改革,将企业利润在不同企业之间调配;
2. 二是通过棚改,将债务杠杆在居民部门和非居民部门之间调配。

这是两项教科书级别的操作。

但,生之绚烂的背面,是死之残酷。在这块土地上,任何改革的收益或者成本,从来都不是均匀分布在每个人头上的,"肉烂在锅里"其实也是分红锅、白锅的。"供给侧"也好,"棚改"也罢,再美丽的辞藻,再复杂的舆论,也逃避不了一个本质:取与舍、保与压。

重点,是利益之争。

正常的营商竞争与优胜劣汰,已完全无法解释这种两种企业之间极端诡异的两极化。

数字冰冷,但数字说实话。

图中文字:
这几年,中国完成了一次完美的杠杆转移:去政府的杠杆,去企业的杠杆,加居民的杠杆。以家庭债务/家庭可支配收入测算,中国家庭部门杠杆率高达122.72%,已经超越美国。居民的高杠杆,会不会令诸多中产的多年财富在这轮全球的紧缩清算中灰飞烟灭?

数据来源:Wind。

**中国家庭债务占居民可支配收入的比例**

今年以来,对于私营经济坊间也有不同看法,最近还有人撰文提示"中国私营经济已完成协助公有经济发展的任务,应逐渐离场"。官媒随后作了澄清,但这种"离场论"还是引起了不必要的纷扰。

问题在于,民企占到了中国企业总量的90%以上。

……

宋元丰六年,受"乌台诗案"被贬谪到岭南荒僻之地的诗人王巩北归京师,苏轼前往探望,巩出歌妓柔奴劝酒。苏轼戏问一路跟随王巩流离多年的柔奴:"试问岭南应不好?"柔奴坦然答曰:"此心安处,便是吾乡。"

心若不安,纵是故乡,亦成他乡。

▷ 三

在座诸位都算是社会的精英,如果我们聚集于此,只是为民企鼓与呼,视野和格局就未免狭窄和低漏了。立心当为天地,立命当为生民,我更想和大家探讨的是,我们这个民族众多人心无所依的流浪感,所自何来?

所以，我们从现实白描，回到形而上的理论研究。

我已很久不做深度研究文章了。一是现实与预期越来越大落差的沮丧，二则因为已完全无须研究。

常识和公理，需要研究吗？

民企是社会财富创造的核心与主力之一，这需要争论吗？

事实上，改革开放四十年，民营经济贡献了中国至少50%的GDP，60%的税收，70%的技术创新，80%以上的城镇就业。哪怕是在定向收紧的供给侧改革高峰年2017年，民营工业企业也取得了19.6%的整体净资产收益率（同期国有工业企业净资产收益率不到10%）。

往事并不如烟。1956年全面公私合营后，绝非偶然地，自此之后中国经济一路下行，到1978年中国GDP仅占全球的1.8%，国民经济几近崩溃：

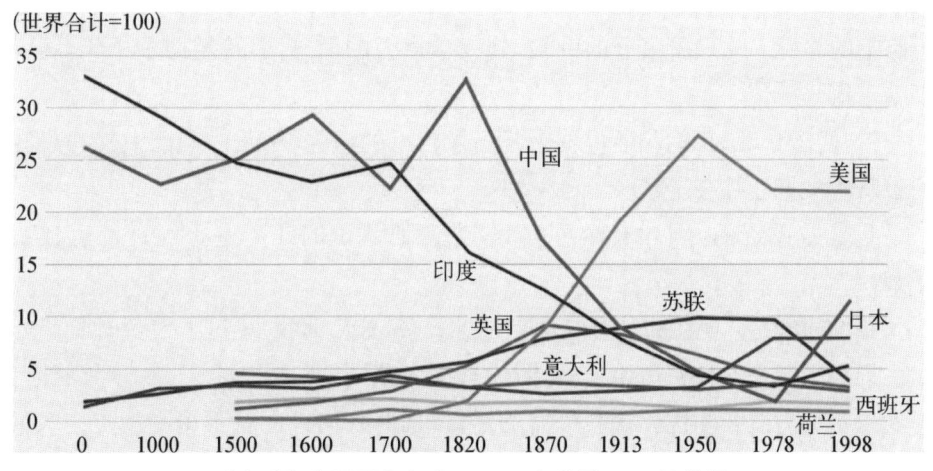

过去千年主要国家和地区GDP占世界GDP的份额

如果当初的做法有效，我们的经济在1978年何至于几近崩溃？

但不幸中的万幸，1978年我们有邓小平挽狂澜于既倒。

我们都生活在同一个国家，我们都生活在共同祖先的土地上，我们一样在挥汗如雨，一样辛苦劳作，我们共同创造财富。换言之，我们能不能放下"身份"争论，但凡在这个国家之内遵纪守法、勤恳耕耘的企业，就都是"国家的企业"，就都应该给予尊崇、赞赏与荣耀。

草原是个互相支援的生态。草挖了，树砍了，根（心）也死了，平原除了沙化，还有其他的路吗？

楼兰曾一度水草丰茂，国富民强。但如今，那块土地唯剩死一样的沉寂，以及躺在博物馆成为干尸的楼兰姑娘。

## ▷ 尾声

流浪并不可怕，以色列人在外流浪千年之久，但我们看到了今日以色列的欣欣向荣与强大。

其实格隆最大的忧虑是，我们这个民族，还有没有纠错能力？

在传统社会，我们这个民族的方向，大多时候都是"上面"说了算，但这丝毫没有阻碍一群卑微且衣衫褴褛的布衣之怒，"引刀成一快，不负少年头"，他们以慨然的家国情怀，用自己微弱的荧光，以一种螳臂当车式的悲壮，站立成大众前行路上的路标。从风萧萧兮的荆轲，到我自横刀的谭嗣同，跨越两个千年，络绎不绝于道……

但，两千年后，我们却活得越来越不像自己的祖先，精致的利己主义与愚昧的盲从主义充斥社会。

我是做投资的，刚才有学员问我，为何他认识的几个基金经理都远比我乐观。

我的回答是：现在的基金经理见过了太多奇迹，而我，见过了太多周期。

周期本身是一种宿命论，与轮回没有太大差别，我一点也不喜欢这种状态。但如果不努力改变和优化社会机器的运行机制，我们可能就不得不接受一次又一次的周期，一次又一次的轮回。

格隆生长于江汉平原，那里土地贫瘠，但人心却从来家国天下，所以我一以贯之的追求和祈愿，从来都是庙堂慎笃，匹夫精进，父老欢欣，国运恒昌。我发自肺腑地希望自己的国家蒸蒸日上，也发自内心地鄙视和厌恶历史上任何以一己之私绑架民族福祉，误导家国走向的人。

而这，恰恰会成为痛苦之源。因为事实上，你能看到的经常是一轮一轮毫无新意的轮回，少数人的欢快，多数人的悲苦，而你却无能为力，徒唤奈何。我们如同出埃及的以色列人，只是，我们一直没有摩西，也没有找到属于我们的迦南地。

如果真有上帝,其实我一直想问的一个问题是:到底怎样的远方,才配得上我的父老乡亲们这一路的颠沛流离?

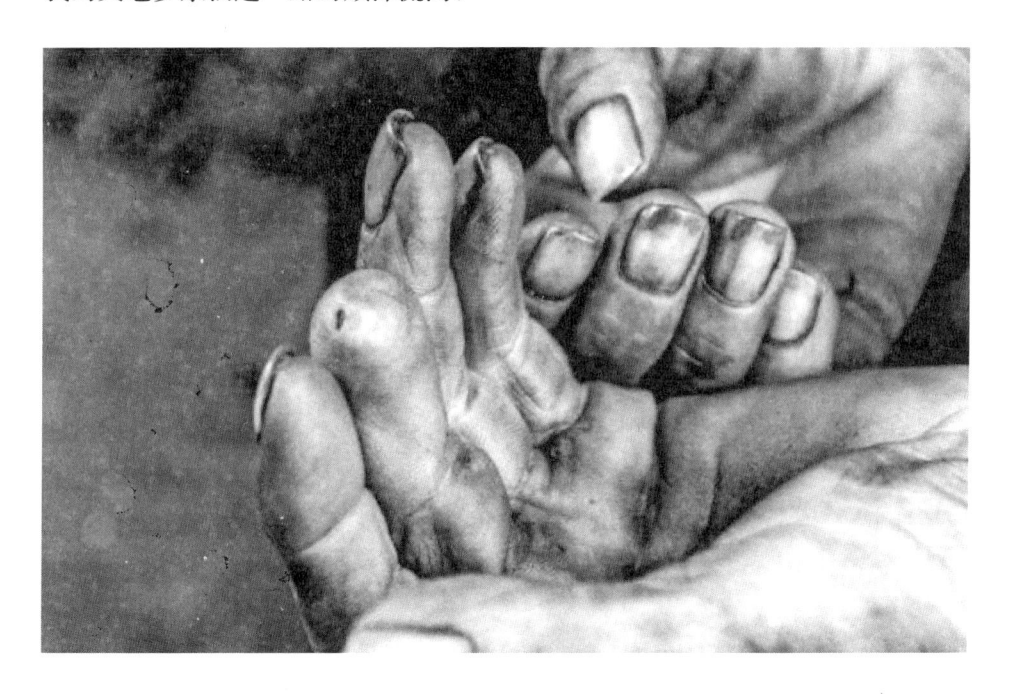

但,我依然会坚持走下去。无论多么艰难,我依然相信人类几千年奋斗的尊严和自由不会消失殆尽,相信我不是心怀信念最孤独的一个,我们依然有被救赎的机会,我们依然可以在洪荒之地看见北斗星,我们会战胜邪恶!

在座诸位幸运见证了中国取得辉煌成就的四十年,也拥有比普通人更多的财富,更宽广的眼界,也自应肩负起更大职责。如果我们每个人都有家国使命感,为天地立心,为生民立命,请相信,这会比你只是在夹缝中做大了一家企业有更长远的成就感,而且,你的这些努力,必将惠及你的子孙:你的后代,将生活在一个富足、自由、不分种族、不分身份的强国。

就像《万历十五年》作者黄仁宇的那段话:如果你相信历史长期发展的必然性,那么当你经历了种种失败,年老时回望自己人生,才能平静地接受命运,体会其中的必然,然后静静地等待隧道的尽头开始展现一丝曙光,证明那些企图逆转命运的努力,并非无谓和徒劳。

七十年来家国,万千心事谁诉?

格隆以最喜欢的一首莎士比亚十四行诗做结,送给诸君,自勉并共勉:

你匆匆老去,

你的孩子也匆匆成长起来;

你青春时浇灌的新鲜血液,

当你年老时仍辉映着你年少的身影

再次祝福我们的祖国,祝福我们脚下这块命运多舛的土地。我就讲这些,谢谢大家。

(注:本文为删节版)

2018 年 9 月 22 日

# 新年寄语：我们在坚守些什么，又在放弃些什么？

▷ 一、守住希望：这是别人唯一从我们这拿不走的财富

今天是 12 月 31 日，还有一天，2017 年就结束了，2018 年脚步声已清晰可闻。

在这个大中华区股市一半海水一半火焰的神奇年度里，我们到底坚守了些什么？又放弃些什么？最终收获了些什么？想写点什么东西，但总觉得所有想法在这篇文章里已充分表达了，所以，稍加修改，重温给大家。

新年总让人既期盼又怅惘。怅惘多半是因为检讨去年收成无多，期盼则是心底总对未来怀有一份希望。格隆非常喜欢王维的一首诗《山中送别》：山中相送罢，日暮掩柴扉。春草明年绿，王孙归不归？打动我的不是辞藻，而是诗中隐含的那份若有若无，但实实在在的期盼与希望。

格隆一直记得一部关于希望的老电影《肖申克的救赎》(*The Shawshank Redemption*)。影片中，银行家安迪蒙冤，被判无期并关入肖申克监狱。在那座"灵魂交给上帝，身体交给狱长"，人人都只有放弃希望，变成行尸走肉才能生存下来的人间炼狱中，靠一个巴掌大的鹤嘴锄，安迪用二十年极尽屈辱的时间，挖开了狱友认为 600 年都无法凿穿的监狱高墙成功出逃。在一次罔顾门外狱警的枪口坚持给狱友播放"费加罗的婚礼"时，安迪道出了支撑他做这一切的原因：不要忘了，这个世界上还有可以穿透一切高墙，存在我们的内心深处，别人拿不走、碰不到的东西，那就是希望！

格隆一直在想，如果用资本市场的估值方法给希望做个估值，最好的估值方法应该是折现法，而估值结果一定是无限大，因为希望无止境，而有希望就可能有奇迹。

人生也罢，投资也罢，每个人都不敢保证在最艰难、最沮丧的时候，还会一直记得自己的信念，不敢断定自己就那么执着，但格隆希望大家一直记着安迪奔向自由后，留给狱友 Red 的那句话：记着，希望是件好东西，没准儿是件最好的东

西,而且从没有一样好东西会消逝!（Hope is a good thing, maybe the best of things, and no good thing ever dies）

这句话像极了格隆最喜欢的那首戴望舒的《偶成》：

如果生命的春天重到

古旧的凝冰都哗哗地解冻

那时我会再看见灿烂的微笑

再听见明朗的呼唤——这些遥迢的梦

这些好东西都决不会消失

因为一切好东西都永远存在

它们只是像冰一样凝结

而有一天会像花一样重开

自1997年开始,每年回藏区成了格隆的必然安排——那里就像格隆的第二故乡。但这个动作从2014年停下了,因为投入百分之两百精力做格隆汇的原因,实在抽不出时间,我连续3年没有进藏。这非常稀罕,以致藏区众多朋友纷纷询问,我的一致回答是：我在培育另一个希望。等这个希望开花的时候,我再进藏看你们！

但我知道,没有任何理由能解释连续3年的失约——你在追逐一些东西,也一定在放弃甚至永远失去一些东西。惶恐和愧疚之处在于,格隆并不确知哪些更珍贵,是在追逐的,还是在失去的？

生出这个感慨,是因为2017年冬天时,收到了好友卓嘎央宗因为高原心血管疾患被送往拉萨抢救的信息。"有多严重,还回不回左贡,都不知",她在阿里噶尔县教书的妹妹操着不是很熟练的汉语如是告知。

脑海中自然就涌出2015年雪顿节前央宗邀我返藏时发来的那阕清新诗文：殷勤昨夜三更雨,又得浮生一日凉。他乡独闯可安否？莫忘雪顿归故乡。

认识央宗是在她北京读中央民族大学的时候。后来好友贡去乎嘉措活佛在中国藏语系高级佛学院读书的那几年,我们在那里会经常碰上,也就熟了起来。不同于多数民族大学学生千方百计希望留在内地,从认识开始,央宗就说她一定会回她在雅鲁藏布江边的故乡。她说北京很大很美,但她已经看过了。"家乡更美。我回去,也许就能让家乡更多的孩子有机会来北京看看。"央宗说话总是那种淡淡的语气,一如她清秀脸上淡淡的笑容。大学毕业后央宗追随贡去乎的脚步去了印度留学,我们的联系就很少了,再后来就听说她很决然地回到了家乡,自愿去到昌都左贡一家偏僻的中学教书。后来我托在林芝做县委书记的好友辗转驱车去看她,朋友给我的回话是:"她挺好,与那些学生在一起。上午上课,下午转经,很快乐!"顿了顿,又补充了一句,"搞不懂她。那个鬼地方,真是苦。"

我听后无语,因为我懂她。

卓嘎在藏语中是对度母的称呼,也就是我们汉地佛教俗谓的度人仙女。我想,卓嘎央宗这个名字,冥冥中也许就是一种上天对人生轨迹和追求的定位?我陆续给她学校寄去了很多书和资料,但我知道这种行为很苍白:我在为自己寻找一些开脱的借口。我一直无法做到抛开现代社会缤纷色彩的诱惑,哪怕只是一年半载,而去亲力亲为一些内心更认可的事情,哪怕那件事本身的色彩其实更加绚烂迷人。

格隆每年进藏,一个很重要的原因,就是感染于藏地、藏人内心那种对希望的执着:无论生活环境多么恶劣,无论自身条件多么不堪,他们永远那么乐观,并抓住每一个时机载歌载舞,哪怕是在辛苦劳作的时候(如果你见识过藏区的打阿嘎)——一如藏区的格桑花与经幡。在藏区,经幡和格桑花一样随处可见,普通却又圣洁。藏人相信,经幡在空中的每一次随风舞动,都是在为众生念经祈祷。它们如同精灵,在山南藏王宫殿,在阿里民居屋顶,在梅里雪山山口,在川西

阿须草原，在年前刚发生强震的吉隆沟口，在格隆去过的藏区的角角落落，在所有磕长头的信徒能到达的地方，就那样色彩斑斓，那样自由欢快，那样恣意放纵地在风中飞舞吟唱，替所有人做着祈祷！

任何时候，遵循内心去做一些事情，守住你内心的希望！

愿您的心中，永远有一片飞扬的经幡！

## 二、财富貌似很重要，但经常会瞬间苍白

格隆是 2015 年离开香港回到内地的。回内地这三年，每年的冬天，几乎都能感受到那种无能为力，且痛彻骨髓的寒冷。

依然清晰记得，2015 年 12 月 31 日子夜时分，我走出中环 IFC 的办公室，抬头看到维多利亚湾上空璀璨烟火时的恍然惊觉：一年又过去了？

恰好当时格隆汇上海的一个朋友发来了外滩新年踩踏的现场照片，照片后面附有几句劫后余生明显仍带着恐慌的文字：踩踏！有人死了！在获救前，我下半身被压着一动不能动，我眼睁睁看着身边被压着的一个女孩子没有了声音和呼吸。但我能听到不远处，一大批根本没意识到事情严重性的人在跟着东方明珠电视塔的时间显示整齐划一喊着新年倒计时：5、4、3、2、1……

最开始我以为是朋友的新年恶作剧而一笑置之，但很快有第二个、第三个格隆汇朋友陆续给我发来了现场照片，我才知道这是真实在发生的事情，就在离香港两千千米之外的一个广场上。我急忙询问朋友现场情况与他的安危，他发来了第二条信息：我不知道死了多少人。庆幸我还活着！生死、忧欢真是一步之遥！格隆多保重！

事后我知道那场上海外滩，本为迎接新年倒计时的嘉年华，因踩踏而死亡 36 人。这个数字，搁在哪个国家都是重大悲剧。

是不是有一种严重的不真实感？当时几分钟前，我还在 IFC 的办公室里调整美联储加息的量化模型参数，还在计算 AH 股的整体价差，还在回溯历史上银行股、券商股在无宏观经济基本面支撑下能到达的估值上限……与此同时，在上海，有 36 个同胞再也迎接不了他们本来充满希望去守候的新年。

2016 年冬天，类似悲剧再次上演，只是地方换在了深圳。

2015 年圣诞节来临前 5 天，2016 年新年钟声敲响的前 10 天，深圳市光明新

区恒泰裕工业园泥渣土受纳场堆积的大量余泥渣土滑坡，造成附近3个工业园33栋建筑物被掩埋，75人失联。在厚厚的土层下掩埋超过5天后，我们都知道失联这两个字的真正含义是什么。

最关键，这事情发生在工业区。这意味着，埋在黄土下的，全是背井离乡的打工者。在格隆的农村家乡，他们被称为主劳力。75个主劳力的突然离去，对千里之外的若干个家庭，极可能意味着天从此塌了下来：一家人的吃食、老父老母的生活、年幼孩子的读书，一个五六口人的家庭可能从此没有了指望，甚至崩溃。

他们多数人一年辛苦勤扒苦做，也就那么一点点微薄的收入。但他们天生容易满足，他们可能已经拿着好不容易买到的车票，带好了虽廉价，但却温馨的小礼物，憧憬着回家过年，亲人团聚。

他们可能做梦也想不到，他们会在新年钟声敲响的前十天，被埋在这个叫深圳的异乡土地下。

有没有一种虚拟现实的感觉？我们在研究虚拟现实、中国经济的走向、H股的全流通，但有75个人再也回不去生他养他的故乡。

这些看似偶然的事件，年复一年，轰轰烈烈发生，又悄无声息湮没，如同什么都没有发生过一样。

前年新年，上海外滩的踩踏让我产生的是严重的时空错位与今夕何夕的恍惚感，去年深圳恒泰裕工业园的悲剧，让我产生的是一种绞痛和无能为力的愧疚。

或许，你也会与我一样有天马行空的惶惑：我们每天的生活方式，也许远没有我们所认为的天经地义，理所当然？我们每天在讨论和追逐的东西，也许远没有我们想象的那么重要和有意义？我们在思维惯性与行为惯性下日复一日重复的那些行为，或许与我们上路之初的初衷，根本就是南辕北辙？

格隆一个很好的朋友，曾是内地一家公募基金的高管，拿着令人艳羡的高薪：从哪个角度看，他都是一个成功者。有一天我收到他从丽江发来的信息：已辞职，和老婆在丽江。我们承包了一家客栈，有空来玩。问他发生了什么，为何如此大动作。他回答：什么事也没发生，只是我一直想要过的日子是不断更新的彩色片，而不是日复一日的黑白片。之后他追问了一句：你有没有觉得，财富在很多时候异常苍白？

不知道你小时候最喜欢做的是什么？

格隆小时候最乐此不疲做的事，就是仰望星空，油菜花地里、稻谷场堆中、水牛背上……我总在好奇，天的那边有些什么？到今天，我依然对深邃的星空极端着迷。

不要一直匆匆赶路。偶尔停下你的脚步,看看久违的星空,想想你在做什么?

愿您的内心,永远有一片可以仰望的星空!

## ▷ 三、人生若只如初见:追逐财富,但守住更珍贵的年少轻狂

格隆一直很喜欢三毛的那首《记得当时年纪小》:

> 记得当时年纪小
> 我爱谈天你爱笑
> 有一回并肩坐在榕树下
> 风在林梢鸟儿在叫
> 我们不知怎样睡着了
> 梦里花落知多少

它几乎囊括了格隆对幸福的全部理解:简单得近乎透明的快乐。

不少格隆汇朋友对我说,格隆,你太感性了,你一点也不像一个做投资的。

这话给我带来的感觉更多是酸涩,而不是惊喜。

因为我自己清楚知道,当年那个仰天大笑出门去,毕业个性签名是"我可以

生,可以死!我大笑!由天决定!"年少血热的少年,那个看完了马丽华的《西行阿里》,就打起简陋背包不计后果远赴藏北,最后差点死在那里的无畏少年,那个偶然读了一句打动自己内心的"一杯清闲,可抵十年尘梦。从此以后,忧又何妨,喜又何妨,平凡度日而已"就不知天高地厚,摸索着乘船顺长江而下,去南京寻找和拜访小说《清闲尘梦》作者梁晴的少年,那个读大学期间拼命写文章、授课、炒股,积累和凑足经费后请女友去共吃一份川味水煮牛肉并喜不自禁的少年,那个毕业后南下深圳、香江,夜晚趴在深圳北环天桥和香港中环天桥看桥下车流,由衷赞叹城市的繁华,并梦想着这车流里有一辆车如果是我的,路边闪烁着灯光的房间有一间是我的该多好的少年,已经越来越离我远去了。

人到中年,格隆早已渡过了为衣食谋的阶段,也很自得于没有辜负毕业时父亲"俯仰无愧"的四字要求。但不知道大家有没有格隆的这个感觉:随着年龄的增长,物质财富越积越多,但却再也不容易感动,再也难找到过去那么简单轻松的快乐。

而那些东西——简单、感恩、包容、赞美、满足、快乐、上进、给予而不是索取,才是格隆珍视的真正财富。

是的,格隆其实想说的,是大家其实都明白的一句话:我们真正追逐的其实是快乐。但很多时候,我们把快乐简单等同于财富。但一定有一天你会明白:财富真的不能带来快乐,至少绝不必然带来快乐,如果你不能很好驾驭你在财富面前扮演的角色和心态的话。

2015年有多少人在A股大牛市里曾一夜暴富,却又在贪婪与侥幸中失去所有,甚至破产。讽刺与闹剧的不是股市,是你的内心。

2017年有多少大亨、首富在财富、与政经的追逐中进退失据,甚至远走他乡,身陷囹圄。万科、万达、乐视、安邦……如此之多我们耳熟能详,曾经看似光鲜的商业故事、商业逻辑与商业帝国,都那么轻而易举垮塌,被证伪。

追逐财富,但守住更珍贵的那些东西,尤其是你年少轻狂时所珍视的那些东西! 这样你才会在财富与内心之间寻找到平衡。

愿您的内心,永远有那一份淳朴的年少轻狂!

## ▷ 四、你的投资真需要那么高的收益率吗:求之愈频,失之愈远

2016年,格隆曾经在一次证券从业圈的校友聚会上问过一个问题:你们谁的资产总额超越了2007年大牛市时的总额?

当时统计结果令人吃惊:就算是这批专业的从业者,也还有近4成的人的资产总额仍未超越2007年牛市巅峰时的水平,这8年一直在弥补之后熊市的亏损,但8年的光阴已经过去了。

人的一生有几个8年?

另一次是今年年底的聚会,有今年在港股牛市收益率超过400%的朋友问格隆:格隆,如果我把钱交给你来做投资,你能做出这个收益率吗?

格隆摇摇头:应该做不到。

对方追问:那你天天花那么多精力做深入研究的作用和优势体现在什么地方?

我想了想告诉他:我也不知道。也许是不亏钱,尤其熊市里。

能做到在熊市里不亏钱,是因为格隆从踏入这个市场开始,就一直生活在一种恐惧之中,战战兢兢,如履薄冰,我不想成为这条路上的路标,但也正是这种恐惧能让我一直活着,并一往无前。

格隆攀过珠峰,因各种原因铩羽而归。虽未登顶,但我见到了诸多死在攀登路线两边并成为路标的登山者尸体,各种姿势,触目惊心——其实山总在那里,你得为自己保留下次攀登的权利。

证券市场习惯造神,经常会宣传哪个股神当年获得了多高的惊人收益率。但格隆从来都是把这种东西当作茶余饭后的谈资,既不会羡慕崇拜,更不会细究是否真实,以及怎么实现的。在格隆看来,投资根本不需要那么高的收益率,长

期看似平庸的正收益率,带来的是长期惊人的复合回报。如果你每年都领先指数太多,你可能离被扫地出门的时间也不远了:你的超常规收益一定来自你的超常规动作,其中必定有冒险成分。最关键的是,你会陶醉在这种超常规收益率中,天真地以为这是你的个人能力,形成思维与路径依赖并乐此不疲去反复尝试。这意味着,你以前所有积累的收益,只是在为下次一次亏掉做准备而已。

因为谁也无法保证你一直有那么好的运气:天天走夜路而不碰到鬼。

格隆酷爱下围棋。我也相信这个市场有不少类似李昌镐那样的高手,他们能灵活把握和捕捉到这个市场几乎每一个主要的机会,并能在熊市与牛市之间自如切换投资思路。

对我们大多数人来说,我们不需要做到这样,就能活得很好。

最关键的是,这样做,我们能一直活着。

## ▷ 尾声:感激与祝福:我们一起努力

猜猜这双脚是谁的?

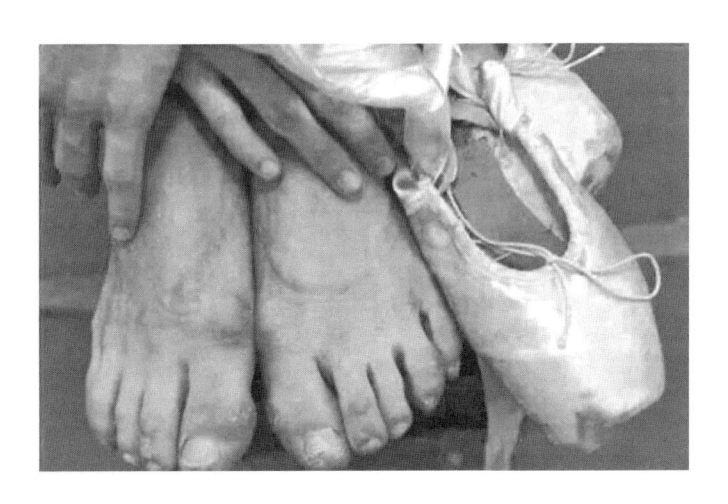

是的,是一双世界最顶尖芭蕾舞艺术家的脚。她有最美丽的容颜和舞台上最曼妙的舞姿。直到有一天她应记者要求当众脱下了她脚上的鞋子!

格隆想说的是,所有成功,背后都是艰辛的努力和汗水:你是这样,我是这样,格隆汇也是这样。感谢分布在全球七十多个国家,与我们一路同行的近千万会员朋友——很多朋友陪伴我们已经有 4 个年头了！没有你们的支持,我们不会有今天的成绩。"独行者速,众行者远",期待我们能一如既往,继续并肩前行,一起分享责任与荣耀。

过去的一年,我们有收获和惊喜,也有懊恼和沮丧。但没关系,重要的是始终保持一颗积极、上进、感恩的心,传递给你自己,传递给你的朋友,传递给你的太太,你的孩子,你身后视你为顶梁柱的亲人:尽管很难,但你会一直风雨兼程!

最后送大家一首格隆很喜欢的丰子恺的一首诗,作为送大家的新年礼物。谨以此诗致即将来到的新年,并祝福所有格隆汇的朋友万事如意:

《豁然开朗》——丰子恺

你若爱,
生活哪里都可爱;
你若恨,
生活哪里都可恨;
你若感恩,
处处可感恩;
你若成长,
事事可成长。
不是世界选择了你,
是你选择了这个世界。

2017 年 12 月 31 日

# 戊戌 120 年祭

▷ 一

元朔二年(前 127 年)正月,汉武帝颁布推恩令,令诸侯王分封子弟为列侯,并将王国封地分给自己的子弟。这直接引致尾大不掉的各诸侯王国的分崩离析,大一统的中央集权正式建立。自此,由共主或中央王朝给宗族姻亲、功臣子弟分封领地和相当治权为特征的封建制,在中国这块土地上销声匿迹。取而代之的,是长达两千多年、几乎看不到尽头的对专制集权的反复争夺与循环更替。

元和二年(公元 85 年),汉章帝下令在全国推行干支纪年,并一直延续至今。与西方公元纪年的绝无重复不同,干支纪年每 60 年会重新一个轮回。

我们这个民族,最鲜明的底色与烙印,在几乎两千年前就已定型,之后只是一轮又一轮的轮回而已。

这,算不算一种冥冥中的宿命诅咒?

▷ 二

1898 年 9 月 28 日下午四时,北京宣武门外菜市口刑场,烈日高照下的刑场上人山人海。这是中国近现代史上颇为悲壮黑暗的一个日子,谭嗣同、刘光第、康广仁、杨深秀、杨锐、林旭 6 位维新变法人士在这里被处斩,围观的上万百姓兴奋地向他们身上扔着白菜帮子!这一年是中国的农历戊戌年,史称"戊戌六君子"。而由他们主导的那场比日本明治维新晚了 30 年的变法,史称"戊戌变法"。

这场变法的大背景,是中国已经停滞了近千年的社会与羸弱不堪的竞争力。尽管 GDP 一度达到过全球的 1/3,但清王朝其实在"康乾盛世"最顶峰时就已开始脱离世界发展主流,开始走向衰败的不归路了。除了物质财富产出效率被工

戊戌六君子

业革命后的欧洲越拉越大外,清王朝顶峰时期的18世纪,人类真正的进步是政治制度文明。乾隆十三年(1748年),孟德斯鸠发表了名著《论法的精神》。乾隆四十一年(1776年),美国的清教徒们在这一年发表了"人人生而平等"的《独立宣言》,一个几乎一无所有的叫美利坚的新国家诞生。乾隆五十四年(1789年),法国爆发资产阶级大革命,提出"主权在民"原则。乾隆退位后的第二年(1797年),华盛顿宣布拒绝担任第三任总统,完善了美国的民主政体。

18世纪,世界文明大潮的主流,是通过立宪制和代议制"实现对统治者和权力的驯化,把他们关到法律的笼子里"。而在地球的另一端,乾隆积六十余年的毕生努力,完成了中国历史上最缜密、最完善、最牢固的专制统治,把民众关进了更严密的专制统治的笼子里。

史书上津津乐道的"康乾盛世",其实只是以空前的政治稳定,养活了数量空前的人口,奠定了中国今天的版图。然而对比18世纪世界文明的发展,康乾时代是一个只有生存权没有发展权的家天下,也是中国历史上民众权利被剥夺得最干净、意志被压制得最羸弱的时代之一,是一个基于少数统治者利益最大化而设计出来的盛世,其给中华民族精神上造成的永久性创伤,远大于这一时期的成就。

亚当·斯密在巨著《国富论》中是如此刻薄地批评彼时的中国的:

"中国长期处在静止状态,其财富在多年前就已达到该国法律制度允许的最高限度。如果改变和提高他们的法治水平,那么该国的土壤、气候和位置所允许的限度,可能比上述限度大出很多。""富人和大资本家很大程度上享有安全,而穷人和小资本家不但不能安全,而且随时都可能被低级别的官僚借口执法而被强加掠夺"。

这种对平民财产的肆意剥夺,有的时候是一种个别行为,但更多的时候则是一种专制集权基础上的政府行为。由于私人财产得不到有效保障,中国成了世界上财产继承与创造都极为低效的国家。

但这其实不是康熙乾隆们的错。于他们而言,不受制约的专制集权,就如同壮年男人面前的春药与后宫,断无主动放弃的可能。

世纪之交的1799年,华盛顿在大洋彼岸去世,他给世人留下了一部三权分立的宪法,以及一个蒸蒸日上的现代国家。同一年,乾隆去世,留给他子孙的,是一个看似庞大,实则羸弱不堪、一推即倒的"泥足巨人"。

一百年后,饱受鸦片战争及甲午海战羞辱的康乾子孙们,推动了那场沽名钓誉式的变法。

"我自横刀向天笑,去留肝胆两昆仑"的谭嗣同并非"根正苗红"的革命者,某种意义上,他甚至属于"既得利益者"。其父谭继洵为晚清重吏,于京城户部任官十六年,后调任甘肃任省按察史,光绪十五年调任湖北巡抚,尝两次兼代湖广总督,为正一品封疆大吏,累官赠光禄大夫。

但谭嗣同是少数看清了中国千年轮回症结的人,而1895年甲午海战的惨败与中日《马关条约》的签订,则让他开始对这个腐朽没落的专制王朝绝望,所以他要"废君统,倡民主",指出"数千年来统治者皆大盗也,实为民贼!",这也是"蒙幸"被光绪帝征召入京,参与变法新政后,他的激进主张最终会触痛"专制君权"这个慈禧太后底线的原因,加之维新派荒唐的"围园劫后"计划触怒慈禧,1898年9月21日,慈禧太后发动宫廷政变,将光绪皇帝囚禁于瀛台,并下令逮捕维新派人士。

事实上，维新派所谓的"激进"主张里，甚至连"君主立宪"都未列入。一旦涉及最核心的"专制权利"，就没有任何商量的余地，所以这场在史书上"轰轰烈烈"的变法，其实是一场几乎一开始就注定会失败的帝后权利争斗而已。

但这丝毫不会黯淡谭嗣同的光芒。他如同一颗划过暗黑夜空的流星，留下一道异常耀眼的轨迹，引导、激励着一个又一个不自由、毋宁死的热血儿郎，在为了自由理想的道路上冲锋陷阵，不畏生死！

作为封疆大吏的儿子，他本来也可以和梁启超那样出逃保命。但为了中国变法自强的大业，谭嗣同选择留了下来，试图用自己的鲜血来唤醒麻木的国人。在刑部狱中他给梁启超的绝笔书中写道："嗣同不恨先众人而死，而恨后嗣同死者虚生也。啮血书此，告我中国臣民，同兴义举。"

"壮矣，维新欲杀贼而未回天，终成国恨；

快哉！喋血屹昆仑以昭肝胆，长醒吾民。"

这是后人撰于谭嗣同故居上的对联。只是从1898年9月28日菜市口刑场上万人同嗨的现实，以及那个戊戌年后中国近百年令人唏嘘的诡异走向，"有心杀贼，无力回天"的谭嗣同是否真"死得其所，快哉快哉"，殊未可知。

## ▷ 三

一个有趣的设问是：如果120年前的那场变法并未中断，中国能自强吗？

这个问题，在戊戌变法两年后，慈禧和光绪都问过自己。

1900年8月14日，假义和团之乱而起兵的八国联军攻入北京，京城完全陷落，一手扼杀了戊戌变法的慈禧仓皇出逃，一路狂奔到西安——这个出逃行为被清政府取了个很唯美的名字："两宫西狩"。

1900年8月20日，慈禧假光绪之口，发布帝国的《罪己诏》，皇家文件的豪华文采全不见踪影，像极了一篇小学生因为小错而写给老师的悔过书。一百多年后的今天，不读不行，读之生厌。

《罪己诏》，把罪过一股脑推到了"爱国者"义和团身上，下令对义和团"痛加剿除"：涞涿拳匪，焚堂毁路……妖言邪说，煽动愚人……胆敢红巾露刀，充斥都城，焚掠教堂、围攻使馆……天下断无杀人放火之义民，国家岂有倚匪败盟之政体？

慈禧假光绪之口发布的《罪己诏》中有一句颇值得玩味的话："即无拳匪之

变,我中国能自强耶?"

在整篇《罪己诏》中,只有这句反问,像是皇帝自己的话。

可是,话是问得不错,问题是:问谁呢?整个大清帝国,谁有这个视野和见识,能回答这个问题?

被史书奉为"睁眼看世界第一人"的魏源其实是没有这个能力的,他其实只是史学家雕琢出来,用以反衬清朝当权者多么眼光狭窄短浅的一尊吉祥物而已。魏源赖以成名,并提出"师夷长技以制夷"的著作《海国图志》是在南京城西清凉山下乌龙潭边,在林则徐主持编译的《四洲志》的基础上"编撰"而成的。

换句话说:世界你都没观过,哪来的世界观?

在一个国家向现代国家转型的过程中,一批知识分子到发达(欧美)国家亲眼观察并引进先进的思想与制度,至关重要。如果不直接地观察对比,仅仅通过阅读了解,常常是隔靴搔痒,甚至断章取义,走向极端。

与魏源形成鲜明对照的,是与他同一个时代的福泽谕吉:前者留下了一本夹生熟的书,而后者在游历欧美后,以思想为武器,直接引致了整个日本的现代化。

客观地说,慈禧是有视野和魄力的。她不反对变法,据费行简《慈禧太后传信录》载,早在变法之初,慈禧太后即对光绪帝说:"变法乃素志,同治初即纳曾国藩议,派子弟出洋留学,造船制械,以图富强也。""苟可致富强者,儿自为之,吾不内制也。"没有慈禧的支持,戊戌变法根本不可能推行。而百日维新后慈禧扼杀变法,无它,只是因为变法最后在试图拿走她的权杖,完全架空她。

慈禧也一点不排外,甚至对西洋器具情有独钟。1861年咸丰驾崩,20多岁的慈禧,直接发动政变上台。慈禧在夺取大清统治地位之后的前三十多年里,只做了一件事,就是选择了中国几千年历史上"第一次大规模引进西方科技"的洋务运动。她果断启用了曾国藩、李鸿章、左宗棠、张之洞等外向进取的汉人,并提升李鸿章为洋务总工程师。洋务运动快速发展了大清的经济:火车铁路,兵工厂,纺织厂,电报局,北洋舰队,机械化露天煤矿,炼铁厂等行业企业第一次出现在封闭千年的中国。洋务运动只用了短短三十多年时间,就把一个等同于唐汉时期农业经济体的国家,带进了近代经济体的大门,这在几千年中国历史上实属开天辟地。

但作为全球最大集权体制的最高掌权者,对权势的恋栈,将令慈禧排除任何可能引致统治风险的选项。这是一种无法医治的,骨子里的排外。排斥的不是外人,外面的技术，而是任何一个可能根本上动她权杖的事物，无论是人，还是制度。

但只靠洋务运动一条腿发展起来的大清，很快就跌倒了。就算大清的历史没有甲午战争的惨败，只发展经济的洋务运动也注定保不住大清。一位学者如是论述：因为西方的科技进步和经济发展，是同体制配套使用的结果。大清只引进科技，就像买手机不要充电器，待机时间再长，也会没电的。

历史也并不是没有给清王朝机会。当时最见多识广，视野最阔的，算是李鸿章了。他是中国第一位专门与"洋夷"打交道的人，也是大清第一个外交家。如果说慈禧是"洋务运动"的总设计师，李鸿章就是最坚决的践行者。

1896年，七十有四的李鸿章开始游历欧美，历时近7个月，行程9万里，先后游历了俄、德、荷兰、比利时、法、英、美、英属加拿大等。在这些国家，他受到了热情款待，会见了俾斯麦等各国政要，也参观了工厂、报社、学校、矿山、电报局、银行，在德国还专门请医生以"电照法"即X光检查了年前马关谈判时被日本愤青小山丰太郎行刺时仍留在脸上的子弹。

可惜，搞了半辈子洋务运动的老头，仍然只发现了欧美的器物之美，发现不了器物之后的东西：用杨小凯先生的术语来讲，根源还在于"后发劣势"。

李鸿章旅游到英国，对英国的一架缝纫机都能着迷，并不惜重金，给老佛爷购回一台。但却（刻意？）忽略了最不应该忽略的一件东西——他在代表西方政治制度的英国下院为他特设的席位上旁听了议员们的辩论，觉得那是一窝蜂似的吵架，说："无甚可观。"

"无甚可观"——四个字，代表了当时整个民族的视野。

## ▷ 四

60年后，戊戌重回，又一个轮回。

1957年6月，中国开始了大规模的"反右运动"，而该运动的高潮年1958年，恰好是中国农历戊戌年。

## ▷ 尾声

2月20日大年初五那天，一早起来，满屏都是接财神的，格隆也凑个热闹，送了大家三个财神。

财神一：最大美元百元大钞上的头像不是总统，而是著名科学家、金融家、政治家富兰克林，《独立宣言》的起草人之一。正是《独立宣言》中以下最经典的两句，保证了美国在短短243年的时间里，创造了人类历史上最大的财富，且完全没有停歇的迹象：

We hold these truths to be self-evident, that all men are created equal, that they are endowed by their Creator with certain unalienable Rights, that among these are Life, Liberty, and the pursuit of Happiness.

我们认为这些真理是不言而喻的：人人生而平等，造物者赋予他们若干不可剥夺的权利，其中包括生命权、自由权和追求幸福的权利。

That to secure these rights, Governments are instituted among Men, deriving their just powers from the consent of the governed.

为了保障这些权利，人类才在他们之间建立政府，而政府之正当权力，是经被治理者的同意而产生的。

财神二：日元最大面额上是一个出身平民、终身未仕的教育家、思想家，他叫福泽谕吉。他是日本明治维新时期的启蒙思想家、教育家，著有《劝学篇》《文明概略论》《脱亚论》等，主要思想是反对封建专制、崇尚自由平等，呼吁日本脱离东方愚昧文化，学习西方。虽然他是一介平民，终身未得一官半职，却主导了19世纪后半叶以后整个日本的思维改造与国家走向，让日本从一个比清朝还封闭落后的岛国，一跃成为全球强国。

财神三：我们自己的财神，想了很久，无疑是2月19日满屏纪念的这个人——是他强调"我们落后的关键还是我们从五十年代起，不抓经济而抓阶级斗争。"他是名副其实的，真正让大多数中国人一年到头有钱大吃大喝、消遣娱乐、满世界旅游以至于让春节都失去了年味儿的"财神"。中国（经济）在70年代末基本濒临崩溃，没有他，我们极可能仍然饥寒交迫，更妄谈看世界。

一国之货币，就是该国财神的祝福礼物。但遗憾的是，不是所有国家都把带他们走上富裕道路的人如富兰克林和福泽谕吉都印在纸面上……

正好今天股市开盘，与一个做跨境投资的哥们聊及特朗普惊世骇俗的大减税，他发来如下一段话：政治家的伟大，从来都是做出来的，而不是吹出来、捧出来的。只要美国赢了，输了全世界又如何？特朗普癫狂的行事作风后面是真正的高瞻远瞩！大规模减税，这是特朗普的一小步，但却极可能是美国的一大步！！体制，才是美帝永恒的优势。我们常犯的错误是，只看它的制约与低效，而忽视它的反省、纠错、持续，这才是美帝自信之本。持续与轮回，你告诉我，两者谁能胜出？

  多歧路，今安在？

  下一个戊戌年，我们在哪？

2018年2月20日